商务馆对外汉语教学专题研究书系

总主编　赵金铭

审　订　世界汉语教学学会

对外汉语教师素质与教师培训研究

主　编　张和生

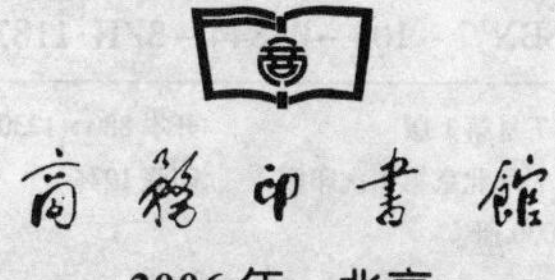

商務印書館

2006年·北京

图书在版编目（CIP）数据

对外汉语教师素质与教师培训研究/张和生主编．—北京：商务印书馆，2006
（商务馆对外汉语教学专题研究书系）
ISBN 7-100-04844-3

Ⅰ．对… Ⅱ．张… Ⅲ．对外汉语教学—教学研究—文集 Ⅳ．H195

中国版本图书馆 CIP 数据核字(2005)第 146900 号

DUÌWÀI HÀNYǓ JIÀOSHĪ SÙZHÌ YǓ JIÀOSHĪ PÉIXÙN YÁNJIŪ
对外汉语教师素质与教师培训研究
主编 张和生

商务印书馆出版
（北京王府井大街36号 邮政编码 100710）
商务印书馆发行
北京瑞古冠中印刷厂印刷
ISBN 7-100-04844-3/H·1187

2006年7月第1版 开本 880×1230 1/32
2006年7月北京第1次印刷 印张 12⅞
印数 5 000 册

定价：23.00 元

总主编 赵金铭

主　编 张和生

编　者 张和生　步延新　丁　帅　田　鑫
郑　睿

作　者 （按音序排列）

卞觉非　陈昌来　陈　绂　陈光磊
邓恩明　范开泰　郭　熙　何　寅
黄　宏　黄锦章　黄晓颖　李海燕
李禄兴　李　泉　李晓琪　连志丹
刘德联　刘晓雨　刘　珣　刘　焱
陆俭明　吕必松　潘文国　彭利贞
王魁京　徐　娟　徐子亮　杨子菁
张德鑫　张和生　赵冬梅　赵金铭
郑艳群　周　健　周婉梅

目 录

从对外汉语教学到汉语国际推广

（代序）

赵金铭

新中国的对外汉语教学在经过 55 年的发展之后，于 2005 年 7 月进入了一个新时期。以首届“世界汉语大会”的召开为契机，我国的对外汉语教学在继续深入做好来华留学生汉语教学工作的同时，开始把目光转向汉语国际推广。这在我国对外汉语教学发展史上是一个历史的转捩点，是里程碑式的转变。

语言的传播与国家的发展是相辅相成的，彼此互相推动。世界主要大国无不不遗余力地向世界推广自己的民族语言。我们大力推动汉语的传播不仅是为了满足世界各国对汉语学习的急切需求，也是我国自身发展的需要，是国家软实力建设的一个有机组成部分，是一项国家和民族的事业，其本身就应该成为国家发展的战略目标之一。

回顾历史，对外汉语教学的每一步发展，都跟国家的发展、国际风云的变幻以及我国和世界的交流与合作息息相关。

新中国对外汉语教学肇始于 1950 年 7 月，当时清华大学开始筹办“东欧交换生中国语文专修班”，时任该校教务长的著名物理学家周培源先生为班主任;9月成立外籍留学生管理委员会,前辈著名语言学家吕叔湘先生任主任;同年12月第一批东欧学生入校学习。这是新中国对外汉语教学事业的滥觞。那时,全部留学生只有33人。十几年之后,到1964年也才达到229人。1965年猛增至3 312人。这自然与当时中国的国际地位和世界局势变化密切相关。经“文革”动乱,元气大伤。1973年恢复对外汉语教学,当时的留学生也只有383人。此后数年逐年稍有增长,至1987年达到2 044人,还没有恢复到1965年的水平。①

改革开放以后,特别是近十几年来,对外汉语教学事业飞速发展。从20世纪90年代开始,来华留学生数量呈逐年上升趋势,至2003年来华留学生已达8.5万人次。据不完全统计,目前全球学习汉语的人数已达3 000万。

对外汉语教学事业的蓬勃发展,一直得到国家的高度重视和大力支持。早在1988年,国家教委、国家对外汉语教学领导小组在北京召开“全国对外汉语教学工作会议”时,时任国家对外汉语教学领导小组常务副组长、国家教委副主任的滕藤同志在工作报告中,就以政府高级官员的身份第一次提出,要推动对外汉语教学这项国家与民族的崇高事业不断发展。

会议制定了明确的发展目标,即“争取在半个多世纪的时间内做到:在教学规模上能基本满足各国人民来华学习汉语的需求;在教学理论和教学方法上,赶上并在某些方面超过把本民族语作为外语教学的世界先进水平;能根据各国的需要派遣汉语

① 参见张亚军《对外汉语教法学》,现代出版社1990年版。

教师、提供汉语教材和理论信息;在教学、科研、教材建设及师资培养和教师培训等方面都能很好地发挥我国作为汉语故乡的作用”。①

今天距那时不过十几年时间,对外汉语教学的局面却发生了翻天覆地的变化。对外汉语教学不再仅仅是满足来华留学生汉语学习的需要,汉语正大步走向世界。对外汉语教学的持续、快速发展,以至汉语国际推广的迅猛展开,正是势所必至,理有固然。目前,汉语国际推广正处在全新的、催人奋进的态势之中。

国家在世界范围内推广汉语教学,我们谓之“致广大”;我们在此对对外汉语教学进行全方位的研讨,我们谓之“尽精微”。二者结合,构成我们的总体认识,这里我们希望能“博综约取”,作些回首、检视和瞻念,以寻求符合和平发展时代的汉语国际推广之路。

一　汉语作为第二语言教学的理论研究

对外汉语教学,即汉语作为第二语言教学,作为一个学科,从形成到现在不过几十年,时间不算太长,学科基础还比较薄弱,理论研究也还不够深厚。但汉语作为第二语言教学作为一个学科有它持续的社会需要,有自身的研究方向、目标和学科体系,而且更重要的是它正按照自身发展的需要,不断地从其他的有关学科里吸取新的营养。诚然,要使对外汉语教学形成跨学科的边缘学科,牵涉的领域很广,理论的概括和总结实非易事。

---

① 参见晓山《中国召开全国对外汉语教学工作会议》,《世界汉语教学》1988年第4期。

综览世界上的第二语言教学,真正把语言教学(在西方,“语言教学”往往是指现代外语教学)作为一门独立学科而建立是在上一个世纪60年代中叶。

桂诗春曾引用 Mackey(1973)说过的一句意味深长的话:“(语言教学)要成为独立的学科,就必须像其他科学那样,编织自己的渔网,到人类和自然现象的海洋里捞取所需的东西,摒弃其余的废物;要能像鱼类学家阿瑟·埃丁顿那样说,‘我的渔网里捞不到的东西不会是鱼’。”①

应用语言学是一门独立的交叉学科,分广义和狭义两种。狭义的应用语言学研究语言教学。广义的应用语言学指应用于实际领域的语言学,除传统的语言文字教学外,还包括语言规划、语言传播、语言矫治、辞书编纂等。我们这里取狭义的理解,即指语言教学,主要研究汉语作为第二语言教学或外语教学。所以,我们说对外汉语教学是应用语言学,或者说是应用语言学的一个分支学科。我们把对外汉语教学归属于应用语言学,或者说对外汉语教学的上位是应用语言学。

应用语言学作为一门应用型的交叉学科,它的基本特点是在学科中间起中介作用,即把各种与外语教学有关的学科应用到外语教学中去。组织外语教学的许多重要环节(如教育思想、教学管理、教学组织、教学安排、教材、教法、教具、测试、教师培训等等),既有等级的,也有平面的关系。而教学措施上升为理论之后,语言教学就出现了很大的变化。② 那么,这些具有不同

---

① 参见桂诗春《外国语言学及应用语言学研究》第一辑发刊词,首都师范大学外国语学院主办,中央编译出版社 2002 年版。

② 参见桂诗春《外语教学的认知基础》,《外语教学与研究》2005 年第 4 期。

等级的或处于同一平面的各种关系是如何构筑成对外汉语教学的学科理论的呢?

李泉在总结对外汉语教学学科基本理论时,提出应由四部分组成:(1)学科语言理论,包括面向对外汉语教学的语言学及其分支学科理论,面向对外汉语教学的汉语语言学;(2)语言学习理论,包括基本理论研究、对比分析、偏误分析和中介语理论;(3)语言教学理论,包括学科性质理论、教学原则和教学法理论;(4)跨文化交际理论。①

这些理论,在某种意义上都有其自身存在的客观规律,这也是作为学科的对外汉语教学所必须遵循的。我们尤其应该强调的是对语言教学理论的应用,这个应用十分重要,事关教学质量与学习效率,这个应用包括教学设计与技巧、汉语测试的设计与实施。只有应用得当,理论才发生效用,才能在教学和学习过程中起提升与先导作用。

几十年来,我们一直把对外汉语教学作为一个学科来建设,建设中也是从理论与应用两方面来思考的。陆俭明在探讨把汉语作为第二语言教学当作一个独立的学科来建设时,提出了更高的要求,他认为这个学科应有它的哲学基础,有一定的理论支撑,有明确的学科内涵,有与本学科相关的、起辅助作用的学科。② 我们认为,所谓的哲学基础,关涉到对语言本质的认识,反映出不同的语言观。比如语言是一种交际工具,还是一种能

---

① 参见李泉《对外汉语教学的学科基本理论》,《海外华文教育》2002年第3、4期。

② 参见陆俭明《增强学科意识,发展对外汉语教学》,《世界汉语教学》2004年第1期。

力？语言是先天的，还是后得的？这都关系着语言教学的发展，特别是教学法与教学模式的确立。总之，我们应树立明确的学科意识，共同致力于对外汉语教学的学科理论建设。

二　关于学科研究领域

汉语作为第二语言教学，作为一个学科，业内是有共识的，并且希望参照世界上第二语言教学的学科建设，来完善和改进汉语作为第二语言教学的学科体系，不断推进学科建设的开展，其中什么是学科的本体研究，是首先要考虑的问题。

本体的观念是古希腊亚里士多德范畴说的核心。亚里士多德把现实世界分成本体、数量、性质、关系、地点、时间、姿态、状况、动作、遭受等十个范畴。他认为，在这十个范畴中，本体占有第一的、特殊的位置，它是指现实世界不依赖任何其他事物而独立存在的各种实体及其所代表的类。从意义特征上看，本体总是占据一定的时间，是看得见、摸得着的事物。其他范畴则是附庸于本体的，非独立的，是本体的属性，或者说是本体的现象。因此，本体是存在的中心。①

早在上世纪末，对外汉语教学界就有人提出对外汉语教学"本体研究"和"主体研究"的观点。"对外汉语教学学科研究的领域，概而化之，可分为两大板块：一是对汉语言本身，包括汉语语音、词汇、语法和汉字等方面的研究，可谓之学科本体研究；二是对作为第二语言教学的汉语理论与实践体系和学习与习得规

① 参见姚振武《论本体名词》，《语文研究》2005年第4期。

律、教学规律、途径与方法论的研究,可谓之学科的主体研究。学科本体研究是学科主体研究的前提与基础,学科主体研究是学科本体研究的目的与延伸。对这种学科本体、主体研究的辩证关系的正确认识与把握,是至关重要的,它关系着对外汉语教学学科发展的方向与前途。否则,在学科理论研究上,就容易偏颇、失衡,甚至造成喧宾夺主。”①

不难看出,这里所说的“本体研究”即为“知本”,它占有第一的、特殊的位置,是存在的中心。这里所说的“主体研究”即为“知通”,是附庸于本体的,本固枝荣,只有把作为第二语言的汉语研究透、研究到家,在此基础上“教”与“学”的研究才会不断提高。

我国对外汉语教学的历史毕竟不长,经验也不足,对于汉语作为第二语言教学之本体研究,也还存在不同的认识。当然,若从研究领域的角度来看,大家是有共识的。只是观察的视角与侧重考虑的方面有所不同。总的说来,对对外汉语教学的基础研究还应进一步地深入思考,以期引起有关方面的足够重视。

对此,陆俭明是这样认识的:“在这世纪之交,有必要在回顾、总结我国对外汉语教学的基础上,认真思考并加强汉语作为第二语言的本体研究,特别是对外汉语教学的基础研究。汉语作为第二语言之本体研究,按我现在的认识和体会,应包括以下五部分内容:第一部分是,根据汉语作为第二语言教学的需要而开展的服务汉语教学的语音、词汇、语法、汉字之研究。第二部分是,根据汉语作为第二语言教学需要而开展的学科建设理论

---

① 参见杨庆华《对外汉语教学研究丛书·序》,北京语言文化大学出版社1997年版。

研究。第三部分是,根据汉语作为第二语言教学需要而开展的教学模式理论研究。第四部分是,根据汉语作为第二语言教学需要而开展的各系列教材编写的理论研究。第五部分是,根据汉语作为第二语言教学需要而开展的汉语水平测试及其评估机制的研究。"①这里既包括理论研究的内容,也包括应用研究的内容,可供参酌。根据第二语言教学的三个组成部分的思想,即"教什么""怎样学""如何教",上述的观点非常正确地强调了"教什么"和"如何教"的研究,却未包括"怎样学"的研究。

陆先生认为,对外汉语教学学科的本体研究必须紧紧围绕一个总的指导思想来展开,这个总的指导思想是:"怎么让一个从未学过汉语的外国留学生在最短的时间内能最快、最好地学习好、掌握好汉语。"②正是基于这样的指导思想,才有上述五个方面的研究。

业内也有人从研究对象的角度出发,认为"教学理论是对外汉语教学的本体理论"。吕必松认为,"每一门学科都有自己特定的研究对象,这种特定的研究对象就是这门学科的本体"。那么,"对外汉语教学的研究对象是作为第二语言的汉语教学,作为第二语言的汉语教学就是对外汉语教学研究的本体"。③

我们认为,几十年来,对外汉语教学这门学科的建设取得了长足的进步与巨大的发展。它由初始阶段探讨学科的命名,学科的性

---

① 参见陆俭明《汉语作为第二语言之本体研究》,载《作为第二语言的汉语本体研究》,外语教学与研究出版社 2005 年版。

② 参见陆俭明《增强学科意识,发展对外汉语教学》,《世界汉语教学》2004 年第 1 期。

③ 参见吕必松《谈谈对外汉语教学的性质与对外汉语教学的本体理论研究》,载《语言教育与对外汉语教学》,外语教学与研究出版社 2005 年版。

质和特点，学科的定位、定性和定向，发展到今天，概括汉语作为第二语言教学需要而开展的服务于汉语教学的汉语本体研究，与教学研究互动结合已成为学科建设的主要内容，教学理论与学习理论研究，形成有力的双翼，加之现代教育技术的应用，从而最终构架并完善了学科体系。对外汉语教学作为第二语言教学或外语教学，经业内同仁几代人的苦心孤诣、惨淡经营，目前在世界上汉语作为第二语言教学领域已占主流地位，这是值得欣慰的。

对于学科建设上的不同意见，我们主张强调共识，求大同存小异。面对欣欣向荣、蓬勃发展的"汉语国际推广"的大好局面，共同搞好汉语作为第二语言教学的学科建设，以便为"致广大"的事业尽力，是学界同仁的共同愿望。因此，我们赞赏吕必松下面的意见，并希望能切实付诸学术讨论之中：

"我国对外汉语教学界在对外汉语教学的学科性质和特点等问题上一直存在着不同的意见。因为对外汉语教学是一门年轻的学科，学科理论还不太成熟，出现分歧在所难免。就是学科理论成熟之后，也还会出现新的分歧。开展不同意见的讨论和争论，有利于学科理论的发展。"①

三　关于汉语作为第二语言研究

汉语作为第二语言研究，不少人简称为"对外汉语研究"。比如上海师范大学创办的刊物就叫《对外汉语研究》，已由商务

---

①　参见吕必松《语言教育与对外汉语教学·前言》，外语教学与研究出版社2005年版。

印书馆于2005年出版了第一期。

1993年,中共中央和国务院颁布了《中国教育改革和发展纲要》,里面提到要"大力加强对外汉语工作"。此后,在我国的学科目录上"对外汉语"专业作为学科的名称出现。

汉语作为一种语言,自然没有区分为"对外"和"对内"的道理,这是尽人皆知的。我们理解所谓的"对外汉语",其实质为"作为第二语言的汉语",也即"汉语作为第二语言"。它是与汉语作为母语相对而言的。在业内,在"对外汉语"的"名"与"实"的问题上,也存在着不同意见。我们认为,随着"汉语国际推广"大局的推进,"对外汉语教学"无论从内涵还是外延看都不能满足已经变化了的形势。我们主张从实质上去理解,也还因为"名无固宜","约定俗成"。

在这个问题上,我们同意刘珣早在2000年就阐释清楚的观点:"近年来出现了'对外汉语'一词。起初,连本学科的不少同仁也觉得这一术语难以接受。汉语只有一个,不存在'对外'或'对内'的不同汉语。但现在'对外汉语'已逐渐为较多的人所认同,而且已成为专业目录上我们专业的名称(专业代码050103)。这一术语的含义也许应理解为'作为第二语言教学与研究的汉语',也就是从一个新的角度来研究汉语。""对外汉语教学是汉语作为第二语言的教学,它与汉语作为母语的教学的巨大差别也体现在教学内容,即所要教的汉语上,这是从对外汉语教学事业初创阶段就为对外汉语教学界所重视的问题。"①

---

① 参见刘珣《近20年来对外汉语教育学科的理论建设》,《世界汉语教学》2000年第1期。

汉语作为第二语言，这是对外汉语教学的主要内容，是要解决“教什么”的问题，故而对外汉语作为第二语言的研究就成为学科建设的极其重要的组成部分，随着国家“汉语国际推广”战略的提出，汉语作为第二语言教学，无论从学术研究上，还是从应用研究上，都会得到极大的提升，名实相副的情况，当会出现。

还有人从另一个新的角度，即世界汉语教育史的研究，阐释了作为第二语言的汉语研究之必要，张西平说：“世界汉语教育史是一个全新的研究领域。这一领域的开拓必将极大地拓宽我们汉语作为第二语言教学的研究范围，使学科有了深厚的历史根基。我们可以从汉语作为第二语言教学的悠久历史中总结、提升出真正属于汉语本身的规律。”①

那么，服务于对外汉语教学的汉语本体研究，或称作作为第二语言的汉语本体研究，其核心是什么呢？潘文国对此作出解释：所谓“对外汉语研究，应该是一种以对比为基础、以教学为目的、以外国人为对象的汉语本体研究”。②

我们认为，“对外汉语”作为一门科学，也是一门学科，首先应从本体上把握，研究它不同于其他学科的本质特点及其成系统、带规律的部分，这也就是“对外汉语研究”，也就是汉语作为第二语言的研究。

这种汉语作为第二语言的研究，以及汉语作为第二语言的教学研究和汉语作为第二语言的学习研究，加之所有这些研究

---

① 参见张西平《简论世界汉语教育史的研究物件和方法》，载李向玉等主编《世界汉语教育史研究》，澳门理工学院 2005 年印制。

② 参见潘文国《论“对外汉语”的科学性》，《世界汉语教学》2004 年第 1 期。

所依托的现代科技手段和现代教育技术,共同构筑了对外汉语教学研究的基本框架。这就是我们所说的本体论、方法论、认识论和工具论。①

从接受留学生最初的年月,对外汉语教学的前辈们就十分注意汉语作为第二语言的研究。这是因为"根本的问题是汉语研究问题,上课许多问题说不清,是因为基础研究不够"。也可以说"离开汉语研究,对外汉语教学就无法前进"。②

我们这里分别对作为第二语言的汉语语音、词汇、语法和汉字的研究与教学略作一番讨论,管中窥豹,明其现状,寻求改进。

(一) 作为第二语言的汉语语音

作为第二语言的汉语语音的研究与教学,近年来因诸多原因,重视不够,有滑坡现象,最明显的是语音教学阶段被缩短,以至于不复存在;但是初始阶段语音打不好基础,将会成为顽症,纠正起来难上加难。本来,对外汉语教学界曾有很好的语音教学与研究的传统,有不少至今仍可借鉴的研究成果,包括对汉语语音系统的研究和对《汉语拼音方案》的理解与应用,遗憾的是,近来的教材都对此重视不够。

比如赵元任先生那本《国语入门》,大部分是语音教学,然后慢慢地才转入其他。面对目前语音教学的局面,著名语音学家、对外汉语教学的前辈林焘先生发出了感慨:"发展到今天,语音

---

① 参见赵金铭《对外汉语研究的基本框架》,《世界汉语教学》2001 年第 3 期。

② 参见朱德熙《在纪念〈语言教学与研究〉创刊 10 周年座谈会上的发言》,《语言教学与研究》1989 年第 3 期。

已经一天一天被压缩,现在已经产生危机了。我们搞了 52 年,外国人说他们学语音还不如在国外。这说明我们在这方面也是太放松了,过于急于求成了,就把基础忘掉了。语音和文字是两个基础,起步我们靠这个起步;过于草率了,那么基础一没打稳,后边整个全过程都会受影响。”①加强语音教学是保证汉语教学质量的重要一环,无论是教材还是课堂教学,语音都不应被忽视。

(二)作为第二语言的汉语词汇

长期以来,在汉语作为第二语言教学中,比较重视语法教学,而在某种程度上却忽视了词汇教学的重要性,使得词汇研究和教学成为整个教学过程中的薄弱环节。

其实,在掌握了汉语的基本语法规则之后,还应有大量的词汇作基础,尤其应该掌握常用词的不同义项及其功能和用法,唯其如此,才能真正学会汉语,语法也才管用,这是因为词汇是语言的唯一实体,语法也只有依托词汇才得以存在。学过汉语的外国人都有这样的体会,汉语要一个词一个词地学,要掌握每一个词的用法,日积月累,最终才能掌握汉语。近年来,我们十分注意汉语词汇及其教学的研讨,尤其注重词汇的用法研究。

有两件标志性的事可资记载:

一是注重对外汉语学习词典的编纂研究。2005 年在香港

---

① 参见林焘(2002)的座谈会发言,载《继往开来——新中国对外汉语教学 52 周年座谈会纪实》,北京语言大学内部资料。

城市大学召开了“对外汉语学习词典国际研讨会”,其特色是强调计算语言学家和词典学家密切合作,依据语料库语言学编纂学习词典的思路,为对外汉语教学的词汇教学与学习服务,有力地推动了汉语的词汇研究与教学。

二是针对汉语词汇教学中的重点,特别是中、高级阶段,词义辨析及用法差异是教学之重点,学界努力打造一批近义词辨析词典,从释义、功能、用法方面详加讨论。例如《汉英双语常用近义词用法词典》《对外汉语常用词语对比例释》《汉语近义词词典》《1700对近义词语用法对比》。①

这些词典各有千秋,在释文、例证、用法、英译等方面各有特色,能在一定程度上满足汉语教学和学习者的需要。

(三)作为第二语言的汉语语法

作为第二语言教学的汉语语法研究与语法教学研究,如果从数量上看一直占有最大的分量,这当然与它受到重视有关。近年来,汉语语法研究范围更加广泛,内容也更加细致、深入,结合教学的程度也更加紧密,达到了前所未有的高度。

首先,理清了理论语法与教学语法之关系,为汉语作为第二语言教学语法的研究理清了思路。理论语法是教学语法的来源与依据,教学语法的体系可灵活变通,以便于教学为准。目前,

---

① 参见邓守信主编《汉英双语常用近义词用法词典》,北京语言学院出版社1996年版;卢福波编著《对外汉语常用词语对比例释》,北京语言文化大学出版社2000年版;马燕华、庄莹编著《汉语近义词词典》,北京大学出版社2002年版;王还主编《汉语近义词词典》,北京语言大学出版社2005年版;杨寄洲、贾永芬编著《1700对近义词语用法对比》,北京语言大学出版社2005年版。

教学语法虽更多地吸收传统语法的研究成果,而一切科学的语法都会对汉语作为第二语言教学语法有帮助。教学语法是在不断地吸收各种语法研究成果中迈步、发展和不断完善的。

其次,对汉语作为第二语言的教学语法进行了科学的界定,即:第二语言的教学目的决定了教学语法的特点,它主要侧重于对语言现象的描写和对规律、用法的说明,以方便教学为主,也应具有规范性。

再次,学界认为应建立一部汉语作为第二语言教学的汉语教学参考语法,无论是编写教材,还是从事课堂教学,或是备课、批改作业,都应有一部详细描写汉语语法规则和用法的教学参考语法作为依据。其中应体现汉语作为第二语言教学的自己的语法体系,应有语法条目的确定与教学顺序的排序。

最后,应针对不同母语背景的教学对象,排列出不同的语法点及其教学顺序。事实证明,很难排出适用于各种母语学习者的共同的语法要点及其顺序表。

对欧美学生来说,受事主语句、存现句、主谓谓语句,以及时间、地点状语的位置,始终是学习的难点,同时也体现汉语语法特点。而带有普遍性的语法难点,则是“把”字句、各类补语以及时态助词“了”“着”等。至于我们所认为的特殊句式,其实并非学习的难点,比如连动句、兼语句、“是”字句、“有”字句以及名词谓语句、形容词谓语句。这也是从多年教学中体味出的。

(四)汉字研究与教学

汉字教学是对外汉语教学的重要组成部分。然而,与其他汉语要素相比,汉字教学从研究到教学一直处于滞后状态。为了改变这一局面,除了加强对汉字教学的各个环节的研究之外,要突破汉字教学的瓶颈,首先应澄清对汉字的误解,建立起科学的汉字观。汉字本身是一个系统,字母本身也是一个系统。字母属于字母文字阶段,汉字属于古典文字阶段,它们是一个系统的两个阶段。这个概念的改变影响很大,这是科学的新认识。①当我们把汉字作为一个科学系统进行研究与教学时,要清醒地认识到汉字是汉语作为第二语言教学与其他第二语言教学的重要区别之一。在对外汉语教学中,究竟采用笔画、笔顺教学,还是以部件教学为主,或是注重部首教学,抑或是从独体到合体的整字教学,都有待于通过教学试验,取得相应的数据,寻求理论支撑,编出适用的教材,寻求汉字教学的突破口,从而使汉语书面语教学质量大幅度提高。与汉字教学相关的还应注意"语"与"文"的关系之探讨,字与词的关系的研究,以及汉语教材与汉字教材的配套,听说与读写之关系等问题的研究。

四 关于汉语作为第二语言教学研究

我们所说的教学研究,包括以下五个部分:课程教学设计、教学方法与教学技巧、教材编写理论与实践、语言测试理论与汉语考试、跨学科研究之一——现代教育技术在教学中的应用。

(一) 关于教学模式研究

近年来,对外汉语教学界尤其注重教学模式的研究,寻求教

① 参见周有光《百岁老人周有光答客问》,《中华读书报》2005年1月22日。

学模式的创新。什么是教学模式？教学模式是指具有典型意义的、标准化的教学或学习范式。

具体地说，教学模式是在一定的教学理论和教学思想指导下，将教学诸要素科学地组成稳固的教学程序，运用恰当的教学策略，在特定的学习环境中，规范教学课程中的种种活动，使学习得以产生。① 更加概括简洁的说法则为：教学模式，指课程的设计方式和教学的基本方法。②

教学模式具有不同的类型。我们所说的对外汉语教学模式，就是从汉语和汉字的特点及汉语应用的特点出发，结合汉语作为第二语言的教学理论，遵循大纲的要求，提出一个全面的教学规划和实施方案，使教学得到最优化的组合，产生最好的教学效果。这是一种把汉语作为第二语言教学的特定的教学模式。

教学模式研究表现在课程设计上，业内主要围绕着“语”和“文”的分合问题而展开，由来已久，且持续至今。

早在 1965 年，由钟梫执笔整理成文的《十五年汉语教学总结》就对“语”与“文”的分合及汉字问题进行了讨论。③ 当时提出三个问题：

1. 有没有学生根本不必接触汉字，完全用拼音字母学汉语？即学生只学口语，不学汉字。当时普遍认为，这种学生根本不必接触汉字。

---

① 参见周淑清《初中英语教学模式研究》，北京语言大学出版社 2004 年版。

② 参见崔永华《基础汉语教学模式的改革》，《世界汉语教学》1999 年第 1 期。

③ 参见钟梫(1965)《十五年汉语教学总结》，载《语言教学与研究》(试刊，第 4 期，1977 年内部印刷)，又收入盛炎、砂砾编《对外汉语教学论文选评》，北京语言学院出版社 1993 年版。

2. 需要认汉字的学生是否一定要写汉字？即“认”与“写”的关系。一种意见认为不写汉字势必难以记住，“写”是必要的；另一种意见认为，“认离不开写”这一论点根本上不能成立，即不能说非动笔写而后才能认，也就是说“认”和“写”可以分离。

3. 需要认(或认、写)汉字的学生是不是可以先学“语”后学“文”呢？后人的结论是否定了“先语后文”，采用了“语文并进”。而“认汉字”与“写汉字”也一直是同步进行的。

这种“语文并进”“认写同步”的教学模式，从上世纪 50 年代起一直是占主流的教学模式，延续至今。80 年代以后，大多沿用以下三种传统教学模式：“讲练—复练”模式，“讲练—复练＋小四门(说话、听力、阅读、写作)”模式，“分技能教学”模式。

目前，对外汉语教学界广泛使用的是一种分技能教学模式，以结构—功能的框架安排教学内容，采用交际法和听说法相结合的综合教学法。这种教学模式大约在 80 年代定型。

总的看来，对外汉语教学界所采用的教学模式略显单调，似嫌陈旧。崔永华认为：“从总体上看，这种模式反映的是 60 年代至 70 年代国际语言教学的认识水平。30 年来，国内外在语言学、第二语言教学、语言心理学、语言习得研究、语言认知研究等跟语言教学相关的领域中都取得了巨大的进步，研究和实验成果不可计数。但是由于种种原因，目前的教学模式对此吸收甚少。”①

这种局面应该改变，今后，应在寻求反映汉语和汉字特点的教学模式的创新上下功夫，特别要提升汉字教学的地位，特别要

① 参见崔永华《基础汉语教学模式的改革》，《世界汉语教学》1999 年第 1 期。

注意语言技能之间的平衡,大力加强书面语教学,着力编写与之相匹配、相适应的教材,进行新的教学实验,切实提高汉语的教学质量。

(二)教学法研究

教学方法研究至关重要。“用不同的方法教外语,收效可以悬殊。”①对外汉语教学界历来十分注重教学方法的探讨。早在1965年之前,对外汉语教学界就创造了“相对的直接法”的教学方法,强调精讲多练,加强学生的实践活动。同时,通过大量的练习,画龙点睛式地归纳语法。②

但是,对外汉语教学还是一个年轻的学科,教学法的研究多借鉴国内外语教学法的研究,这也是很自然的事情。而国内外语教学法的研究,又是跟着国外英语教学法的发展亦步亦趋。有人这样描述:

“纵观20世纪国外英语教学法历史,对比当前主宰中国英语教学的各种模式,不难发现很多早被国外唾弃的做法或理念,却仍然被我们的英语老师墨守成规地紧追不放。”③

对外汉语教学界也有类似情况。在上个世纪70年代,当我们大力推广“听说法”,强调对外汉语教学应“听说领先”时,这个产生于40年代末的教学法,已并非一家独尊。潮流所向,人们

① 参见吕叔湘《语言与语言研究》,载《语文近著》,上海教育出版社1987年版。

② 参见钟梫(1965)《十五年汉语教学总结》,载《语言教学与研究》(试刊,第4期,1977年内部印刷),又收入盛炎、砂砾编《对外汉语教学论文选评》,北京语言学院出版社1993年版。

③ 参见丁杰《英语到底如何教》,《光明日报》2005年9月14日。

已不再追求最佳教学法,而转向探讨各种有效的教学法路子。70 年代至 80 年代,当我们在教学中引进行为主义,致力于推行“结构法”和“句型操练”之时,实际上行为主义在国际上已逐渐式微,而代之以基于认知心理学的“以学生为中心”的认知法。

在国际外语教学界,以结构为主的传统教学法与以交际为目的的功能教学法交替主宰语言教学领域之后,80 年代末至 90 年代初,在英语教学领域“互动性综合教学法”便应运而生,盛行一时。所谓综合,偏重的是内容;所谓互动,强调的是方法。①

90 年代末,体现这种互动关系的任务式语言教学模式在欧美逐渐兴盛起来。这种教学方法的基本理论可概括为:通过“任务”这一教学手段,让学习者在实际交际中学会表达思想,在过程中不断接触新的语言形式并发展自己的语言系统。

任务法是交际教学法中提倡学生“通过运用语言来学习语言”,这一强势交际理论的体现,突出之处是“用中学”,而不是以往交际法所强调的“学以致用”。

这种通过让学生完成语言任务来习得语言的模式,既符合语言习得规律,又极大地调动了学习者学习的积极性,本身也具有极强的实践操作性。因此,很受教师和学生的欢迎。以至于“20 世纪末、21 世纪初在应用语言学上可被称为任务时代”。②

在我国英语教学界,人民教育出版社于 2001 年遵循任务型教学理念编写并出版了初中英语新教材《新目标英语》,并在若干中学进行教学模式试验,取得了可喜的成绩。在对外汉语教

---

① 参见王晓钧《互动性教学策略及教材编写》,《世界汉语教学》2005 年第 3 期。

② 参见周淑清《初中英语教学模式研究》,北京语言大学出版社 2004 年版。

学界，马箭飞基于任务式大纲从交际范畴、交际话题和任务特性三个层次对汉语交际任务项目进行分类，提出建立以汉语交际任务为教学组织单位的新教学模式的设想，并编有教材《汉语口语速成》(共五册)。①

这种交际教学理论在教学中被不断应用，影响所及，所谓"过程写作"教学即其一。"写"是重要的语言技能之一，"过程写作法"认为：写作是一个循环式的心理认知过程、思维创作过程和社会交互过程。写作者必须通过写作过程的一系列认知、交互活动来提高自己的认知能力、交互能力和书面表达能力。②

过程写作的宗旨是：任何写作学习都是一个渐进的过程。这个过程需要教师的监督指导，更需要通过学生自身在这个过程中对文章立意、结构及语言的有意学习。由过程写作引发而建立起来的过程教学法理论，也对第二语言教学的大纲设计、语法教学、篇章分析等产生了深刻的影响。③

交际语言教学理论的另一个发展，是近几年来在西方渐渐兴起的体验式教学。这种教学法的特点是把文化行为训练纳入对外汉语教学之中，而不主张单纯从语言交际角度看待外语教学。在整个教学过程中，自始至终贯穿着"角色"和"情景"的观念。2005 年，我国高等教育出版社出版有陈作宏、田艳编写的《体验汉语》系列教材，是这种理念的一次尝试。

---

① 参见马箭飞《任务式大纲与汉语交际任务》，《语言教学与研究》2002 年第 4 期。

② 参见陈玫《教学模式与写作水平的相互作用——英语写作"结果法"与"过程法"对比实验研究》，《外语教学与研究》2005 年第 6 期。

③ 参见杨俐《过程写作的实践与理论》，《世界汉语教学》2004 年第 1 期。

今天,在教学法研究中人们更注重过程,外语教学是个过程,汉语作为第二语言教学也是一个过程。过程是组织外语教学不可忽视的因素。桂诗春说:“在70年代之前,人们认为提高外语教学质量的关键是教学方法,后来才发现教学方法只是起局部的作用。”[①]我们已经认识到并接受了这样的观点。

现在我们可以说,汉语作为第二语言教学在教学法研究方面,我们已经同世界上同类学科的研究相同步。

(三)教材研究与创新

教材的创新已经提出多年,教材也已编出上千种,但无论是数量还是质量均不能完全满足世界上学习汉语的热切需求。今后的教材编写,依然应该遵循过去总结出来的几项原则:(1)要讲求科学性。教材应充分体现汉语和汉字的特点,突破汉字教学的瓶颈,要符合语言学习规律和语言教学规律。体系科学,体例新颖。(2)要讲求针对性。教材要适应不同国家(地区)学习者的特点,特别要注意语言与文化两方面的对应性。不同的国家(地区)有不同的文化、不同的国情与地方色彩,要特别加强教材的文化适应性。因为“语言是文化的符号,文化是语言的管轨”[②],二者相辅相成。因此,编写国别教材与地区教材,采取中外合编的方式,是今后的发展方向。(3)要讲求趣味性。我们主张教材的内容驱动的魅力,即进一步提升教材内容对学习者的驱动魅力。有吸引力的语言材料可以引起学习者浓厚的学习兴

---

① 参见桂诗春《外国语言学及应用语言学研究》第一辑发刊词,首都师范大学外国语学院主办,中央编译出版社2002年版。

② 参见邢福义《文化语言学·序》,湖北教育出版社2000年版。

趣。要靠教材语言内容的深厚内涵,使人增长知识,启迪学习;要靠教材的兴味,使人愉悦,从而乐于学下去。(4)要注重泛读教材的编写。要保证书面语教学质量的提高,必须编有大量的、适合各学习阶段的泛读教材。远在 1956 年以前就曾有人提出"学习任何一种外语都离不开泛读"。认为"精读给最必需的、要求掌握得比较牢固的东西,泛读则可以让学生扩大接触面,通过大量、反复阅读,也可以巩固基本熟巧"。① 遗憾的是,长期以来,我们忽视了泛读教材的建设。

(四)汉语测试研究

语言测试应包括语言学习能力测试、语言学习成绩测试和语言水平测试。前两种测试的研究相对薄弱。学能测试多用于分班,成绩测试多由教师自行实施。而汉语水平考试(HSK)取得了可观的成绩,让世界瞩目。HSK 是一项科学化程度很高的标准化考试。评价一个考试的科学化程度,最关键的是看它的信度和效度。所谓信度,就是考试的可靠性。一个考生在一定的时段内无论参加几次 HSK 考试,成绩都是稳定的,这就是信度高。所谓效度,就是能有效地测出考生真实的语言能力。HSK 信守每一道题都必须经过预测,然后依照区分度选取合适的题目,从而保证了试卷的科学水准。目前,国家汉办又开发研制了四项专项考试:HSK(少儿)、HSK(商务)、HSK(文秘)、HSK(旅游)。这些考试将类似国外的

---

① 参见钟梫(1965)《十五年汉语教学总结》,载《语言教学与研究》(试刊,第 4 期,1977 年内部印刷),又收入盛炎、砂砾编《对外汉语教学论文选评》,北京语言学院出版社 1993 年版。

TOEIC。HSK作为主干考试,测出考生汉语水平,可作为入学考试的依据。而四个分支考试,是一种语言能力考试,它将测出外国人在特殊职业环境中运用语言的能力。主干考试与分支考试形成科学的十字结构。目前,HSK正致力于改革,在保证科学性的前提下,考虑学习者的广泛需求,鼓励更多的人参加考试,努力提高汉语学习者的兴趣,吸引更多的人学习汉语,以适应汉语国际推广的需要。与此同时,“汉语水平计算机辅助自适应考试”正在研制中。

(五)跨学科研究

近十几年来,对外汉语教学界的跨学科研究意识越来越强烈,集中表现在两个方面。一方面是与心理学、教育学等相结合进行的学习研究。另一方面便是与信息科学和现代教育技术的结合,突出体现在对外汉语计算机辅助教学的研究与开发上。

对外汉语计算机辅助教学是个大概念。我们可以从三个不同的角度来观察。

一是中文信息处理与对外汉语教学。研究重点是以计算语言学和语料库语言学为指导,研究并开发与对外汉语教学相关的语料库,如汉语中介语语料库、对外汉语多媒体素材库和资源库,以及汉语测试题库等。这些库的建成,有力地推动了教学与研究的开展。

二是计算机辅助汉语教学,包括在多媒体条件下,对学习过程和教学资源进行设计、开发、运用、管理和评估的理论与实践,比如多媒体课堂教学的理论与实践,多媒体教材的编写与制作,多媒体汉语课件的开发与运用。这一切给传统的教学与学习带来一场革命,运用得当,师生互动互利,教学效果会明显提高。目前国家对外汉语教学领导小组办公室正陆续推出的重大项目《长城汉语》,就是一种立体化的多媒体系列教材。

三是对外汉语教学网站的建立和网络教学的研究与开发。诸如远程教学课件的设计、网络教学中师生的交互作用等,都是研究的课题。中美网络语言教学项目所研制的《乘风汉语》是目前网络教材的代表作。

所有这一切都离不开对现代教育技术的依托。诸如影视技术、多媒体技术、网络技术以及虚拟现实技术等在教学与研究中都有广泛应用。

放眼未来,人们越来越认识到计算机辅助教学的作用与前景。当然,与此同时,仍然应当注重面授的优势与不可替代性。教师的素质、教师的水平、教师的指导作用仍然不容忽视,并有待不断提高。

五　关于汉语作为第二语言的学习研究

20 世纪 90 年代,对外汉语教学学科理论研究的一个重要进展是开拓了语言习得理论的研究。① 近年来汉语习得研究更显上升趋势。

中国的对外汉语教学中的学习研究,因诸多因素,起步较晚。80 年代初期,国外有关第二语言习得理论开始逐渐被引

① 参见李泉《对外汉语教学学科理论研究概述》,载《对外汉语教学理论思考》,教育科学出版社 2005 年版。

进,对外汉语教学研究的重心也逐步从重视"教"转向对"学"的研究。回顾近 20 年来对外汉语教学领域的第二语言习得研究,主要集中于四个方面:汉语偏误分析、汉语中介语研究、汉语作为第二语言的习得过程研究、汉语习得的认知研究。而从学习者的外部因素、内部因素以及学习者的个体差异三个侧面对学习者进行研究,还略嫌薄弱。

学习研究是逐步发展起来的,徐子亮将 20 年的对外汉语学习理论研究历史划分为三个阶段:1992 年以前,在语言对比分析的基础上,致力于外国人学汉语的偏误分析;1992—1997 年,基于中介语理论研究的偏误分析成为热点,并开始转向语言习得过程的研究;1998—2002 年,在原有基础上研究深化、角度拓展,出现了学习策略和学习心理等研究成果。研究方法向多样化和科学化方向发展。①

汉语认知研究与汉语习得研究是两个并不相同的研究领域。对外汉语教学的汉语认知研究是对把汉语作为第二语言的学习者的汉语认知研究(或简称非母语的汉语认知研究)。国内此类研究始于 20 世纪 90 年代后期,20 世纪 90 年代末和本世纪初是一个成果比较集中的时期。因其使用严格的心理实验方法,研究范围包括:学习策略的研究、认知语言学基本理论的研究、汉语隐喻现象研究、认知域的研究、认知图式的研究、语境和语言理解的研究等。② 我国心理学界做了不少母

① 参见徐子亮《对外汉语学习理论研究二十年》,《世界汉语教学》2004 年第 4 期。

② 参见崔永华《二十年来对外汉语教学研究热点回顾》,《语言文字应用》2005 年第 1 期。

语为汉语者的汉语认知研究,英语教学界也做了一些外语的认知研究,而汉语作为第二语言的学习者的汉语认知研究,还有待深入。

语言学习理论的研究方法是跨学科的。彭聃龄认为:“语言学习是一个极其复杂的过程,其自变量、因变量的关系必须通过实验法和测验法相结合来求得。实验可求得因果,测验能求得相关,两者结合才能得出可靠的结论。”①

汉语作为第二语言的习得与认知研究,以理论为导向的实验研究已初见成果。与国外同类研究相比,我们的研究领域还不够宽,研究的深度也有待提高。在研究方法上,经验式的研究还比较多,理论研究比较少;举例式研究比较多,定量统计分析少;归纳式研究多,实验研究少。总之,与国外第二语言习得与认知研究相比,我们还有许多工作要做。②

今后,对外汉语学习理论研究作为一个可持续发展的领域,还必须在下列方面进行努力:(1) 突出汉语特点的语言学习理论研究;(2)加强跨学科研究;(3)研究视角的多维度、内容的丰富与深化;(4)研究方法改进与完善;(5)理论研究成果在教学实践中的应用。③

这五个方面的努力,会使学习理论研究这个很有发展前景

---

① 参见《语言学习理论座谈会纪要》,载《世界汉语教学》编辑部、《语言文字应用》编辑部、《语言教学与研究》编辑部合编《语言学习理论研究》,北京语言学院出版社 1994 年版。

② 参见王建勤《汉语作为第二语言的习得研究·前言》,北京语言文化大学出版社 1997 年版。

③ 参见徐子亮《对外汉语学习理论研究二十年》,《世界汉语教学》2004 年第 4 期。

的领域,为进一步丰富学科基础理论发挥重要作用。

六　回首·检视·瞻念

(一) 回首

回首近十几年来,正是对外汉语教学如火如荼蓬勃发展的时期,学科建设取得了令人瞩目的成绩。赅括言之如下:

1. 明确了对外汉语教学的学科定位,对外汉语教学在国内是汉语作为第二语言教学,在国外(境外)是汉语作为外语教学。目前,汉语国际推广的大旗已经揭起,作为国家战略发展的软实力建设之一,随着国际汉语学习需求的激增,原有的对外汉语教学的理念、教材、教法以及师资队伍等,都将面临新的挑战,自然也是难得之机遇。我们经过几十年的努力所建立起的汉语作为第二语言教学学科的覆盖面会更宽,对学科理论体系的研究更加自觉,学科意识更加强烈。

2. 对外汉语教学开辟了新的研究领域。重要的进展就是开拓了语言习得与认知理论的研究,确立了对外汉语研究的基本框架,即:作为第二语言教学的汉语本体研究(本体论)、作为第二语言的汉语认知与习得研究(认识论)、作为第二语言教学的教学理论和教学法研究(方法论)、现代科技手段与现代教育技术在教学与研究中的应用(工具论),在此基础上规划了学科建设的基本任务。

3. 更加清醒地认识到要不断更新教学理念,特别是教材编写、教学法以及汉语测试要有新的突破。要深化汉语作为第二语言教学的教学模式与教学方法的探索,加强教学实验,以满足世界上广泛、多样的学习需求。更加强教材的国别(地区)性、适应性与可接受性研究,不断创新,以适应汉语国际推广的各种模式。要加强语言测试研究,结合世界上汉语学习的多元化需求,努力开发目的明确、针对性强、适合考生心理、设计原理和方法科学、符合现代语言教学和语言测试发展趋势的多类型、多层次的考试。

4. 跨学科意识明显加强,汉语作为第二语言教学与相关学科的结合更加密切,不同类型语言教育的对比与综合研究开始引起注意,在共性研究中发展个性研究。跨学科研究特别表现在现代教育技术与多媒体技术在教学中的广泛应用,以及心理学研究与汉语作为第二语言教学研究的联手,共同研究汉语作为第二语言的认知与习得过程、习得顺序、习得规律。

5. 不断吸收世界第二语言教学的研究成果,与国外第二语言教学理论的结合更加密切,"新世纪对外汉语教学——海内外的互动与互补"学术演讲讨论会的召开即是标志①,"互动互补"既非一方"接轨"于另一方,亦非一方"适应"另一方,而是互相借鉴、相互启发,但各有特色,各自"适应"。就国内汉语教学来说,今后还应不断借鉴国内外语言教学与研究的先进成果,充分结合汉语的特点,为我所用。

(二)检视

在充分肯定汉语作为第二语言学科建设突出发展的同时,

---

① 北京语言大学科研处《"新世纪对外汉语教学——海内外的互动与互补"学术演讲讨论会举行》,《世界汉语教学》2005年第1期。

检视学科建设之不足,我们发现在学科理论、学科建设、教材建设、课堂教学与师资队伍建设上均存在尚待解决的问题。从目前汉语国际推广的迅猛态势出发,教学问题与师资问题是为当务之急。

1. 关于教学。

目前,汉语作为第二语言的课堂教学依然是以面授为主,绝大多数学习者还是通过课堂学会汉语。检视多年来的课堂教学,总体看来,教学方法过于陈旧,以传统教法为主,多倾向于以教师为主,缺乏灵活多变的教学路数与教学技巧。我们虽不乏优秀的对外汉语教师以及堪称范式的课堂教学,但值得改进的地方依然不少。李泉在经过详细地调查后发现的问题,值得我们深思。他归结为四点:(1)教学方式上普遍存在"以讲解为主"的现象;(2)教学原则上对"精讲多练"有片面理解现象;(3)课程设置上存在"重视精读,轻视泛读"现象;(4)教学内容上仍存在"以文学作品为主"现象。①

改进之方法,归结为一点,就是加强"教学意识"。我们赞成这样的观点:

"对外汉语是门跨文化的学科,不同专业的教师只要提高教学意识,包括学科意识、学习和研究意识、自尊自重的意识,就一定能把课上好。"②

2. 关于师资。

---

① 参见李泉《对外汉语教学理论和实践的若干问题》,载赵金铭主编《对外汉语教学研究的跨学科探索》,北京语言大学出版社 2003 年版。

② 参见陆俭明《汉语作为第二语言之本体研究》,载《作为第二语言的汉语本体研究》,外语教学与研究出版社 2005 年版。

对外汉语教学事业发展至今,已形成跨学科、多层次、多类型的教学活动,因之要求对外汉语教师也应该是多面手,在研究领域和研究内容上也应该是宽阔而深入的。

据国家汉办统计,目前中国获得对外汉语教师资格证书的共3 690人,国内从事对外汉语教学的专职、兼职教师共计约6 000人。其中不少人未经严格训练,仓促上阵者不在少数。以至外界这样认为:"很多高校留学生部的教师都是非专业的,没有受过专业训练,更没有搞过语言教学,其教学效果可想而知。"①而在国际上,情况更为不堪,简直是汉语教师奇缺,于是人们感叹,汉语教学落后于"汉语热"的发展,全球中文热引起了"中文教师荒",成为汉语国际推广的瓶颈。

据调查,我们认为,在教学实践中带有普遍性的问题,还是教师没能充分了解并掌握汉语作为第二语言教学的特点和规律,或缺乏作为一名语言教师的基本素质,没有掌握汉语作为第二语言教学的方法与技巧。其具体表现正如李泉在作了充分的观察与了解之后所描述的现象,诸如:忽视学习者的主体地位,忽视对学习者的了解,忽视教学语言的可接受性,忽视教学活动的可预知性,缺乏平等观念和包容意识。②

什么是合格的对外汉语教师,已经有很多讨论。国外也同样注重语言教师的素质问题,如,2002 年美国国会通过了 No Child Left Behind(《没有一个孩子掉队》)的新联邦法。于是,

---

① 参见许光华《"汉语热"的冷思考——兼谈对外汉语教学》,《学术界》2005年第4期。

② 参见李泉《对外汉语教学理论和实践的若干问题》,载赵金铭主编《对外汉语教学研究的跨学科探索》,北京语言大学出版社 2003 年版。

各州都以此制定教师培训计划，举国上下都讨论什么样的教师是合格、称职的教师。①

我们可以说，教好汉语，不让一个学习汉语的学生掉队，这是对教师的最高要求。

(三) 瞻念

当今訇訇盛世，汉语国际推广的前景已经显露出曙光，我们充满信心，也深感历史责任的重大。汉语国际推广作为国家和民族的一项事业，是国家的战略决策，是国家的大政方针。而汉语作为第二语言教学，或汉语作为外语教学，则是一门学科。作为学科，它是一门科学，它是一项复杂的系统工程，要进行跨学科的、全方位的研究。在不断引进国外先进的教学理念的同时，努力挖掘汉语和汉字的特点，创新我们自己的汉语作为第二语言的教学模式和教学法。我们要以自己的研究，向世人显示出汉语作为世界上使用人口最多的一种古老的语言，像世界上任何一种语言一样，可以教好，可以学好，汉语并不难学。我们认为，要达此目的，重要的是要转变观念，善于换位思考，让不同的思维方式互相渗透和交融，共同建设好学科，做好推广。

1．开阔视野，放眼世界学习汉语的广大人群。

多年来，我们的对外汉语教学是面向来华留学生的。今后，随着国家汉语国际推广的展开，在做好来华留学生汉语教学的同时，我们要放眼全球，更加关注世界各地的3 000万汉语学习者，要真正地走出去，走到世界上要求学习汉语的人们中去，带

---

① 参见丁杰《英语到底如何教》，《光明日报》2005年9月14日。

着他们认同的教材,以适应他们的教学法,去满足他们多样化的学习需求。这是一种观念的转变。

与此同时,我们应建立一种"大华语"的概念。比如我国台湾地区人们所说的国语,新加坡的官方语言之一华语,以及世界各地华人社区所说的带有方言味道的汉语,统统归入大华语的范畴。这样做的好处首先在于有助于增强世界华人的凝聚力和认同感;其次更有助于推进世界范围的汉语教学。我们的研究范围大为拓展,不仅是国内的汉语作为第二语言教学,还包括世界各地的汉语作为外语教学。

2. 关注学习对象的更迭。

对外汉语教学的对象是来华留学生,他们是心智成熟、有文化、母语非汉语的成年人。当汉语走向世界,面向世界各地的汉语学习者,他们的构成成分可能十分繁杂。其中可能有心智正处于发育之中的青少年,可能有文化程度不甚高的市民,也可能有家庭主妇,当然更不乏各种希望了解中国或谋求职业的学习者。我们不仅面向大学,更要面向中、小学,甚至是学龄前的儿童。从学习目的上看,未来的汉语学习者中,为研究目的而学习汉语的应该是少数,绝大多数的汉语学习者都抱有实用的目的。

3. 注意学习环境的变化。

外国人在中国学习汉语,是处在一个目的语的环境之中,耳濡目染,朝夕相处,具有良好的交际环境。世界各地的汉语学习者在自己的国家学习汉语是母语环境,需要设置场景,才能贯彻"学以致用"或"用中学"。学习环境对一个人的语言学习会产生重大影响,比如关涉到口语的水平、词汇量的多寡、所见语言现象的丰富与否、学习兴趣的激发与保持等。特别是不同的学习环境会在文化距离、民族心理、传统习惯等方面显示更大的差距,这又会对学习者的心理产生巨大的影响。于是,这就涉及教材内容的针对性问题。我们所主张的编写国别(地区)教材,可能某些教材使用的人数不一定多,但作为一个泱泱大国,向世界推广自己的民族语言时,应关注各种不同国家(地区)的汉语学习者的心态。

4. 教学理念的更新与教学法的适应性。

对国内来华留学生的汉语教学,囿于国内的语言环境及所受传统语言教学法的影响,课堂上常以教师为主,过多地依赖教材,课堂教学模式僵化,教学方法放不开,不够灵活多变。在国外,外语教学历史较长,理论纷呈,教学法流派众多,教学中多以学生为主,不十分拘泥教材,强调师生互动,教师要能随机应变。

一般说来,在东方的一些汉字文化圈国家如东北亚的日、韩等国,以及海外华人社区或以华人为主的教学单位,我们的教学理念与教学方法基本上可以适应,变化不甚明显。在西方,在欧美,特别是在北美地区,因语言和文化传统差异较大,我们在国内采用的教学方法在那里很难适应,必须做相应的改变,入乡随俗,以适应那里的汉语教学。

5. 汉语国际推广:普及为主兼及提高。

新中国的对外汉语教学已经走过55个春秋。多年来,我们一直竭力致力于汉语作为第二语言教学的学科建设,重视学科基础理论的扎实稳妥,扩大、拓宽学科的研究领域,搭建对外汉语教学的基本框架,探讨教学理论和学习理论,这一切都在改变社会上认为对外汉语教学"凡会说汉语都能教"以及对外汉语教学是"小儿科"等错误看法。而今,汉语作为第二语言教学已经成为一门新兴的、边缘性的、跨学科的科学,研究日益精深,已成“显学”。今天,我们已经可以与国际上第二语言教学界的同行对话,在世界上成为汉语作为第二语言教学的主流。目前,随着国家发展战略目标的建设,汉语正加速走向世界,我们要面向世界各地的3000万汉语学习者。这将不仅仅是从事国内对外汉语教学的几千名教师的责任与义务,更是全民的事业,是民族的大业,故而需要千军万马,官民并举,千方百计,全力推进。面对这种局面,首先是普及性的教学,也就是首先需要的是“下里巴人”,而不是“阳春白雪”。我们要在过去反复强调并身体力行地注重对外汉语教学的科学性、系统性、完整性的同时,更加注重世界各地汉语教学的大众化、普及性与可接受性。因此,无论是教材、教学大纲还是汉语考试大纲,首先要考虑的是普及,是面向大众,因为事实上,目前我们仍然是汉语教学市场的培育阶段,要想尽办法让世界上更多的人接触汉语、学习汉语,在此基础上,才能培养出更多的高水平的国际汉语人才,也只有在此基础上才能“尽精微”,加深研究,不断提高。

七 关于研究书系

恰是香港回归祖国那一年,当时的北京语言文化大学编辑、出版了一套《对外汉语教学研究丛书》,凡九册。总结、归纳了该校对外汉语教师在这块难以垦殖的处女地上,几十年风风雨雨,辛勤耕耘所取得的成果。这是一定范围内一个历史阶段的成果,不是结论,更不是终结。至今,八易春秋,世界发生了巨大的变化,祖国更加繁荣、富强,对外汉语教学,正向汉语国际推广转变,这项国家和民族的事业获得了空前的大发展,也面临着重大的机遇与挑战。

目前,多元文化架构下的"大华语"教学的新格局正逐渐形成,汉语国际推广正全面铺开。欣逢其时,具有百年历史的商务印书馆以其远见卓识,组织编纂"对外汉语教学专题研究书系",计七个系列,22种书,涵盖对外汉语教学研究的方方面面。所涉研究成果虽以近十年来为主,亦不排斥前此有代表性的、具有影响的论文。该书系可谓对外汉语教学成果50年来的大检阅。从中不难看出,对外汉语教学作为一个学科,内涵更加丰富,体系更加完备,视野更加开阔,范围更加广泛,研究理念更加先进,研究成果更加丰厚。汉语作为第二语言教学作为一门科学,已跻身于世界第二语言教学之林,或曰已取得与世界第二语言教学同行对话的话语权。

"对外汉语教学专题研究书系"的七个系列及其主编如下:

1. 对外汉语教学学科理论研究

   主编:中国人民大学　李泉

   《对外汉语教学学科理论研究》

   《对外汉语教学理论研究》

   《对外汉语教材研究》

   《对外汉语课程、大纲与教学模式研究》

2. 对外汉语课程教学研究

   主编:北京大学　李晓琪

   《对外汉语听力教学研究》

   《对外汉语口语教学研究》

   《对外汉语阅读与写作教学研究》

《对外汉语综合课教学研究》

《对外汉语文化教学研究》

3. 对外汉语语言要素及其教学研究

主编:北京语言大学　孙德金

《对外汉语语音及语音教学研究》

《对外汉语词汇及词汇教学研究》

《对外汉语语法及语法教学研究》

《对外汉字教学研究》

4. 汉语作为第二语言的学习者习得与认知研究

主编:北京语言大学　王建勤

《汉语作为第二语言的学习者语言系统研究》

《汉语作为第二语言的学习者习得过程研究》

《汉语作为第二语言的学习者与汉语认知研究》

5. 语言测试理论及汉语测试研究

主编:北京语言大学　张凯

《汉语水平考试(HSK)研究》

《语言测试理论及汉语测试研究》

6. 对外汉语教师素质与教学技能研究

主编:北京师范大学　张和生

《对外汉语教师素质与教师培训研究》

《对外汉语课堂教学技巧研究》

7. 对外汉语计算机辅助教学研究

主编:北京语言大学　郑艳群

《对外汉语计算机辅助教学的理论研究》

《对外汉语计算机辅助教学的实践研究》

这套研究书系由北京语言大学、北京大学、北京师范大学和中国人民大学的对外汉语教师共同协作完成,赵金铭任总主编。各系列的主编都是我国对外汉语教学界的教授,他们春秋鼎盛,既有丰富的教学经验,又有个人的独特的研究成果。他们几乎是穷尽性地搜集各自研究系列的研究成果,涉于繁,出以简,中正筛选,认真梳理,以成系统。可以说从传统的研究,到改进后的研究,再到创新性的研究,一路走来,约略窥测出本领域的研究脉络。从研究理念,到研究方法,再到研究手段,层层展开,如剥春笋。诸位主编殚精竭虑,革故鼎新,无非想"囊括大典,网罗众家",把最好的研究成果遴选出来,奉献给读者。为了出好这套书系,世界汉语教学学会陆俭明会长负责审订了全书。在此,向他们谨致谢忱。

我们要特别感谢商务印书馆对这套书系的大力支持,从总经理杨德炎先生到总经理助理周洪波先生,对书系给予了极大的关怀和帮助。诸位责编更是日夜操劳,付出了极大的辛苦,我们全体编者向他们致以深深的谢意。

书中自有取舍失当或疏漏、错误之处,敬请读者不吝指正。

2005 年 12 月 20 日

综　述

张　和　生

探讨教师素质，论证师资培训，都属于教师队伍建设的研究。尽管人们在理论上或实践中对教师在教学活动中的作用定位不一，但无论是认为教师是主体，还是坚持以教师为主导，都不会否认教学活动少不了教师的参与，都会首肯教师队伍的水平在相当程度上决定着教学质量的高下，都会认同教师培训在教学活动中的重要意义。而中国的对外汉语教学又集中在高等院校进行，这对业内教师的素质就提出了更严格的要求。也正因为如此，研究什么是高素质的对外汉语教师队伍，以及如何建设这样一支队伍，就渐次成了对外汉语教学研究的一个分支。

一　对外汉语师资队伍建设研究背景

新中国的对外汉语教学始于20世纪50年代初，而汉语教师培训工作发端于20世纪60年代中期，直到80年代后期，才有专门针对对外汉语教师队伍建设的研究成果问世。相对于面向对外汉语教学的语言本体研究或教学法研究而言，对外汉语教师队伍建设的研究起步较晚，成果也不是很多。这是因为，任何一种学术研究的产生与发展，都是社会生活实际需求的反映。

20 世纪 50 年代是新中国对外汉语教学初创期。由于学校高度重视留学生工作，从事对外汉语教学与管理的便多为学界名流。比如清华大学，就由教务主任周培源任班主任，吕叔湘任留学生管理委员会主席。从 1952 年起，中国开始向国外派遣汉语教师，各高校也都是选派精英，承担此项教学任务。当今公认的一些著名学者，如朱德熙、邢公畹、郭预衡、童庆炳等人，那时都在公派对外汉语教师之列。对外汉语教学初创期教学规模小、师资队伍精的特点，很难使学界有人对对外汉语师资队伍的建设问题特别关注。

60 年代是新中国对外汉语教学体系形成期，国外汉语学习的需求有所扩大，我国派出汉语教师人数和来华留学生人数都大量增加。为满足日益增加的外派教师的需要，政府从 1961 年至 1964 年，先后选拔了 156 名中文系学生参加出国储备师资班。为适应不断扩大的来华留学生规模，中国政府于 1965 年组建了北京语言学院，形成以“北语”为中心，全国多所院校参与的对外汉语教学体系。教学规模的扩大必然会把师资培训问题提上议事日程。1965 年，北京语言学院为国内其他高校教师举办对外汉语教师培训班，揭开了面向在国内从事对外汉语教学的师资培训序幕。由于 60 年代把对外汉语教学更多地看作是涉外文化交流工作，所以当时的对外汉语师资培训有两点值得注意的倾向，一是培训内容中有相当大的成分是外语学习，二是特别注重外事工作教育。总之，60 年代师资供求关系的大体平衡，使得有关教师队伍的建设研究依然鲜见。至于其后十年，由于大家都知道的原因，对外汉语教学工作基本中断，对外汉语教师培训或有关教师培训的研究自然也就无从谈起。

80 年代是新中国对外汉语教学的快速发展期，来华留学生人数高速增长。那时我们对教学规模的迅速扩大显然准备不足，同时又受到两种偏见的困扰：一是片面追求扩大招生的经济效益；二是认为对外汉语教学是“小儿科”，会说汉语的人都可一试。仓促上阵执教的教师势必难保教学质量，而教学质量不高又势必影响对外汉语学科的声誉。缺乏高素质的教师已经成为限制对外汉语教学健康发展的瓶颈，社会的需求开始呼唤对外汉语教师队伍建设的研究。

从 80 年代末到 90 年代初，对外汉语师资的缺口和对外汉语教学中反映出来的课堂教学质量问题，促成了国内各教学单位不同规模、不同类型的教师培训，也带来了学界对师资队伍建设问题的高度关注和相关研究。

1987 年，吕必松率先从学科建设的角度提出加强教师队伍的建设。他指出，我们一方面有必要培养本专业的硕士、博士作为对外汉语师资储备，另一方面必须对现有教师进行培训。①1990 年，吕必松撰文指出，中国对外汉语教师队伍状况不能完全令人满意。“教外国人学汉语并不难”的思想严重地影响着对外汉语教师业务素质的提高。这个问题的普遍性和严重性表现在对外汉语教师的聘用与培训、出国汉语教师的选派和对外汉语师资培养等多个方面。文章首次提出，对对外汉语教师的素质要求不应当也不可能提出一个统一的标准。对外汉语教师有

---

① 参见吕必松《对外汉语教学探索》，华语教学出版社 1987 年版。

不同的类型和不同的层次，包括能够胜任课堂教学工作的教师，能够胜任多种教学任务的教师，教学艺术高超的教师，既能胜任教学工作又能进行科学研究的教师，科研能力特别强的教师，能够兼任教学、科研的组织领导工作的教师，以及能够受到特别欢迎和尊敬的教师。对不同类型和不同层次的教师在素质的要求上应当有所区别。① 吕必松的这些观点至今对我们的教师评价体系的建设和教师培训工作仍有指导意义。1993 年，吕必松再次强调对外汉语教师队伍建设的必要性和迫切性。他指出，改革和完善教学体系以提高教学质量、加强理论研究以提高学术水平、加强教师队伍建设以提高教师素质这三项学科建设任务之间的关系，既是一种递进的关系，又是一种互相促进的关系；加强教师队伍建设，就是要有计划、有组织、多途径、多形式地培养不同类型的对外汉语教师，并使每一种类型的教师都有一定的层次梯队，以适应对外汉语教学的全面需要。② 吕先生的再三呼吁不仅唤起了学界对对外汉语教师队伍建设问题的重视，也为后来的研究打下了基础。

90 年代后期以来，相继出现了一批有关对外汉语教师队伍建设的研究成果，从内容上大致可以分为对外汉语教师的基本素质研究、对外汉语师资培训研究以及对外汉语教学专业人才培养研究。

---

① 参见吕必松《关于对外汉语教师业务素质的几个问题——一个亟待解决的问题》，载《对外汉语教学研究》，北京语言学院出版社 1990 年版。

② 参见吕必松《关于对外汉语教学学科建设的一些问题》，载《对外汉语教学研究》，北京语言学院出版社 1993 版。

二 对外汉语教师的基本素质研究

对外汉语教师的基本素质研究主要论述教师应具备的意识、应拥有的知识结构与能力结构以及应掌握的教学基本功。

陆俭明在论述对外汉语教师应有的职业意识时指出，对外汉语教师要树立很强的学科意识和学习、研究意识，还要树立自尊自重的意识。我们的教师应当明确，“对外汉语教学的基础是汉语言文字教学，其他学科的教学从整体上来说都是为汉语言文字教学服务的”，对外汉语教学又不仅仅是汉语言文字教学，它“必须走以汉语教学为基础的、开放性的兼容整合之路”。对外汉语教师只有具备了学科意识，才能明了自己的职责和所求。[①] 卞觉非把对外汉语教学放在新世纪世界政治、经济、文化的大背景下进行讨论，指出21世纪的对外汉语教师应当具备的时代意识。除了师德、知识、外语水平、教学艺术外，卞觉非还特别强调了教师应具有较高的使用电脑的能力和驾驶汽车的技能。[②] 李泉则对对外汉语教师的课堂教学意识做了较全面的论述，提出了教师在课堂教学中应当有学生意识、交际意识、语言意识、课型意识、目的意识等11种意识。李泉认为，强化这些意识将有助课堂教学效率的提高。[③] 黄宏撰文讨论了对外汉语

---

① 参见陆俭明《汉语教员应有的意识》，《世界汉语教学》2005年第1期。

② 参见卞觉非《21世纪:时代对对外汉语老师的素质提出更高的要求》，《语言文字应用》1997年增刊。

③ 参见李泉《对外汉语教学理论思考》，教育科学出版社2005年版。

教师的跨文化交际意识问题。她认为，培养派遣到国外任教教师的跨文化交际意识，培养他们应对在国外工作时的文化冲突从而预防文化休克的能力，是出国师资培训工作的当务之急。①

我们认为，无论是时代意识、课堂教学意识，还是跨文化交际意识，都可以并入对外汉语教师的职业意识。所谓职业意识，就是一种观念，它反映出从业者对自己职业的认识水平。对对外汉语教师——尤其是专职教师在观念上的要求，实际上在诸多要求中是最高标准的要求，是对教师主观能动性的要求。因为只有对自身职业有了正确的认识，才会有自觉提高自我职业素养的动因，才会做主动完善自我的有心人。

有关对外汉语教师的知识结构与能力结构，刘珣有较完备的论述。他认为，在对外汉语教师的知识结构中，应当包括汉语理论知识、语言教学法理论知识、语言学知识和心理学知识，以及文学、文化知识；对外汉语教师的能力结构体现在教学方面则应包括观察能力、分析辨别能力、思维判断能力、想象创新能力、口头表达能力，以及组织能力、交际能力和应变能力。② 张德鑫从教学基本功的角度论述了对外汉语教师应具备的知识与能力。他认为，精通汉语是对外汉语教师的"内功"；了解乃至熟悉第二语言教学理论与教学法流派，至少掌握一门外语，具有文化修养并至少熟悉一种本人已掌握的外语的所属文化，拥有一定的电脑技能，是对外汉语教师的"外功"。只有练就过硬的基本

---

① 参见黄宏《浅议对外汉语公派出国教师的跨文化交际问题及其对策》，《海外华文教育》2002 年第 1 期。

② 参见刘珣主编《对外汉语教学概论》，北京语言文化大学出版社 1997 年版。

功，才能当一名合格的、称职的乃至出色的对外汉语教师。①

如果说刘珣、张德鑫论述对外汉语教师素质是从大处着眼，那么赵金铭、黄晓颖则是强调从小处着手。赵金铭指出，写好教案是年轻教师步入对外汉语教学行列时的基本功之一。在对外汉语课堂教学中不具备科学程式、不讲求操练技巧、缺乏行之有效的纠错改正能力、对教学中可能出现的问题缺乏预见性、应变能力差等问题，都可以通过认真写好教案来解决。② 黄晓颖认为，备课是决定课堂教学质量高低的关键。要使一节课富有艺术感染力，达到最佳教学效果，教师首先必须讲究备课的艺术。因此，对对外汉语教师素质的要求应当包括具备驾驭备课艺术的能力。③

21 世纪，网络与多媒体技术的飞速发展带来了对外汉语教学的变革，同时也带来了对对外汉语教师素质的新的要求。如何适应 21 世纪先进的第二语言教育模式，如何提高对外汉语教师队伍的素质，对对外汉语教学事业的发展有着极其重要而深远的意义。郑艳群提出，新型的网络教学方式呼唤网络汉语教师。网络汉语教师应当具有通过技术手段展示教学内容的能力。但汉语教师并非专业技术人员，我们还需要建立一支汉语教学方面的专业的教育技术队伍，从事教学过程的设计、评估、管理，从事教育资源的开发和应用。没有这样一支专业人员的

---

① 参见张德鑫《功夫在诗外——谈谈对外汉语教师的“外功”》，《海外华文教育》2001 年第 1 期。

② 参见赵金铭《论“教案”——〈对外汉语教学课堂教案设计〉代序》，华语教学出版社 2003 年版。

③ 参见黄晓颖《对外汉语教学的备课艺术》，《汉语学习》2004 年第 3 期。

队伍，也就谈不上教育技术的应用。[①] 徐娟等认为，我们师资队伍的现状是，许多人由于知识结构上的某种欠缺，不能在教学中运用现代化教育技术。如果不从现在花大力气解决这个问题，对外汉语教学现代化的工作将会越来越滞后，最终会影响对外汉语教学学科自身的发展。因此，即便是普通教师，也必须逐步增强运用现代教育技术的主动性和自觉性，不断完善知识结构，提高教案的电子化水平，成为现代教育技术的使用者。至于网络汉语教师，就更应该熟悉前沿的信息技术理论与发展动态，掌握现代新型信息技术媒体在教育教学过程中的应用，成为现代教育技术的传播者。[②]

三　对外汉语师资培训研究

针对对外汉语教师培训，学者们在师资队伍的现状分析、师资培训内容与方式等方面展开了研究。

吕必松认为，20 世纪 80 年代末到 90 年代初，我们的对外汉语教师队伍状况令人忧虑。在教学方面，教师大多没有受过特别的专业训练，只凭经验上课。在科研方面，不少教师缺少最基本的理论素养，难以开展教学理论研究。因此，对新教师入门的把关和对现有教师的培训，是我们不得不考虑的问题。[③] 范

---

① 参见郑艳群《课堂上的网络和网络上的课堂——从现代化教育技术看对外汉语教学的发展》，《世界汉语教学》2001 年第 4 期。

② 参见徐娟等《E 时代对外汉语教师应对策略》，载《第三届中文电化教学国际研讨会论文集》，清华大学出版社 2002 年版。

③ 参见吕必松《对外汉语教学探索》，华语教学出版社 1987 年版。

开泰指出，对外汉语教学师资队伍在跨入21世纪时已经有了长足的进步，但我们学科的人才准备还不是那么充分，而这方面问题的严重性，还没有得到足够重视。我们需要一批顶尖的国家级的学术带头人，在对外汉语教学学科的基础理论研究、教学理论研究、基础工程建设和应用实践研究等各分支点上领导一支国家级的学术队伍。我们还需要完善对中青年学术骨干的培养工作，需要引进高学历专业人才，共同构成对外汉语教学的人才网络。① 张和生则指出，根据2001年国家选拔公派汉语教师工作所提供的数据，我们的师资队伍已经具有了年轻化和新教师录用时学历高起点化的特点。随着现有教师的在职进修，高学历教师所占比例还会进一步提高。但教师队伍专业结构的趋同性、外语小语种人才的缺乏以及教师男女比例的失调，都值得我们担忧。②

关于对外汉语教师培训的必要性和培训方式，吕必松指出，现有对外汉语教师的专业背景多半是中文或外语。他们虽然各有自己的专业特长，但不能完全适应对外汉语教学的需要。为了改善这部分对外汉语教师的知能结构，帮助他们提高教学水平和研究能力，必须开展在职培训。培训可以包括岗前的短期培训、师傅带徒弟、开设专题讲座、选派教师到国外进修、办助教进修班等方式。③ 进入21世纪，对外汉语教师培训的方式又有

① 参见范开泰《对外汉语教学学科的队伍建设和人才培养》，载《对外汉语教学回顾与思考》，外语教学与研究出版社2000版。

② 参见张和生《对外汉语教学师资的队伍建设与素质培养——2001年国家公派汉语教师选拔备忘录》，《北京师范大学学报》2001年专刊。

③ 参见吕必松《对外汉语教学探索》，华语教学出版社1987年版。

了新思路。周婉梅提出,应当打造包括培训中心、资源中心、交流中心、服务中心的汉语教师培训网络平台,实现基于互联网的学习功能、学习管理功能、考试功能、资源数据库管理功能、资源自动上传和下载功能、实时和非实时互动交流功能。①

各类对外汉语教师培训班的教学原则和培训内容,是不少学者关注的问题。刘珣认为,教师培训应当体现以学员为中心的原则,考虑其不同的特点,满足其特殊需要;应当体现教学相长的原则,在教师为主导的前提下注重启发式,加强师生互动;应当贯彻理论与实践相结合的原则,尽可能给学员以一定的教学实习机会。② 邓恩明列举了对外汉语教师培训班应当设置的课程,从分类上包括对外汉语教学理论、面向对外汉语教学的汉语本体知识、对外汉语课堂教学的内容与方法、汉语测试、对外汉语教材的使用与编写等。③ 刘晓雨则指出,培训要突出理论内容,教师具备了良好的理论基础,才能发展专业技能;培训要强调教学实习,教学技巧的学习只有在实际课堂教学中才能彻底领悟;培训要注重培养学员的研究能力,教师成为教学的研究者,对教学无疑是巨大的促进。④

谈到对外汉语师资培训,我们不能不提及《对外汉语教师资

① 参见周婉梅《汉语教师培训网络平台构想》,载《数字化对外汉语教学理论与方法研究》,清华大学出版社 2004 年版。

② 参见刘珣《关于汉语教师培训的几个问题》,《世界汉语教学》1996 年第 2 期。

③ 参见邓恩明《谈教师培训的课程设置》,载《第三届国际汉语教学讨论会论文选》,北京语言学院出版社 1991 年版。

④ 参见刘晓雨《对对外汉语教师业务培训的思考》,《北京大学学报》1999 年第 4 期。

格证书》和《汉语作为外语教学能力证书》。这两个证书既是对对外汉语教师素质的具体要求,又是我们教师培训内容的框架。

中国政府对对外汉语师资队伍建设问题的关注几乎与学界同步。1990 年 6 月,国家教育委员会颁布了名为《对外汉语教师资格审定办法》的第 12 号令,对对外汉语教师的外语、汉语、对外汉语教学理论与中国文化知识均提出了要求。诸多认定条件,为对外汉语师资队伍的专业化提供了制度保证。2004 年 8 月,教育部又颁布了名为《汉语作为外语教学能力认定办法》的 19 号令。以行政命令的方式来推进教师队伍的建设,显示出我国政府对对外汉语教学的高度重视,而改"资格审定"为"能力认定",其实质在于把对教师素质的要求和师资队伍建设的规范推向世界。《汉语作为外语教学能力认定办法》把教师能力证书分为初、中、高三级。我们坚持认为,汉语作为外语教学的大本营在中国大陆,高级证书对教师的要求是我们制订师资培训大纲的依据,而获得高级证书是对高校专职对外汉语教师素质的基本要求。

四 对外汉语教学专业人才培养研究

如果说对外汉语师资培训面向的主要是在职教师,那么对外汉语人才培养则是指为师资储备而开展的学历教育。在对外汉语专业人才培养研究的相关成果中,有关专业名称、专业定位、专业课程设置等方面的研究需要我们特别注意。

关于专业名称,郭熙指出,自从我国开展对外汉语教学专业的学历教育以来,学术界就一直在争论专业名称问题。他认为,我们应该把不同层面的"对外汉语教学"区分开。作为一个事业或一个工作领域，我们可以称"对外汉语教学"；作为一个专业或一个学科，我们应该称"对外汉语学"。从"对外汉语教学"到"对外汉语学"，不只是名称的变化，而且是突出了专业的重点。"教学"这个说法使人觉得"怎样教"是最重要的，而以学生为中心的观念产生以后，"怎样学"似乎又成了最重要的。就总体而言，教学内容、教学方法和学习方法都是重要的，但内容毫无疑问是教学的前提。①

关于学科定位，李晓琪指出，有关学科定位有三种意见。一是把对外汉语教学作为现代汉语专业的一个分支；二是把对外汉语教学作为教育学下的专业方向；三是把对外汉语教学作为语言学及应用语言学的一个分支。李晓琪认为，学科定位不一反映出的是对外汉语教学的学科特点还不够鲜明，学科理论还不够成熟，还没有建立起足以与其他有关学科相区别的学科框架。因此，对外汉语教学的学科建设面临的最重要、最紧迫的任务是加强理论建设和加强人才的培养，而不是急于给学科找到一个落脚点。②

关于研究生的专业课程设置，李晓琪在总结国内各院校的状况后指出，目前课程设置特点不鲜明，没能很好地体现出对外汉语教学学科与其他相关、相邻学科的区别性特征，按照这种课程设置培养研究生可能会与我们的培养目标有一定的差距。李晓琪认为，对外汉语教学专业研究生的知识结构应包括汉语理

---

① 参见郭熙《"对外汉语学"说略》，《汉语学习》2004 年第 3 期。

② 参见李晓琪《研究生培养与对外汉语教学学科建设》，载《北大海外教育》（第三辑），华语教学出版社 2000 年版。

论、语言习得理论与汉语教学理论、外语、汉语文化背景知识与其他相关学科的一般性知识。其中汉语理论和语言习得理论以及汉语教学理论是基础和重点，其次是外语，然后是汉语文化背景知识和其他相关学科的知识。汉语理论课、对外汉语教学理论课、外语、其他相关课程的比例大致为 3：3：2：2。① 陈绂认为，研究生应设置五大类课程：基础理论类，包括以应用为原则和目的的语言学、教育学、心理学等学科的基础理论；教学法理论及实践类，重点研究汉语作为第二语言的教学法理论与实践，同时，对于教材编写问题的探讨与课堂实习等也应包含在课程内容之中；外语类，一定要开设第二外语，特别是小语种；文化知识类，包括中国文化特质、风俗特征以及外国文化常识等；社会学、伦理学类，包括这些学科的基础理论与内容，以及一名教师所应有的礼仪风范、与人交往的基本规范等。② 陈绂的看法在一定程度上来自对当前师资队伍状况的反思。

五 对外汉语师资队伍建设研究展望

毫无疑问，近些年来上述研究取得的成绩是不容忽视的。正是这些研究，促进了我国对外汉语教师队伍综合素质的提升，加快了对外汉语教师培训与人才培养工作的进程，从而在整体上推动了对外汉语教学事业和学科的发展。展望未来的研究，

① 参见李晓琪《研究生培养与对外汉语教学学科建设》，载《北大海外教育》（第三辑），华语教学出版社 2000 年版。

② 参见陈绂《谈对外汉语教学硕士研究生的知识结构》，《语言文字应用》2005年专刊。

学界或许应当对以下问题给予足够的关注。

首先，讨论对外汉语教师的素质必然会涉及教师的知识结构与能力结构。我们注意到，学界以往对教师应具备怎样的知识结构与能力结构研究较多，而对知识与能力的关系未作太多关注。事实上，无论是开展教师培训或进行专业人才培养，还是对教师素质进行评估，都需要把握知识与能力二者之间的关系。对外汉语教师的教学、科研能力是建立在汉语知识、语言学知识与汉语作为外语教学理论知识、跨文化交际知识的基础上的。知识是一个快变量，可以在相对短的时间内主要通过读书、听课获得。知识有可能在短期内增加，也可能因遗忘而减少。而能力是一个慢变量，需要经过较长时间学习、体会、训练而形成，而一旦形成，就轻易不会失去。知识与能力，二者相辅相成，既有联系，又有区别。就对外汉语教师培训与人才培养而言，传授知识较易，培养能力较难；就对外汉语教师水平的评估而言，考核知识多少较易，评价能力高低较难；就对外汉语教师的综合素质而言，有知识不一定有能力，但知识不足能力必定欠缺。不断完善自己的知识结构和能力结构，不断提高自己的素质，对对外汉语教师来说是一个终身的过程。如此看来，如何更新教师的知识，如何训练、培养教师或未来教师的能力，如何在教师评估或能力证书考试中准确评价教师的能力，都有必要进一步深入研究。

其次，以往学界在教师队伍建设的研究中，定性研究多而定量研究少。为使我们的研究更科学、更具说服力，在研究方法上，我们需要更多的量化研究。比如，通过分析资格证书考试或能力证书考试的结果，来了解对外汉语教师培训工作的实际需求，进而研究考试大纲和培训大纲的制订；通过对对外汉语新教师的定量跟踪寻访，来审核我们人才培养的结果，进而优化我们的课程设置等等。

最后，应当也是最重要的，在当前汉语国际推广的大背景下，对外汉语教师培训工作必然会出现新的局面。我们汉语教师培训工作的重点，必然会从服务于来华留学生的教师，转变为服务于海外汉语学习者的教师。即便是国内高校对外汉语教学专业人才的培养，也必然会出现新的模式。随着汉语国际推广事业的发展，面向汉语教学志愿者的培训、面向海外中小学汉语教师的培训、基于互联网的汉语教师培训，会在我们的教师培训工作中占主导地位。不同类型、不同水平、不同国别的汉语教师，对培训的需求自然也不同。要制订有针对性的、个性化的、同时又切实可行的培训方案，我们有很多研究工作要做。中国是汉语的故乡，是把汉语作为第二语言教学的大本营。满足全世界汉语教师培训的需求，我们任重而道远。

2006 年春于北京

第一章 对外汉语教师的基本素质研究

第一节 对外汉语教师应具备的意识

壹 对外汉语教师的职业意识①

自20世纪90年代以来，特别是进入21世纪后，随着中国经济的飞速发展和国际地位的日益提高，汉语作为第二语言教学，即我们所说的“对外汉语教学”，迎来了大好的春天。汉语正逐渐成为各国学习的热门语言，汉语的国际化趋势日益增强。不难预见，今后汉语教学在全世界范围内将会有更大的发展。汉语作为第二语言教学面临着前所未有的发展机遇。

但应该看到，真要让汉语走向世界，使汉语在21世纪真正成为在世界范围内广泛应用的语言，重要的是要不断提高汉语教师的素质。而汉语教师要不断提高自身的素质，首先需要树立一些意识。

一 要树立很强的学科意识

目前，从事对外汉语教学的人员，从领导到一般教员，都异口同声地呼吁，要建立独立的学科，要建立对外汉语教学的硕士

---

① 本节选自陆俭明《汉语教员应有的意识》，《世界汉语教学》2005年第1期。

点、博士点。这个想法无疑是很好的。我们应朝这个方向努力。但是，我们自己实际上却很缺乏学科意识。譬如说，一般从事对外汉语教学的老师来自各个不同的学科，有来自文学、汉语的，有来自历史、哲学的，有来自外语学科的，有来自心理学科的，等等。他们虽然身在对外汉语教学的岗位上，但仍只是搞原先本学科领域的科学研究，而不考虑或很少考虑怎么将自己原先所学的学科知识跟对外汉语教学紧密地结合起来，从而使自己所学的知识服务于对外汉语教学，成为对外汉语教学的有机的组成部分；而作为对外汉语教学单位的领导似乎也不注意引导和要求来自不同学科的教员这样做。关于树立对外汉语教学的学科意识问题，我在《增强学科意识，发展对外汉语教学》[①]一文中已有所论述，这里再就怎么树立学科意识的问题补充说些意见。怎么树立学科意识？我想有两点必须明确：

第一，对外汉语教学的基础是汉语言文字教学，而不是别的。在对外汉语教学中，尤其在初级阶段的教学中，其他学科的教学，从整体上来说都是为汉语言文字教学服务的。

第二，各个学科的知识必须整合。对外汉语教学必须走"以汉语教学为基础的、开放性的兼容整合之路"。

明确了上述两点以后，我们每个人就应明了自己的职责和所求：

第一，如果你是来自汉语专业，那么你得有针对性地补学有关学科的知识。譬如说，你要教经贸汉语，你得补学一些经贸方

---

① 参见陆俭明《增强学科意识，发展对外汉语教学》，《世界汉语教学》2004 年第1期。

面的有关知识；你要教医学汉语，你就得补学一些医学方面的有关知识，如此等等。如果你是来自非汉语专业的，那一定得补学汉语言文字学方面的知识，这是对外汉语教学的根基。

第二，人人都得关心本学科的学科建设。每个人都得考虑考虑：(1)作为一个独立的学科，必须要有它的哲学基础。对外汉语教学学科的哲学基础应该是什么？(2)作为一个独立的学科，必须有一定的理论做支撑。对外汉语教学学科需要由哪些理论来支撑？(3)作为一个独立的学科，必须有明确的学科内涵。对外汉语教学学科的内涵是什么？学科的本体研究是什么？(4)作为一个独立的学科，必须有与本学科相关的、起辅助作用的学科。那么，跟对外汉语教学学科相关的、起辅助作用的学科是哪些？对外汉语教学学科作为一个独立的学科要大踏步地发展，从事对外汉语教学的领导和广大教员都必须树立明确的学科意识，并围绕上述问题，共同致力于对外汉语教学学科的理论建设。观念的转变是最重要的。树立和增强对外汉语教学学科意识，意义深远。

二　要树立很强的学习、研究意识

许多人认为，教外国人学汉语比起其他院系的老师给本科生、研究生上课要容易一些。其实，这个看法不说它是完全错误的，起码也可以说是不了解对外汉语教学的人所具有的一种想当然的幼稚想法。

对外汉语教学的老师可不是好当的。从某种意义上来说，这比在高校其他院系当老师要难。作为一名对外汉语教学的老师，面对着零起点的外国学生，能用几个词就把课堂搞活，让学生开口训练，可得有点儿本事；能让零起点的外国留学生在最短的时间里尽快地学习、掌握好汉语，可不是一件容易的事。如果没有深广的专业基础知识和相关的学科知识，没有高超的教学艺术，没有一定的教学技能，是很难达到上述要求的。

因此，对一名从事对外汉语教学的教师来说，首先要有很强的学习意识，使自己具有深广的知识；更重要的是具有很强的研究意识，并具备一定的研究能力。

为什么从事对外汉语教学的老师一定要有很强的学习意识和研究意识呢？理由有四：

第一，我们先前所做的汉语研究，是为解决我们中国人的交际中出现的问题服务的，是为建立汉语学科服务的。在我们看来不成问题的问题，对外国学生来说都可能是难点。对外汉语教学中所碰到或出现的问题，往往不能从现有的教材、工具书、汉语语言学论著中找到现成的、令人满意的答案。这些问题只能由我们自己通过学习、研究来解决。在对外汉语教学中，最忌讳的一句话是"这是汉语的习惯"。有的老师，包括在中国国内教留学生汉语的某些老师，当学生问到一些语法或词汇方面的问题时，特别是当问到"为什么要这么说，不那么说"的时候，常常就用"这是汉语的习惯"把学生的问题顶回去了。他以为这就解决了学生的问题，其实学生是最不愿意、最害怕听到这样的回答的。这种回答会影响学生学习汉语的积极性，会让一些学生产生"汉语大概没有什么规律"的错误想法。在这个问题上，我们一定要具有一种态度——实事求是的、老老实实的态度。如果自己一时回答不出来，就如实地对学生说"你提的这个问题我得考虑考虑再回答你"。

第二，在对外汉语教学中，特别是在低年级的教学中，需要恰到好处地给学生一些汉语知识，但又不宜学院式地对学生大讲汉语知识，包括语音知识、词汇知识、语法知识、汉字知识等，得采取随机教学、点拨式教学法。怎么掌握这个度？这就要求从事对外汉语教学的老师不仅要善于发现并抓住学生在汉语学习过程中出现的带普遍性的语法错误，给以纠正，而且要求汉语老师要善于分析学生出现某种语法错误的原因，要善于确定解决学生某个语法方面或词汇方面或汉字方面的错误的突破口，并善于针对学生出现的某种错误与毛病，利用已有的知识和研究成果来作出明确而又通俗的说明。而要做到这一点，自己首先要具有一种很强的学习、研究的意识，并在日常工作中做到勤学习，多研究。

第三，提高教学质量的三大条件是，要有高素质的教师队伍，要有高质量的汉语教材，要有高效率的教学方法，而这都有赖于对外汉语教学的科学研究。对外汉语教学必须以学术引航，这样才能确保教学质量的不断提高。而这种研究，不能光指望从事汉语本体研究的学者，主要得靠处于对外汉语教学第一线的广大教员。

第四，在汉语口语中，有许多常用的固定格式，例如：

(1)NP不X谁X(你不教授谁教授！)

(2)……，VO+V的(他最近视力下降得很厉害，准是看电视看的。)

(3)……，X就X在……(他错就错在不懂经营。)

(4)……V着也是V着，(不如)……(这些书放着也是放着，你拿去看吧。)

(5)NP+V也V了,V也V了,……(你说也说了,打也打了,还要怎么样?/你吃也吃了,喝也喝了,总该走了吧?)

(6)一VV了+数量成分(她一买买了一大堆。/一说说了两个小时。)

这些固定格式很有表现力,而外国留学生对这些常用固定格式的每个字、每个词都认识,都知道。但表示什么意思?如果老师不告诉他们,他们是不知道的,而且他们也很难从工具书上找到现成的答案。当然,他们更不会准确地使用这些固定格式。而从事本体研究的学者过去很少研究这些。这就得靠从事对外汉语教学的老师自己去研究,去解决。如果我们没有这样的研究意识和研究能力,就没法把一些固定格式给学生讲解清楚。

根据上述四点理由,我们有理由要求从事对外汉语教学的老师一定要有很强的学习意识和研究意识,使自己具备良好的研究素质,使自己具有发现问题、分析问题、解决问题的实际研究能力。这里还需提醒大家的是,在对外汉语教学中,问题最多的还是词汇、语法,特别是虚词方面的问题。要解决好这方面的问题,我们还需要培养自己具有这样一种本事——快速思索实例、独立进行研究的本事;学会一种方法——善于进行比较的方法。有了这些能力,掌握了这些方法,加之能做个有心人,自己就会从必然王国走向自由王国。

三　要树立自尊自重的意识

现在,把对外汉语教学看做“小儿科”的人可能越来越少了,但是社会上、教育界有许多人还是认为从事对外汉语教学的教员只能是个教书匠，不能成为“家”，从事本体研究的才能成为“家”。可悲的是我们自己有相当一部分教员和有关领导居然也这样看。我们认为，这种想法是很不对的。关于这个问题，我不想在这里展开说，只想打一个可能是不恰当的比方——如果说从事汉语本体研究和理论研究的教员和研究人员类似理科的教员和科学院的研究人员，那么从事对外汉语教学的教员就类似于大学工科的教员和工程院的研究人员。在理科、在科学院的教员和研究人员，经过努力有可能成为科学院院士，但也不是所有教员和研究人员都能成为科学院院士；而在工科、在具体工程单位从事教学或研究的人员，经过努力也有可能成为工程院院士，当然也不可能都成为工程院院士。同样道理，在高校或研究单位从事汉语本体研究和理论研究的教员和研究人员也未必一定都能成为“家”；而在高校从事对外汉语教学的教员也未必一定不能成为“家”。事在人为，一个人能不能成为“家”，全在自己的信念和努力，当然其中也会有机遇的问题。我在这里更要强调的是，首先是自己要看得起自己，要自尊自重。有了这种自尊自重的意识，加上自己的努力，我们就可以成为与其他学科的“家”齐名的“家”。

贰 对外汉语教师的时代意识[①]

一个合格的对外汉语教师还应该是某一方面的专家。对外

① 本节选自卞觉非《21世纪：时代对对外汉语教师的素质提出更高的要求》，《语言文字应用》1997年增刊。

汉语教学和教育，作为一个新型的独立的学科，需要相当一批研究对外汉语教学和教育本体的专家，把对外汉语教学和教育作为专业主攻方向。

一

人们常常赋予21世纪以新的划时代的意义。各国政府在制订社会发展规划时，也充分考虑到世纪的因素，往往着意地把举世瞩目的重大项目，比如，中国的长江三峡工程和黄河小浪底工程等，都安排在世纪之交。这些具有时代标志性的成就，足以激发国人的激情，在心理上产生一种紧迫感和满足感。

然而，21世纪究竟是什么样的呢？对未来的预测是我们制订政策的依据，也关系到对外汉语教学事业的发展。我想，就世界范围内总体情况而言，21世纪可能是这样的：

1. 在政治层面上，21世纪将是个多极化的时代。

超级大国称霸世界的局面将会被打破，发达国家试图主宰世界的情况也将会改变，发展中国家将会真正地崛起，世界将是一个多极化时代。所谓多极，中国也算一极。随着中国综合国力的增强，中国这一极的分量将会加重。在多极的世界里，由于价值观的不同，在世界范围内，政治、经济、文化乃至局部军事冲突难以避免；但是，国与国之间，尤其是大国和强国必须学会理解和尊重小国和弱国，按照和平共处的原则，通过对话，平等协商，妥善地处理国与国、集团与集团之间的关系。国与国的交往和沟通必须借助于语言。因此，无论出于什么动机，学习汉语的人将会日益增多；同样，中国学习外语的人也会大量增加。

2. 在经济层面上，21 世纪将是一个信息经济的时代。

全球经济将会一体化。国际社会将由电子时代转入信息时代，科学技术日新月异，创造发明层出不穷。电脑普及，国际联网，信息传递即时、便捷、快速。这将改变传统的办公、商业往来乃至教育的方式。那时，传统的第一产业和第二产业在生产中的地位将大幅度降低，一个以信息服务为代表的第三产业将成为社会生产的主导。信息将取代权力和资本，成为最重要的经济力量。人们的教育观念也将由一次性教育转变为终身教育，不断吸收新的信息。在诸多媒体中，语言是最重要的信息载体。因此，不可避免地要发生语言之争。最近有一则消息说，多方统计数字表明，在包罗万象的国际互联网上，英语内容大约占 90%，而法语只占 5%，处于第三位的是西班牙语，约占 2%……目睹这种现状，法国总统希拉克不无忧虑地说，国际互联网本来是全人类共有的财产却成了盎格鲁-撒克逊人的天下！法国司法部长雅克·图邦也惊呼，以英语占主导地位的国际互联网络是一种新形式的殖民主义。法国政府强调要采取妥善措施应付国际互联网带来的挑战。(《扬子晚报》1997 年 6 月 18 日，海外视线版)看来，我国也应及早考虑汉语在互联网络的地位问题，及时提出应付的对策。从信息的角度看，外国人如果不掌握汉语这一媒体，就很难分享中国的信息资源；反之，中国人如果不懂得英语，情况会更严重，因为在电脑网络上，90%以上都是英语。

3. 在生产和生活层面上，21 世纪将是一个智能化的时代。

许多生产和生活设施均可按照事先编制的程序运作，大大减轻了劳动的强度，节约了时间，人们的生产水平和生活质量均可得到很大的提高。加之，由于遗传工程的发展和生态环境的改善，多种遗传性的疾病可以得到防治，生物工程可以按照人体的需要合成富有营养和味道鲜美的食品。有人预言，在未来的社会，当你进入超市购物时，只要你在一部显示器面前一站，就会根据你的身体需要配置出一份份食品——当然还得付钱，人类将更加健康、长寿。人们可以有许多时间来学习，充实自己，无疑也包括学习外语。

4. 21 世纪将是一个文化趋同的时代。

当今文化主流，一是以农耕型社会为背景而产生的东方文化，一是以游牧型和海洋型社会为背景而产生的伊斯兰文化和西方文化。东西方文化既有相通的一面，这是彼此可以借鉴的基础；也有对立的一面，这是双方发生冲突的根源。当前，西方列强不遗余力地推行西方文化及其价值观，东方各国则以深厚的文化传统与之抗衡。因此，所谓文化冲突在相当长的时间内不可避免。在多极社会里，如果有一极很强，另一极较弱，这种冲突就会持续存在。只有各极综合力量趋于平衡，西方列强认识到无力迫使对方就范时，他们才能理解、尊重和容忍不同文化；只有当人们认识到不同文化各有其长短时，才能产生互相借鉴、取长补短的意识。随着全球教育程度的提高和国际文化交流的增多，人们的文化及其价值观超乎寻常地接近起来，尤其是各国的年青一代，包括中国青年，他们的金钱观、择业观、婚姻观、审美观以及服饰、礼节、饮食等都出现了惊人的相似之处。这是不是文化趋同现象？这可否理解为一种超民族的、人类普遍可以接受的、优秀的文化正在孕育之中？在 21 世纪，人类在频繁的交往中，需要有一套可供彼此共同遵守的文化规则。这种文化不是东方文化，也不是西方文化，而是融合东西方文化之精华于一体的崭新的文化；与此同时，也可以认同一种语言或少数几种语言作为国际或区域性的通用语。当然，这不是以牺牲和消灭各民族语言与文化为代价的；相反，随着各民族的真正独立和经济的发展，各民族的语言和文化将会得到充分发展，继续发挥地域性的作用。

消除和缓解不同文化冲突的最佳途径是加强文化交流，增进相互了解，开展对比研究。按照洪堡特的观点，"民族的语言即民族的精神，民族的精神即民族的语言"①。因此，要真切地理解汉民族文化，就必须从研究汉语入手；反之，要理解西方文化，也必须从学习西方语言开始。

总之，21 世纪的社会将是一个在政治上多极化，在经济上信息化，在生产生活上智能化，在文化上趋同化的社会。全世界善良的人们都希望 21 世纪能够给人类带来和平、民主、平等、自由、博爱、富裕和幸福。

社会的发展总是会对语言学提出新的要求并产生很大的影响，而社会的发展从哲学和技术层面上又必须有语言学的参与。在西方哲学史上，由于语言学的影响，大体上经历了三次大的转向，即古代的本体论转向，它立足于物质世界，在语言观上则表现为"反映现实论"；近代认识论转向，它立足于思维世界，在语言观上则表现为"认知假说"；当代语言学转向，它立足于语言世界，在语言观上则表现为语言决定论或"沃尔夫假说"。当今的

---

① 参见胡明扬《西方语言学名著选读》，中国人民大学出版社 1988 年版，第 57 页。

语言学特别重视语义研究，强调语义的解释性。

以上三大趋势，特别是近代和当代的转向，不仅影响欧洲的哲学、人文科学、社会科学的发展，也影响着自然科学的进程。我想对中国的语言学也不可能没有影响。21 世纪中国语言学研究重点可能有三：(1)通过汉语的古今对比和汉外对比，揭示汉语所蕴涵的中国文化，以建立中国文化语言学；(2)研究汉语的本体，使之形式化，为信息技术和社会服务；(3)研究语言教学，包括本民族的语言教学、汉语和少数民族语言的双语教学、对外汉语教学和外语教学，以建立具有中国特色的符合汉语实际的语言教学理论和语言教学方法。

我们应该充分开发汉语资源，让汉语在 21 世纪走向世界，使汉语名副其实地真正成为一种国际通用语，在国际上或区域内发挥更大的作用！

二

21 世纪，在世界上将是一个充满希望的时代；对中国而言，21 世纪则是一个实现民族全面振兴的世纪。中华民族的全面振兴要求对外汉语教学事业有很大的发展；对外汉语教学事业有了很大的发展，也将促进中华民族的全面振兴。

发展对外汉语教学事业，在目前我以为必须狠抓三件事：首先，要端正各单位的办学思想，注重社会效应；第二，改善办学条件，加强教学管理；第三，狠抓对外汉语教师队伍的建设，建立一支训练有素的高质量的对外汉语教师队伍。我认为，加强对外汉语教师队伍的建设特别重要。

根据本人的教学实践和培养研究生的经验，在国家教委（编者按:今中华人民共和国教育部)颁布的《对外汉语教师资格审定办法》的基础上,按照21世纪的要求,我认为,21世纪的对外汉语教师应该具有以下素质:

1. 具有良好的师德。

所谓师德是指对外汉语教师的思想道德品质。中国人很看重道德,评价人的次序是"道德文章",一个人即使学问再好,如果人品极差,也得不到社会的尊重。道德无所不在。应该特别强调三点:(1)热爱祖国,弘扬中华文化。这是国际性的理念,无须细说。一个不热爱自己的国家或肆意诋毁祖国和不尊重自己民族文化的人,不仅会遭到国人的唾弃,而且也为外国人所不齿。(2)具有敬业、精业和创业精神。一个对外汉语教师,对工作应该认真负责,全心投入,不能三心二意;对工作应该精益求精,刻苦钻研,不能敷衍了事;工作时应该勇于创造,刻意求新,不能因陈守旧。这些都非常重要。有位著名的语言教学专家说过,语言教学的质量=学问+教学态度。一个教师如果没有学问,对自己教的内容没有研究,当然上不好课;一个教师如果只有学问,而没有认真负责的态度,同样也上不好课。在业务不相上下的情况下,态度如何则是能否上好课的关键,所以教学态度至关重要。(3)要有爱心,把自己的学生视如亲人,关心他们,帮助他们解决学习和生活中的实际困难,做他们的朋友,听取他们的意见,改进教学,这样就会得到学生们的支持与合作。只有师生密切配合,才能上好每一堂课。

2. 具有扎实的专业基础和广博的相关知识。

作为一个对外汉语教师,他的职责就是对外汉语教学,因此,每一位对外汉语教师都必须胜任对外汉语教学,必须能从事语言课的教学。其前提是，必须掌握现代汉语语音、语法、词汇、修辞、文字等基础理论、基本内容和基本技能，能解决教学中出现的种种问题。应该说，这是从事语言教学的基本要求。但是，仅仅这些还不够。一个合格的对外汉语教师，不但要知道教什么，而且还要知道怎么教，应该运用外语教学的原理，把汉语的基本规律，按照学生的汉语水平，分层次地教给学生，并且能够有效而快速地使之转变为学生的交际技能。这就是对外汉语教学跟母语语言教学的区别之一。因此，能够胜任母语教学的教师不一定能从事对外汉语教学。

一个合格的对外汉语教师还应该具有广博的相关知识，如语言学、计算机科学、教育学、心理学、文学、历史学、文化学、哲学和宗教学乃至现代自然科学知识。语言学的理论不仅指导现代汉语的研究，也直接影响到语言教学法。因此，语言教学是：语言学＋教育学；对外汉语教学则是：现代汉语＋语言教学法。由于对外汉语教学涉及哲学、人文社会科学乃至自然科学，因此要求对外汉语教师必须具有广博的知识。如果相关知识缺乏，一问三不知，长此以往，学生便会对你的能力产生怀疑，在这种情况下，即便学生不赶你下台，你也该自己炒自己的鱿鱼了。

一个合格的对外汉语教师还应该是某一方面的专家。对外汉语教学和教育，作为一个新型的独立的学科，需要相当一批研究对外汉语教学和教育本体的专家，把对外汉语教学和教育作为专业主攻方向，比如，研究语言教学理论、教学目的、总体设计、教学大纲、教材编写、课堂教学、测试评估等理论和方法，成为语言教学专家。目前，我国这方面专家数量太少，门类不全，应该鼓励更多的人成为这方面在国内外能产生影响的专家。但是，根据我国对外汉语教师的来源状况，有相当一部分教师来自中文系、外语系或者历史系等，他们原来从事语言、文学、外语或历史教学，其中有一部分教师在原来专业中已有较高的造诣，已是那方面的专家，我以为，不必要求他们改变专业方向。对外汉语教学和教育，需要有一批语言学家、外国语教学专家、电脑专家、文学家和历史学家等。没有相关专业的专家参与，对外汉语教学和教育专业从门类上讲也是不齐全的。对外汉语教学和教育专业师资队伍是以对外汉语教学专家为主，有其他相关专业专家参加的专家群。这批专家既可从事对外汉语教学，也可开设诸如语言、文学等专业课。对外汉语教育事业不仅不应该排斥而且需要各方面的专家。

3. 具有较高的外语水平。

一个合格的对外汉语教师，其外语能力不仅可以对付日常生活交际——这些不难做到；而且还应该能熟练地把外语作为自己的工作语言，能阅读外语文献，能用外语参加学术讨论，较快地查阅 Inter 网上的信息，可以用外语写论文——这些不易做到。但 21 世纪社会要求一个合格的对外汉语教师必须做到。21 世纪，出国讲学应该是一件很平常的事情。21 世纪要求国际型的学者。我以为，各单位应该注意培训，这对于已经具有较高学历的年轻教师来说，经过努力，应该不难做到。

4. 具有较高的使用电脑的能力。

一个合格的对外汉语教师应能与电脑专家合作编制汉语教学软件，能较快地查阅和运用 Inter 网的信息，能在互联网上进行汉语教学。

5. 具有较高的教学艺术。

一个合格的对外汉语教师应能自觉运用外语教学理论组织课堂教学，调动不同层次学生的积极性，能精当地讲授教学的内容，使学生在轻松的气氛中又快又好地学习汉语，把学到的汉语知识迅速地转化为交际技能。

6. 具有驾驶汽车的技能。

21 世纪的许多中国人会拥有汽车。到国外工作会开车尤为重要，不会开车就像缺腿少脚，会大大限制你的活动范围。

三

如何达到上述素质要求呢？

1. 提高学历层次。

21 世纪，申请对外汉语教学岗位的人必须具有博士学位。对于尚未获得博士学位的年轻教师，应该鼓励他们攻读博士学位。

2. 组织专业培训，举办学术沙龙，交流学术信息，开展学术讨论，参加学术会议，争取重大项目，带动和提高学术水平。

3. 注意在职进修。

这是自我提高的主要方法。要打破一次性教育的观念，树立终身教育的思想。有人统计，现在专业知识更新很快，一般是 5 年就得更新一次，到 21 世纪可能 3 年甚至更短。即使获得博士学位的人，如果两年不看最新专业文献，就会感到生疏，就会有被淘汰的危险。教师素质的提高，领导负有责任，要为教师的进修创造条件，给予学术休假，安排到国内或国外访问进修。但是，关键还在每个人自己，我以为，应该密切注意本学科前沿动态，追踪查阅资料，脑中装着问题，注意积累材料，灵感一到就动手写作，一气呵成，不能只想不做，或者做做停停，这样会浪费能量。如能养成好的习惯，不愁没有成果。

总之，我们要抓住机遇，迎接挑战，争取做一个能胜任21世纪对外汉语教学工作的合格的对外汉语教师！

叁 对外汉语教师的课堂教学意识

一 对外汉语教师的课堂教学意识概说[①]

李泉曾论述教师教学意识的重要性[②]，并提出课堂教学意识，就是在课堂教学活动中应遵循的基本原则。"教师有无明确的课堂教学意识，有什么样的教学意识，却是影响课堂教学活动及其效果的关键"。成功的课堂教学教师应具备学生意识、交际意识、教学语言意识、课型意识、目的意识、敬业意识、搞活意识、跨文化意识、语用指导意识、培养学习策略意识、时效意识等等。

刘晓雨则从分析汉语特点入手[③]，讨论了留学生学习汉语的心理过程，由此提出了教师如何运用科学有效的教学方法来提高教学效果的解决办法。作者认为，"在学习汉语时，留学生并不是把全新的信息从外界搬到头脑中，而是一方面以已有的

① 本节选自黄锦章、刘焱《对外汉语教学中的理论和方法》，北京大学出版社2004年版。

② 参见李泉《对外汉语课堂教学的理论思考》，《中国人民大学学报》1996年第5期。

③ 参见刘晓雨《语言获得与对外汉语课堂教学》，《语言文字应用》1999年第1期。

信息为基础，通过与外界的相互作用来建构新的理解；另一方面在对新信息的意义建构的同时又对原有信息进行改造和重组。对留学生，特别是母语（如印欧语）与汉语差异较大的留学生来说，汉语的'难'并不表现在汉语本身，而表现在他们过去具有的语言知识、语言获得知识和文化背景在学习汉语时很难发挥积极的作用”。作者还指出，课堂教学通常是在人工环境中教学生一些从实际环境中抽象出来的一般性知识和技能，而这些一般性知识和技能，常常被遗忘或只是保留在大脑内部，在需要运用时不易被记忆提取出来。因此，强调情境学习、情境性认识是重要的。知识和技能总要适应于它所应用的环境、目的和任务。为了使学生学习、保持并能运用其所学的知识和技能，就必须在自然环境中学习并练习使用。

对教师课堂教学进行客观评价，有助于更好地开展对外汉语教学工作。王钟华从三个方面提出了具有参考价值的评价标准[①]：（1）教师的业务知识。业务知识包括两方面：一是语言知识，二是文化知识。语言知识方面要特别注意语言的使用，要熟悉与语言使用相关的学科理论，如社会语言学、心理语言学、语义学、语用学等。文化方面应掌握文化语言学和跨文化交际学的知识。（2）教师的业务能力。业务能力包括下述四个方面：教案设计能力、组织能力、移情能力和运用言语交际手段和非言语交际手段的能力。（3）教师的业务行为。业务行为包括三方面：一是服饰，要得体；二是教态，要自然；三是教学中运用的原则、方法和技巧，要得当。

---

① 参见王钟华《初级阶段汉语教学四题》，《语言教学与研究》1999 年第 3 期。

二　对外汉语教师的课堂教学意识面面观①

课堂教学被看做是对外汉语教学四大环节(总体设计、教材编写、课堂教学和测试)的中心环节,它能够集中体现对外汉语教学的学科性质和特点。对课堂教学活动进行理论上的研究和探讨,对对外汉语教学学科建设和提高课堂教学质量都是十分必要的。本文重点探讨贯穿在整个课堂教学活动中的基本指导思想,或者说教师在课堂教学活动中应遵循的基本原则。对此,崔永华称为"课堂教学意识",而不叫"课堂教学的基本原则"。我们觉得这两种提法在本质上并无大的区别。但正如崔文所言,"原则"在近些年来讨论外语教学的著述中使用得太多,而"意识"含有"应当时刻清醒、不要忘记"的意思,崔先生认为课堂教学意识在内涵上也与一般所说的"原则"有所不同。②

我们觉得"课堂教学意识"这一概念的提出是有价值的,本文愿意采用这一说法。崔文重点探讨了语言教师必须建立的三种课堂教学意识,即实践意识、目的意识和效率意识。指出"这是成功的外语课堂教学应当遵循的基本原则"。③课堂教学成功的因素是多方面的,既有教师的因素,也有学生的因素。就教师方面的因素来看,成功的课堂教学教师应具备的课堂教学意识也应是多方面的。在此,我们愿意在崔文研究的基础上作进一步的探讨。

---

①　本节选自李泉《对外汉语教学理论思考》,教育科学出版社 2005 年版。

②③　参见崔永华《语言课的课堂教学意识略说》,《世界汉语教学》1990 年第 3 期。

(一) 课堂教学的学生意识

学生意识包括如下几层意思:(1)要有以学生为主的意识。以学生为主是现代语言教学的总趋势。它要求不仅是课堂教学,而且在教材编写、教学大纲的制定、教学目标的设定、教学方法的选择上都应立足于学生、适合于学生。就课堂教学而言,以学生为主要求课堂教学的一切活动都要服从于学生的真正需要,一言一行着眼于学生,并通过学生广泛深入的参与完成教学任务。(2)要真正做到以学生为主,首先必须认识学生、了解学生、尊重学生。要充分认识到我们的教学对象尽管汉语水平可能不高,但他们的思维能力、认知能力却一点也不低。明确这一点,教师就不能有任何马虎敷衍的想法,而必须认真备课,悉心设计好每一个教学环节,这是取得课堂教学成功的先决条件。有些教师由于缺乏对学生的正确认识,自觉不自觉地放松对自己的严格要求,甚至产生"教留学生好对付"的错误想法,其教学效果自然不会好。事实上,留学生的汉语表达能力可能不高,但教师认真不认真、方法好不好,要不了几次课他们就清清楚楚,而一旦失去了学生对教师的尊重和信任,教学效果是难以保证的。其次,教师要了解学生的汉语水平、学习动机和性格特征,以便更好地进行课堂教学。此外,尊重学生还要求教师在课堂上努力创造一种和谐、平等和民主的气氛。绝不能动不动就摆出"私塾先生"的架式,更不能有意无意地挖苦和讽刺学生。(3)以学生为中心,强化课堂教学的学生意识,还要求教师注意观察和分析学生对教师课堂上一言一行的反映,以便随时调整教学语言、教学环节乃至教学方法。更重要的是,要时刻不忘留学生学习汉语是为了掌握和使用汉语,他们不是来"听你讲汉语"的,因此，课堂上要把尽可能多的时间用到学生语言能力和语言交际能力的训练上。

（二）课堂教学的交际意识

语言教学的课堂是师生双边活动的场所，教学活动应由师生共同完成。课堂上教师时刻要有“调动学生进行语言活动”的意识，这种意识越明确、越强烈，学生的活动机会就可能越多。也就是说，课堂上教师要有通过听、说、读、写、问、答等多种方式使课堂变成一种交际场所的意识。否则，课堂就可能成为教师唱“独角戏”的场所，从而偏离了语言教学的根本方向。因此，教师要在想方设法使课堂变成一种交际场所，在使学生活动起来上下功夫。一堂课如果没有绝大多数学生进行相当程度的“动口”“动手”“动脑”“动耳”等形式的参与，这堂课就不能算是成功的。从理论上说，强调教师的课堂交际意识，是因为第二语言教学的根本目的就是培养学生目的语的交际能力，而交际能力是在交际和交际训练的过程中逐步获得的。培养和训练学生的交际意识和交际能力是课堂教学的核心任务。课堂上语言知识和文化背景知识的传授是必要的，但不是教学的根本目的，根本目的是要努力使所传授的知识变成学生的语言能力和语言交际能力。否则，学生就可能一翻开书好像什么都明白，一合上书就什么都不会。因此，要充分利用教材所提供的语言环境，进行足够而有效的课堂交际和技能训练，使学生在对课文内容及有关语言或交际项目理解和记忆的基础上，能够模仿课文进行交际，进而能够结合真实情景进行创造性的交际，从而提高交际和课堂教学的质量。

（三）课堂教学的语言意识

教师课堂上要时刻注意使自己的教学用语适度、规范、精要。首先，由于我们的教学对象还没有或没有完全掌握目的语，教师课堂所使用的语言应尽量控制在学生所能接受的范围内。这就要求教师要清醒地把握教学对象的汉语水平，并据此确定课堂教学语言。教师讲解、提问、答疑及组织教学的语言，都要考虑到学生的接受能力。这一点并不难理解，但往往被忽视。例如释词时，教师既不能随心所欲地解释，如把"漫谈"说成是"慢慢地没有主题的谈话"；又不能照搬词典，如解释"说亲"是"说媒"的意思。教师必须在保证释义准确性的同时，对释词所用的词语及言语表达方式做通俗化的处理①，这对教师要求很高，但必须尽量做到，否则教学效果就很难保证。第二，教师的课堂语言要规范、确切。教师对学生来说就是一种目的语的言语环境，如果通过教师的教学语言输入给学生的都是些半截子话或不确切的表达方式等，不仅起不到预期的教学效果，还会带来消极的影响，至少是"无效劳动"。第三，教师的课堂教学语言应尽量精要、有用、得体。要避免啰唆和不必要的重复，课上所说的话都应有明确的目的和确切的效用。这不仅是省时和减少学生不必要的"语言负担"的需要，也是建立良好的师生关系的需要。有的课堂用语尽管不能说完全没用，但用多了成了口头禅，则不仅浪费时间，还会引起学生的不满。例如，如果老师老是问学生"懂了吗""听明白了吗"，有的留学生感到"受不了"，甚至是反感，认为教师没有给予他们应有的尊重，而是把他们当成了"傻瓜"或"小孩子"。因此，要避免课堂教学语言幼稚化的倾

---

①　参见李泉《有关对外汉语教学释词的几个问题》，《汉语学习》1991 年第 3 期。

向。可以说,教学语言的可接受性、规范性和得体性,是成功的课堂教学应具备的基本条件。有些教师很有学问,专业基础也很扎实,但往往教学效果不理想,学生甚至不喜欢上他的课,除了教法等方面的原因以外,缺乏课堂教学的语言意识恐怕是一个重要的原因。

(四)课堂教学的课型意识

第二语言教学通行的做法是按听、说、读、写等专项技能分课型教学。这就要求教师对每一种课型,至少是所教课型的教学目的、教学原则和教学方法等做到心中有数。课型意识要求教师课堂上不能随意性太大,不能想怎么上就怎么上,而要上出课型的特色来。如果听力课听了一两次录音,然后就是大量的词语讲解、内容复述或口语练习,就不能算是合格的听力课教学。精读课上成了语言知识或文化背景的讲授课,无论讲得多么精彩都不能算是合格的精读课。能够很好地把握一门课的课型特点并在课堂教学中体现出来,是第二语言教师成熟的标志。因此,在分技能训练、分课型教学的总体设计中,教师在课堂上要时刻把握本课型的教学目的及技能训练的重点,否则教学效果是不会理想的。

(五)课堂教学的目的意识

崔永华把目的意识分为五个层次:一是语言课堂教学的根本目的,二是每种课型的目的,三是每堂课的目的,四是课堂上每一个教学环节的目的,五是每一个教学行为的目的。[①] 从系

---

① 参见崔永华《语言课的课堂教学意识略说》,《世界汉语教学》1990 年第 3 期。

统性上来看，这样划分是合适的。但从重要程度及密切程度来看，一、二两个层次应该独立出来，对此本文从课堂教学的交际意识和课型意识两个角度已有所涉及。我们理解的目的意识主要包括崔文所说的后三个层次，并且概括为每堂课的目的和课堂上每个指令的目的两点。首先，明确每一堂课的教学目的是对教师的基本要求，即要求教师明确一个或几个要求学生课堂上应掌握的语言项目或语言技能项目，并就如何引入、讲解和训练做好充分准备，而且在课堂实施过程中要讲清练透。讲清，是指讲得要清楚、易于理解，但话不必多；练透，是指通过不同角度、不同方式的练习，使学生真正掌握。那种以为课堂上输入多少学生就能掌握多少的想法是很不现实的。见到什么讲什么，遇到什么练什么，看起来好像内容很丰富，实际效果却未必好。因为重点不突出，讲和练就可能流于形式，其实际效果并不大。其次，课堂指令要目的明确。课堂操作时每个指令或行为都要有明确的目的。为什么下达某个指令或实施某个教学行为，想达到什么目的，不但教师要心中有数，也要使学生清楚并得到他们的理解和支持，从而使教学活动有序、有效，既节省时间，又层次清晰、目的明确。值得注意的是，强调课堂教学要有目的意识，不仅仅是强调每堂课、每个指令要有明确的目的，更要强调的是所设定的"目标"要符合语言规律、语言教学规律和语言学习规律。

（六）课堂教学的敬业意识

教师课堂上应始终保持热情饱满的精神状态，时时处处体现出对所从事的工作、对学生、对教材、对所教授的语言及文化怀有浓厚的兴趣和极大的热情。教师的这种高度的责任感和敬业精神必然会极大地促进学生的学习热情和课堂参与欲望，从而创造出一种良好的课堂气氛，收到事半功倍的课堂教学效果。相反，如果教师在课堂上表现出对工作不投入、对学生不热情，甚至马马虎虎敷衍了事，不仅会挫伤学生的学习热情，也会失去学生对教师的尊重和信任，课堂气氛和教学效果也就可想而知。不仅如此，还要让学生感到教师是喜欢他们、热爱他们的。为此，要尊重学生的意见和要求，耐心解答他们的各种疑难问题，一视同仁地对待每一位同学，热情鼓励和扶持他们的学习积极性，增加他们学好目的语的信心。我们还相信，教师对教材的态度也会很大程度地影响学生的学习态度。有的教师习惯于一边教一边否定教材，这是很不明智的。试想，连教师对教材都不感兴趣，怎么能指望学生对教材感兴趣，又怎么能很好地利用教材进行有效的学习。诚然，有些教材不很理想，但教师应既用之则维护之，并设法弥补教材的缺陷和不足。同样，对教材的内容及其涉及的有关目的语的社会文化现象，教师也要有一个正确的态度。一个深爱自己祖国语言和文化的教师必定会受到学生的理解和尊重。

应该特别指出的是，教师不仅要严格要求自己，也应该在热情地对待学生的同时，严格地要求学生。一个有较强敬业意识和责任感的教师，绝不应对学生旷课迟到、不交作业等不良现象不闻不问。更重要的是，课堂操作中对于要求学生掌握的语言或交际项目等教学内容，教师要有“不放过每个学生”“不达目的不罢休”的精神，使学生感到老师是认真的、严格的。实际上，合理而严格地要求学生，不仅是提高教学效率的保证，也是热爱学生和对学生负责的一种表现，是会得到学生理解的。相反，放松对学生的严格要求，甚至一味地迎合学生，并不一定能真正受到学生的欢迎。

（七）搞活课堂的意识

良好而活跃的课堂气氛是课堂教学的理想境界，是取得最佳教学效果的重要因素。因此，教师要有搞活课堂的意识，努力创造一种轻松、活泼、生动、有序的课堂氛围。首先，教学方法要灵活。吕叔湘在谈到语文教学时曾说过："成功的教师之所以成功，是因为他把课教活了。如果说一种教学法是一把钥匙，那么，在各种教学法上还有一把总钥匙，它的名字叫做'活'。"①因此，教师备课和课堂操作要在"活"上下功夫。不会活用，任何教法都会变成一些条条框框；一种方法一贯到底，再好的方法也会因为炒来炒去而失去滋味和新鲜感，终会使学生感到厌倦而使课堂"活"不起来。其次，要想方设法激励学生的参与意识。生动活泼的课堂气氛正是学生们所渴望的，关键在于如何引导和调动学生的参与热情。教师课堂上的举例、启发、讲解，要力求生动有趣、有激活性，一举一动有吸引力，同时要求能够根据课堂的实际情况随机应变。这样才有可能激发起学生的参与欲望。当然，搞活课堂并非说说就能做到，往往跟教师的自身素质有很大的关系。搞活课堂需要一个教师在长期的教学实践中不断地追求和探索。

（八）跨文化教学意识

外语或第二语言教学的最终目的是要使学习者从事跨文化的交际活动。因为学习者母语的社会历史及其文化背景与目的语的社会文化存在着差异甚至很大的差异，某些方面可能是完

---

① 参见吕叔湘《关键在于一个"活"字》，《语文学习》1991年第10期。

全不同的。因此，学习者无论从事哪种与目的语有关的交际活动，都是一种跨文化的交际活动。这就要求外语或第二语言教师必须清楚地认识到自己所从事的是一种跨文化的语言教学。课堂教学不仅要培养学生的交际能力，更要注意培养学生跨文化的交际能力，这才是完整的外语或第二语言课堂教学。教师应该对不同文化的民族在思维方式、价值标准、社会习俗、交际习惯等方面的差异或冲突，特别是与语言的理解和交际有关的文化因素有敏锐的感觉，并能够在课堂教学中有意识地加以处理和正确地引导。强调教师的跨文化教学意识，主要是说在语言课堂教学中教师要有揭示和引入与语言及交际密切相关的文化因素的意识。至于哪些文化因素与语言及其交际有直接关系，目前还没有形成统一的意见。教学中如何介绍文化因素，介绍到什么程度，也都还需要教师在教学实践中进行探索和尝试。但是，培养学生跨文化的交际能力，教师要树立和强化跨文化教学的意识，这应该是明确的，也应该成为课堂教学努力的方向。

值得注意的是，具备跨文化教学的意识，不仅是为了培养学生准确地掌握和运用语言的需要，也是创造良好的课堂气氛，使课堂教学活动本身得以顺利进行的需要。因为师生课堂上的“交际”本身就是一种跨文化的交际，教师必须了解和熟悉不同国家学生的文化背景和文化心理，否则连正常的课堂教学活动都可能受到影响。例如，前面我们在谈到课堂教学的语言意识时曾指出，教师应该克服某些不良的课堂语言习惯，如幼稚化的教学用语、口头禅，等等。

（九）课堂教学的语用指导意识

所谓语用指导意识，主要包括两方面的内容：一是教师要牢固树立对所传授的语言知识进行语用指导的意识；二是课堂上要有纠正学生言语错误的意识。这两个方面实际谈的是一个问题——更好地培养学生正确得体的言语交际能力。就目前课堂教学的实际来看，许多教师只关心言语的正确性，而有意无意地忽略言语的得体性。因此，有必要强化课堂教学的语用指导意识。这就要求教师在讲授某一语言项目或交际项目时，不能只讲讲意思，举一两个例子或再让学生造一两个句子，这最多只能使学生具备某种言语能力（会说），但不一定具备言语交际能力（根据具体的语言环境恰当地使用）。因此，要对语言或交际项目进行使用规则的指导，否则，在实际语言环境中学生还是张不开口，或用得不得体。

关于课堂上是否要纠正学生的言语错误，有两种截然不同的观点。一种认为课堂上以讲练为主，不宜过多地纠错，甚至对学生的言语错误干脆不闻不问，主要理由是怕打击学生的积极性。另一种看法则认为，课堂是纠错的最好场所，教师是最好的"执法"官，课堂上应有错必纠，因为留学生之间的交际或到目的语社会上的交际，只要明白大意一般人们是不会纠正其言语错误的，"纠"也不一定纠到点子上。我们认为正规的课堂教学应该纠正学生的言语错误，使学生掌握正确的言语知识和得体的交际技能。实际上，学生的言语错误更能使我们发现教学中的不足，并可以借此进一步加强语用规律的指导。但是，何时纠正、怎么纠正，是当时纠正还是事后纠正，是课上纠正还是课下纠正，则要根据具体情况，包括"犯错误"的学生情况（性格特点、语言能力等）、错误本身的情况（典型不典型、偶发还是常见等）来决定，而不宜一刀切。

(十)引导学生掌握正确的学习策略的意识

教师在知识传授和技能训练的同时,应该有意识地培养和引导学生掌握正确的学习策略和学习方法。学生的学习动机、性格特征、学习策略和风格直接影响他们的学习效率。再好的老师、再好的教法必须也只有通过学生才能发挥更好的作用。同时,再努力的学生也只有通过合适的学习方法才能取得理想的学习效果;反之,由于采取的学习策略和方法不当,即使学习动力很强,效果也未必理想。从目前外语和第二语言教学的实际来看,以往我们只注重怎么教,而忽视了怎么学。这种现象应该得到尽快扭转,以适应现代语言教学和语言习得的需要。注重对学生学习过程的分析和研究,有意识地培养学生掌握正确的学习策略和方法,是提高课堂教学效率的重要途径。例如,从课堂教学的实践来看,不少教师都遇到过这样一些现象:

有的学生上课也来,但课堂上的表现马马虎虎;作业也交,但做得不甚认真。分析起来,恐怕主要是学习目标不明确、学习劲头不足。对此,教师除了课上严格要求以外,课下要做学生的"思想工作",帮助他们明确学习目标,肯定他们已有的成绩,指出他们的不足和改进措施。真诚地帮助和善意的批评是能够得到理解和回报的,也许因此会使这样的学生从学习的平庸生成为优等生。因为改变一种学习心态,就会改变一种做法。比之于学习方法,学习动力更为重要。

有的学生不愿意预习,不注意复习,更不喜欢背诵。但是预习和复习是符合语言学习规律的。预习和不预习课堂学习效果显然不同,复习不仅是进一步理解和记忆的需要,也是同遗忘作斗争的过程。教师要明确要求学生预习和复习，并通过提问和测试等手段进行检查，以引导学生掌握这两种必要的学习策略。背诵是我国古老的学习方法，它的好处对于中国教师来说无须过多地论证，只是有些西方学生不习惯甚至反对。对此，教师可以给他们讲清道理，告诉他们背下来的东西不仅能够保持长久记忆，还可以熟能生巧；反之，由于没有牢固地装进大脑，时间一长就可能还给书本或老师。因此，要引导学生背诵，并教给他们一些背诵的方法。从实际情况来看，对于留学生来说不大可能篇篇背诵、人人背诵，但至少可以要求他们读得滚瓜烂熟，能做到这一点便可以极大地提高学习质量和效率。

还有的学生习惯课上翻词典而不愿问教师；有的学生以为学好语法就等于掌握了语言，无论什么课都死抠语法；有的学生课上总是不愿意积极回答问题，也从不主动提出问题；有的学生在目的语社会上学到什么就不分对象、不分场合地使用；有的学生总是抱怨教材没有意思，等等。教师在这些方面应给予正确的引导。同时，对课堂上不怕失面子、敢于参与、能够适当地做些课堂笔记等可取的学习策略和方法要予以鼓励和肯定。此外，教师还应该引导和培养学生建立不同课型的学习策略和方法。特别是在一种课型教学的初始阶段，教师首先应使学生明确本课型的教学目的和基本的教学方法，同时对学生的学习策略和学习方法提出合理可行的建议，这样有可能使课堂教学顺利有效地进行下去，并取得最佳的教学效果。总之，在帮助学生掌握正确的学习策略和有效的学习方法方面，教师应该也完全有可能大有作为。

（十一）课堂教学的时效意识

时效意识是说，教师要有最大限度地提高每一节课教学效率的意识。提高时效是课堂教学的根本要求，前面谈到的各种课堂教学意识都是为这个目的服务的。因此，强化其他各种教学意识都能起到提高课堂教学时效的作用。就强化时效意识本身来说，首先，课堂操作应环节清楚、结构紧凑；不能主次不分，更不能在一个环节上无休止地纠缠下去。其次，指令简洁明确，力求避免低效训练。有这样一个例子：教师用四五十个音节描述一个情景，只为了引出学生说出一个词。从时效上来看，这显然是一种低效交际。无怪乎崔先生问：这"到底是练老师还是练学生"？[①] 第三，避免课堂上的随意性。有的教师往往在一些枝节问题或尽管很重要，但不是本课型或本堂课所要完成的内容上花费大量的时间，造成课堂效率不高。例如，为了让学生更正一处拼音印刷错误，教师竟用了6分钟，因为他不但由此大谈了一番教材的质量问题，还谈了他最近买的电器所存在的质量问题。又如，在一次听力课上，有学生问教师"不行"在这儿可不可以换成"不成"。于是，教师先是热情地告诉学生"不成"是北京话，然后又介绍了几个北京话词语，接着又描述了三个"不成"使用的场景（实际上是造了三个句子），结果用去了10分钟。看来，课堂上教师要经常提醒自己不要"跑题"。

（十二）结语

吕必松指出，"没有理论研究的语言教学只能是盲目的语言

---

① 参见崔永华《语言课的课堂教学意识略说》，《世界汉语教学》1990年第3期。

教学，不可能成为科学的语言教学”。[①] 的确，教师有无明确的课堂教学意识，有什么样的教学意识（观念），会直接影响课堂教学活动及其效果。本文在前人研究的基础上探讨了教师课堂教学应具备的十一种意识，并认为强化这些意识将有助于课堂教学效率的提高。当然没有理由认为教师应有的课堂教学意识就仅限于此。同时，“意识”总归是“意识”，要在实践中付诸实施，并完美地融会到课堂教学中，实非易事，更非一日之功，其中既有科学性，又有艺术性。课堂教学的研究和探索是一个永恒的课题。

三 对外汉语课堂教学语言意识[②]

下面我们想描写对外汉语教学语言的状态，并对产生这种状态的直接原因，即语言主体在编制过程中所使用的策略作一推测性的分析。

对外汉语教学语言的言语行为主体（即对外汉语教师）根据课堂背景下交际成功的特殊要求而产生的思维活动，是产生教学语言的各种特殊言语状态的直接原因。我们把言语行为主体在编制过程中所采取的策略和由此引起的状态对应起来，初步得到以下几个比较有效的策略：

1. 回避和迂回。

教学语言的言语行为主体考虑到语言教学对象的大脑记忆

---

① 参见吕必松《关于语言教学的若干问题》，《语言教学与研究》1995 年第 4 期。

② 本节选自彭利贞《试论对外汉语教学语言》，《北京大学学报》1999 年第 6 期。

库中没有储存目标语的某些语言材料和语言材料之间相互搭配的语言知识，迫于课堂背景下交际的压力，在表达某种内容时，用估计教学对象大脑记忆库中可能已经存在的语言知识来编制教学对象的语言能力能容纳的言语。这时，往往采取回避和迂回的手段修正言语行为主体所使用的自然的语言。回避的对象是教学对象没有学习过的词语、语法点和教学对象没有接触过的目标语文化因素，这些足以成为教学对象的输入障碍。但教学语言的言语行为主体非要表达某种意思时，往往采取迂回的方式。例如，没有学过"新房""洞房"这两个带有文化因素的较难的词，但学生的大脑记忆库中有"结婚"和"房间"，于是，言语行为主体以迂回的方式把这一概念编码为"结婚的房间"。这样虽然导致了部分信息的缺损或变形，但不会导致交际的中断。例如：

(1)上课。上一次我们学习了第二课。今天我们学习第三课。请打开书。十八页。先学生词。跟我念生词。

(2)有的人吃饺子喜欢用一种酸的像酒一样的东西。

(3)丈夫应该帮助爱人做家里的事吗？

(4)请看从下面数第八行。

(2)是因为学生的记忆库中虽然有"醋"这一概念，但没有"醋"这个词。(3)不说"家务"而说"家里的事"，也是因迂回造成的。(4)以同样的手段把"倒数"迂回而成了"从下面数"，也是迫于交际压力的结果。这种迂回，虽然可能导致信息的缺损或部分变形，但却为课堂背景下的成功的交际铺平了道路。

2. 替换和变换。

替换主要是指有同义、近义关系的词语之间的换用。同义、近义词语之间，有难和易的差别，也有习得顺序的先后的不同。有时想用一个词表达一个意思，但不能肯定学生的大脑记忆库中有这个词，于是以一个学生记忆库中已有的而意思上基本能代替的词来替换。例如：

(5)请把刚才几个同学说的情况加起来说一段话。

(6)想一想是不是丢了什么？

(7)传说年是一种很厉害的动物。

(5)中以"加"替换了"综合"。(6)考虑学生不懂"落下""遗漏"等词，而用了"丢"这个很早学习过的词，来问学生复述课文时是不是遗漏了什么内容。(7)以"厉害"这个较早习得的词代替了"凶猛"，以"动物"这一较普通的词替换了"野兽"。

替换更容易导致信息的变形和缺损，但却能满足教学语言的交际要求，并保持基本语义的完整和不变。

有时候，教学语言的言语行为主体很难找到一个目标语中的替换体，迫于交际的压力，也以学生母语中等义(基本等义)的某个词代替目标语中的某个语，形成一种 Pidgin(混杂语)式的教学语言。例如：

(8)这是前边的这个 verb 的 complement。

很多语法术语特别是在汉语教学的初级阶段都是这样输入的。但这种替换的利弊，以及是否还有别的更好的办法输出这类信息，似乎还应继续探讨。

变换指的是同义异构式之间的替换，某些特殊的句法结构，在学生未习得之前，教学语言的言语行为主体以学生已习得的同义异构式来替换它们，以消除交际障碍。例如：

(9)a. 我骂他，他哭了。　b. 我骂哭了他。

(10)a. 他唱歌唱得很好。　b. 他歌唱得很好。

(9)(10)中 a 和 b 有变换关系，在学生的汉语能力不足以输入并理解 b 的复杂性时，教学语言的言语行为主体有必要考虑选择 a。

3. 简化和繁化。

有时候，教学语言和目标语的自然语言相比，看上去过分简单，有时候又给人以啰唆累赘之感。前者是简化的结果，后者则是由繁化引起的。简化主要是指对句子中非必要成分的简化，使句子成为浓缩过的句子，给人以单调感。例句(1)中的“十八页”，是“翻到十八页”简化的结果。繁化一是故意过分使用某些语言成分，比如，正在学习的词或者句子，语言教师有时为加深学生的印象，故意过分使用这些语言成分，例句(1)中的“先学生词。跟我念生词”，后一句中的“生词”完全是可以承前省略的；二是使用类似前文所谓的迂回的手段，扩展原来可以很简洁的句子，例如，在没有学过例句(11)之前，可能用(12)。

(11)谁想去谁都可以去。

(12)你想去你可以去，我想去我可以去，他想去他可以去，大家想去，大家都可以去。

4. 重复和复指。

教学语言的言语行为主体担心或者为了防止某些可能困难

的语言成分在学生一方有输入障碍，常常重复这些语言成分，形成一个语言成分连续出现两次甚至多次的现象。这是一种单纯的重复。还有一种非单纯的重复，是通过复指形成的重复。某语义成分出现以后，言语行为主体为加强该语义信息的强度在相近的语境中以各种手段复指该语义成分，形成语形结构不一定相同而语义信息相同或相近的重复。例如：

(13)年，过年的年，春节，中国最重要的节日，知道吗？春节是中国古老的，历史很长很长的，传统，懂不懂？从很久以前就有的，春节是中国古老的传统节日。

(13)通过同义成分“过年的年”“春节”“中国最重要的节日”复指“年”；以解释性成分“历史很长很长的”“从很久以前就有的”分别复指“古老”和“传统”，形成复指性重复。这样语义信息度通过重复得到增强，从而增加了有效输入的可能性。当然，这使得教学语言过分繁复而与自然的语言相距较远。复指性重复跟刚才讲的迂回不一样，迂回是绕开某一个语言成分，而以别的同义近义的语言成分代替它，它自己本身并不出现。

5. 独特的语速特征。

教学语言的本质特征要求在语速上有所体现。“在教学中，特别是在教学初期，为了使学生听得清楚，便于模仿，或者为了给学生留有思考的余地，教师往往要放慢语速，进行夸张和强调。”[①]教学语言从因夸张和强调而引起的较慢的语速过渡

① 参见吕必松《对外汉语教学探索》，华语教学出版社 1987 年版，第 124 页。

到自然的语速必须有一个过程。这跟只培养听力不一样。培养听力可以“一开始就应该培养学生听正常的语速”①，但为满足课堂背景下的直接的交际，使用一些手段放慢语流速度是必要的。这些手段包括延长停顿时间，适当拉开词语之间的时间间隔，并像例句(13)一样在语流的间隙嵌入“知道吗”“听懂了吗”“懂不懂”“对不对”“有问题吗”这些插入语，促使教学对象检查自己的输入效果，以增加输入的有效性。

6. 辅以大量的身势语。

身势语(手势语)在各语言社团的自然语言交际中占有重要地位，且具有浓厚的文化色彩，但各语言社团间的许多身势语也有相通之处。教学语言的言语行为主体常常以这种能相通的身势语辅助教学语言，让身势语对教学语言的其他成分具备复指、强调、解释、附加语义信息的功能。直接法“首先通过口头形式并伴之以动作或图画来展示教学内容”②，其中的动作，即是广义的身势语。“通过身体动作教授外语”的“全身反应法”③中身势语的作用更为重要。有经验的对外汉语教师能以表情、动作乃至表演来增加教学对象语义输入的渠道，使课堂背景下的交际能成功地进行。

---

①② 参见吕必松《对外汉语教学探索》，华语教学出版社 1987 年版，第 125 页、第 50 页。

③ 参见吕必松《对外汉语教学研究》，北京语言学院出版社 1993 年版，第 170 页。

肆 对外汉语教师的跨文化意识

—— 出国教师的跨文化交际问题及其对策①

一

刘珣先生指出:"跨文化交际是指不同文化背景的人们之间的交际行为。"②由于人们文化背景的差异,会影响交际的进行,严重时甚至造成矛盾和冲突。关于这种冲突的具体表现及其由冲突转向适应的过程,刘先生也在《对外汉语教育学引论》一书中进行了概括性的描述,即蜜月阶段、挫折阶段或"文化休克"(culture shock)阶段、调整阶段及适应阶段等。所谓蜜月阶段,是指刚进入异文化环境时觉得一切都新鲜有趣,情绪高涨,而对它与母文化的差异尚无明显知觉的阶段;所谓挫折阶段是指发现自己原有的文化与新文化不断发生冲突,感到不被接纳,不得不用一套自己不熟悉的符号、习俗、行为模式与价值观念来代替原有的,以至于感到无能为力,悲观沮丧,即所谓的"休克"阶段。如果能顺利度过这一阶段,从认知的水平上甚至从感情上觉得异文化的一切可以接受,并且在行动上不断调整,就能逐渐减少和避免冲突直至完全适应。③

胡文仲先生也指出,"当人们从一个熟悉的环境迁移到

① 本节选自黄宏《浅议对外汉语公派出国教师的跨文化交际问题及其对策》,《海外华文教育》2002 年第 1 期。

②③ 参见刘珣《对外汉语教育学引论》,北京语言文化大学出版社 2000 年版,第 122 页、第 124—125 页。

一个陌生的环境，在文化方面感到不适应以致经历文化休克几乎是普遍的现象”。[1] 胡先生还指出，在包括旅游者、短期出访人员、留学或长期在外工作的人员、移民及政治避难者这数类发生跨文化交际行为的人群中，比较容易发生“文化休克”的主要是后两类人。文化不适应或“休克”的典型表现是：

1. 由于不断进行必要的心理调整而引起的疲惫；

2. 由于失去朋友、地位、职业和财产而引起的失落感；

3. 不能接受属于新文化的成员或者（以及）被他们拒之门外；

4. 在角色的期望、价值观念、感情和自我认同方面感受到的混乱；

5. 觉察到文化差异后感受到的惊奇、焦虑，甚至厌恶和气愤；

6. 由于不能对付新环境而产生的无能为力的感觉。[2]

对外汉语公派出国教师（这里指接受教育部委派或各高校委派出国担任汉语教师的人员，本文简称“汉教”）在国外工作的时间大多在一年以上，教育部公派的期限为两年。由于他们驻外时间较长，完全是在有异于中国文化的环境中生活和工作，同时又肩负传播中国文化及其语言载体——汉语的重任，理所当然地参与了跨文化交际的各个阶段，并且由于专业的熏陶，他们对于汉语和中国文化的理解与掌握要超过普通人，汉语和中国文化的印记在他们的身上更为鲜明，因此，他们受到异文化的冲

---

①②　参见胡文仲《跨文化交际学概论》，外语教学与研究出版社 1999 年版，第 187—188 页。

击就会更强。由于文化不适应而引起的"文化休克"对这一部分人来说即使不是更严重了,至少也是跟所有突然生活于异文化中的人相同。然而,长期以来,我们对于汉教的文化适应情况的研究与探讨却十分缺乏,或者可以说尚未引起足够的重视。每年仅教育部公派出国教汉语的教师已有三四十人,加上各高校通过校际交流方式或其他渠道公派出国的汉语教师,总人数相当可观。在他们出国以前,究竟有多少人作过比较系统的跨文化交际准备?他们在国外的生活和工作状况究竟如何?是否比较适应当地的语言与文化环境?文化适应期有多长?是否既立足于中国文化,又能对所在国文化有比较公正客观的了解,并且在此基础上引导学生建立起对汉语以及中国文化的公正客观的态度,为他们的汉语学习以及跨文化交际打下良好根基?抑或是基本处于文化不适应状态,影响了工作的顺利开展,甚至因为"文化休克"过于强烈,不得不提前结束任期?本文试图探讨一下派往欧美国家的汉教在跨文化交际实践中文化冲突与适应的一些难题,以及解决这些难题的对策。

二

人们之所以对汉教文化适应问题重视程度偏低,是因为长期以来对于对外汉语教师出国公派任务的理解以及汉教跨文化交际的认识方面一直存在误区,主要表现在以下几个方面:

1. 以为出国工作是一种"福利",对汉教在国外的经济状况和社会地位估计过高,而对汉教可能面临的物质与精神方面的压力和困难却估计不足。

在一般人看来,公派出国的汉语教师工作体面,衣食无忧,既增加了个人的见闻阅历，又无后顾之忧，并且还有可能进入“先富起来”的行列，所以很多人把出国教学工作看成一种“福利”。可实际上，随着我国政治经济文化的全面持续发展，中国与世界发达国家的距离日趋缩小，汉教经济上相对国内同行的优越性实际上已经大大缩小。以工资待遇为例，副教授级别的汉教 1999 年的月工资标准是 950 美元（教育部公派），各大学自己派出的校际交流的教师待遇比国家公派的略高，但也差别不大。这个数目的工资折合人民币约 8 000 元，如果是在国内生活，相当于外企高级白领的待遇，可是在国外，尤其是欧美国家，例如在德国，只相当于一个超市收银员的月工资（约 1 800 德国马克），与他们本国的大学教师的收入的差距甚远（相差大约 1 000至 2 000 美元）。因此，汉教在所任教的欧美国家中，实际上属于低收入阶层。加之大多数汉教都想从生活费中节省出一笔钱带回国，因此不得不降低住房标准或伙食标准。毋庸讳言，正是这一事实，造成了大多数汉教生活节俭甚至过于寒酸的状况。经济上不宽松也是大多数汉教不能很快融入新的文化环境的一个重要原因。

与经济上的窘迫相比，社会地位的改变更是一个不容忽略的事实。中国及亚洲大部分国家都存在尊师重教的传统，虽然在中国大陆教师的生活相对而言比较清贫，但教师尤其是大学教师仍然是受到尊敬、令人羡慕的职业，社会地位比较高。另一方面，国内的对外汉语教师所接触的学生大多来自日本、韩国，文化背景比较接近，对老师的礼貌和尊敬甚至超过中国学生。但是，一旦汉教走出国门，立刻会体会到自己社会地位方面的变化。欧美国家的学生与教师是平等的关系，甚至是消费者与服务提供者的关系：学生交了学费，享受教师提供的教育服务。学生对老师只有一般意义上的礼貌，没有“师道尊严”、“一日为师，终身为父”之类的概念；而在学校的范围之外，汉教与任何外籍居民一样，只是一个“外国人”，并不会因为身为中国国家公派教师而受到特别的礼遇和尊敬；由于中国长期以来积贫积弱的历史，使得一般欧美大众心目中对于中国人还存在着各种各样的偏见，汉教也像所有生活在海外的中国人一样，受到这些偏见的困扰，这些困扰更加重了汉教社会地位方面的心理失落感。

2. 以为汉教出国前就对西方学生以及文化有比较多的接触机会和足够的了解，出国以后又以汉语和中国文化教学为业，不存在文化冲突与文化适应的问题。

实际上，来大陆学习汉语的留学生一直以日本、韩国学生为主体，欧美学生所占比例不大，教师与西方学生的接触并不多。即使汉教在国内是以教欧美学生为主，他的来大陆学习的学生与他在国外的学生相比，在文化依附方面还是有很大差别。

所谓文化依附问题，就是“教师和学生在学习中代表或体现什么样的文化”。[①] 孟子敏先生指出，留学生在文化依附问题上有四种类型：第一种选择完全依附中国文化，这种人几乎没有；第二种能在母语文化和汉语文化之间自由转换；第三种在两种文化依附之间摇摆不定；第四种坚持母语文化，拒绝依附汉语文化。我们同意孟先生的看法并且认为，大部分来华留学生只要以语言学习为目的，就必然选择“入乡随俗”，也就是依附汉语文

① 参见孟子敏《文化依附与对外汉语教学》，载周思源主编《对外汉语教学与文化》，北京语言文化大学出版社 1997 年版，第 88 页。

化，因为只有这样才能真正学好汉语。即使是第四种类型的学生，他们在言语行为上也是必须依附汉语文化的，否则就会带来交际的挫折。然而一旦汉教到了异文化环境中就会发现，教师和学生双方的文化依附都与在中国时不同。就学生而言，他们除了在课堂上接触汉语及其文化，其他时候的语言和非语言行为、价值观念等都自然依附其母语文化；就教师而言，不得不"入乡随俗"的"外国人"就不是学生而是汉教自己了。另外，欧美各国的汉学系大都是小系，或者隶属于东亚系、亚洲研究系等，真正学习汉语的学生很少，大部分学生只是把汉语课作为选修科目和积累学分的手段，汉语并不是他们的专业主课，因此他们的学习热情和主动性、积极性不如那些不远万里到中国大陆学习的学生，与教师的关系也比较疏远。因此，汉教所面对的是一个全然陌生的异文化的环境，同时，汉教还必须面临的一个事实就是他不可能像中国留学生或移民那样可以选择完全接受、依附异文化。作为汉教，他必须坚定自己对于汉语的文化依附，从语言行为、非语言行为、价值观念等各方面体现汉语文化而不是相反。这种矛盾必然会加深汉教文化适应的困难。

3. 以为出国担任汉语教学工作只需会一点英语，能应付基本的交际需要即可。

出国公派教师的选拔工作中包括了外语水平的考核，因此出国汉语教师的英语水平一般都能应付日常生活的需要。但由于所赴国家的情况不同，实际工作和生活中的语言要求要复杂得多。尤其是欧洲一些强调欧洲本土文化的国家例如法国、德国，不少人对英语有抵触情绪，另外也有不少没有受过良好教育的人例如商店的售货员、邮局的职员等并不会说英语。因此，如果汉教仅仅会说一般的英语日常用语而对所在国的语言文化一无所知的话，只能勉强满足生存需要而已，离了解学生的母语以及所在国的文化的要求相差何止十万八千里。即使是派赴英美国家的汉教，也并不是仅仅能用英语问路购物就万事大吉了。如果汉教对所在国的国情和文化没有积极了解的愿望，没有随时学习和调整的心态，实际工作中所遇到的困难比预想的要大得多。因为汉教不仅要了解和适应所在国的文化，还必须以课堂内外的所有活动让学生了解汉语和中国文化，这种了解和适应的媒介不可能是汉语，因此汉教在外语方面的准备是无论多么强调都不过分的。目前，在海外从事汉语教学事业的中国人中，有不少是前外语教师或非中文专业的留学生改行的，由于他们在开始汉语教学工作之前已经克服了语言方面的障碍，文化适应方面的问题相对而言也比较少。而公派汉教大多需要较长的语言和文化适应期，专业方面的优势不能很快发挥出来。

由于上述种种对汉教工作认识上的误区，致使大多数汉教出国前在跨文化交际方面所做的准备严重不足。校际交流派遣的教师人数较少，各院校不可能专门为个别人开设针对派赴国家的跨文化训练，因此被派教师大多只能向前任教师打听一些生活经验、物质方面应做的准备等，而对深层的文化差异则缺乏了解和应对的训练。即使是号称“国家队”的教育部公派出国汉语师资，在出国之前的短期集训中基本上还是以外事纪律、外交礼仪的培训为重点，强调在不辱国格人格的基础上努力完成教学任务，并发扬光大中国传统文化，而针对派赴国家的有关文化差异的介绍以及跨文化交际训练亦告阙如。认识上的误区可能造成甚至加强汉教进入异文化环境后的不适应乃至引起“文化休克”。据调查，文化不适应甚至文化冲突对于汉教的影响主要表现在以下几个方面：

（1）由于生活环境的改变而引起的焦虑乃至健康状况变坏；

（2）由于语言不通，不能看懂报纸、电视，不能与人深入交往所产生的封闭、孤独感；

（3）由于国外单位同事之间缺少沟通，且价值观念全然不同而产生的不被接纳、不被认同的挫折感。

虽然大部分人经过或长或短的调整期以后会度过这一令人痛苦的阶段，但它对汉教个人的身心健康，对汉教工作上的影响却是不容低估的。因此，有必要在汉教进入异文化环境之前就对有可能遇到的文化适应和文化冲突问题加以深入的了解，做到心中有数，并通过一定的训练增强“抵抗力”。跨文化交际训练正是解决这一问题的有效途径。

三

按照跨文化交际理论，从心理学的角度来分析“文化休克”产生的原因，可以有“负面事件影响论”和“社会支持减少论”等数种解释。[1] 当人们离开自己所熟悉的环境进入一个完全陌生的环境并不得不长期生活于其中时，所遭遇的影响心理和生理的负面事件有十六条之多，其中包括夫妻分离、经济状况的改变、饮食习惯的变化、生活环境的改变等等。这些事件造成人们的生理和心理上的不适，并最终影响人们的文化适应。所谓的“社会支

---

① 参见胡文仲《跨文化交际学概论》，外语教学与研究出版社 1999 年版，第 191 页。

持减少论”，即认为由于环境的改变使人们习惯的家庭、朋友、熟人关系等全然改变，在需要社会支持的时候无法得到原有的一切因而面临巨大的心理压力，从而造成跨文化交际中的挫折。

与其他进入异文化环境的人一样，汉教所面临的“负面事件影响”和“社会支持减少”是不言而喻的。如果没有足够的心理准备，就会处处感到不适应以至影响工作的正常开展。而出国前在生活条件和工作环境方面的过高预期当然会加重生理和心理上的不适。

虽然“负面事件影响论”和“社会支持减少论”有一定的根据，但比较流于表面，例如它们不能很好地解释为什么有人在异文化的环境里生活了很长时间，甚至生活了一辈子，却仍然不能融入当地的社会。以价值观念的差异来解释文化冲突的深层原因是目前比较通行的理论。文化的中心是价值观念。价值观念决定了人们的思想和行为模式，关于这一点文化学家已经达成了共识。而根据跨文化交际理论，不同文化之间价值观念差异的大小与文化冲突的大小成正比。我们认为，中西文化差异的类型大致有三种，即西有我无、我有西无、中西都有，但由于我国的国情而发生差异。此处仅限于讨论后两种。按照心理学家 Michael Bond 及其领导的中国文化调查小组的调查，中国人的最基本的价值观念有 40 条，其中包括孝、勤劳、谦虚、容忍、稳重、清高、有修养、小心谨慎等等。[①] 然而，这些被中国人认为是最重要的、最基本的、引为做人和行动准则的价值观念，在异文

---

① 参见胡文仲《跨文化交际学概论》，外语教学与研究出版社 1999 年版，第 173 页。

化的环境里却变得不那么重要,甚至不可理解。例如,中国人的美德谦虚常常被西方人误解为不可琢磨甚至“虚伪”。中国人处理人际矛盾时崇尚“和为贵”“与人为善”,尽量避免发生正面冲突,即使有不同意见也习惯于“以沉默表示抗议”;但如果在异文化的环境里还保持这一习惯而不是有理说理,以理服人,正面表示反对,多半会被误解为“沉默就是同意”,或者“无理故而沉默”。如果一位在国内工作时被同事们公认为谦虚宽厚、稳重有修养,崇尚“与人为善”“与世无争”的汉教在异文化环境中遇到不公正的对待时不采取据理力争的态度而是仍然按照原有的价值观念行事,或者仅仅“以沉默表示抗议”,那么他得到的评价将不会是“善良”“谦让”“有修养”,而是“愚笨”“怯懦”甚至“无能”。

对于一些中西都有的价值观念例如男女平等,女性应当自立自强、积极进取等,由于我国特有的国情和男女同工同酬制度的长期实行,这些原本来自西方的观念在我国比起在西方社会更加容易得到认同,从而带来价值取向上的差异。如果一位已经婚育的大学女教师作为汉教被选派前往欧洲某国任教,她的家庭成员、亲朋好友、同事、熟人等都会认为她在单位干得不错,因而得到了一个难得的机会,她的丈夫一般也会支持她出国任教,孩子则大都由丈夫以及双方父母照看。对她出国的选择,一般人会表示理解甚至羡慕。但她到了新的环境以后,会发现人们认为她离开丈夫,把孩子留给别人照顾是一种不可理解的行为,起码不是一位合格的、负责的妻子和母亲,甚至会怀疑她是被迫来到异国他乡。笔者在德国任教初期就不得不常常向人解释自己完全出于自愿接受这一工作,但听者,尤其是身为专职家庭主妇的德国女性总是摇头表示不理解和不赞同。

价值观念的差异单独地看或者只是在一个很短的时间里偶尔发生，也许对于个人没有太大的影响，但如果差异反复出现并且与生活条件、身体健康、经济状况、社会地位等种种因素相结合，那么差异将被放大，以致影响个人的心理和生理健康，使个人对于工作的目标、意义乃至个体生命的价值都发生怀疑和动摇，甚至可能引起精神疾病或自杀行为，工作任务的完成当然更是无从谈起。这就是文化休克最严重的情形。20 世纪 60 年代美国的"和平队员"和跨国公司的早期赴国外工作的雇员中，都不乏这种极端的先例。

对于公派出国任教的汉语教师来说，中西两种文化在生活环境、语言方面的差异比较容易发现以及克服。"社会支持"方面，随着时间的变化社交圈子会逐渐扩大，朋友会增多，因而得到一定的改善。但是，价值观念方面的差异则不但不易发现，发现以后也不容易克服和超越。因为作为文化的中心的价值观念是人们思想和行为的基础，它是人们从幼年时起在漫长的岁月中伴随每一个社会活动，伴随着整个社会的变化，一点一滴、潜移默化形成的。打个不恰当的比方，如果说文化是海，人是海里的鱼，价值观念就是包含了全部营养和杂质的海水。如果说文化是土壤，人是植物，价值观念就是水分和养料。跨文化交际中的最高境界是在两种文化的价值观念之间按照需要任意切换，实际上这种境界是很难达到的。我们所能做到的就是尽可能了解两种文化的价值观念之间可能会有的差异，增强对这些差异的敏感性，当冲突发生的时候能够了解对方的出发点，并且让对方了解自己的立足之处，从而使冲突双方都作出适当的调整。

四

如何使汉教的文化适应期尽可能缩短,尽量预防或减少文化休克的产生?一些跨国公司对他们的雇员进行的跨文化培训的经验值得借鉴。随着经济全球一体化时代的到来,跨国公司为了克服各国雇员之间的文化隔阂,理解差异并争取超越差异求得最佳合作效果,已经将跨文化交际的培训作为一种卓有成效的手段加以研究和利用。例如,德国大众汽车公司每年派赴中国的六十余名雇员,都要在接受派遣工作之后前往波恩、汉诺威等地的跨文化培训机构进行一周左右的培训。以笔者参加过的几期为例,内容包括对中国的文化传统、社会现状、外贸法规、日常生活概况等方面的介绍和探讨,同时还进行语言强化训练等。跨文化交际培训的方法以讲座、讨论、角色训练为主。大众公司甚至在雇员完成在国外的三年任期回国之后,还要对他们进行母文化再适应的培训,帮助他们在较长时间的国外生活之后尽快回到原有的生活轨道中去。由于客观条件的限制,我们的汉教跨文化交际培训目前尚不可能达到这样的水平,但是如果有足够的重视和努力,以下几个方面的目标还是可以实现的。

首先,提前一年甚至更早确定派遣教师人选,以便教师有足够的时间进行至少为期半年的全脱产强化语言学习,要求达到能用对象国语言与学生无障碍交流,甚至能用对象国语言为学生讲授汉语和文化课的程度。语言作为最重要的交际工具,不但对教师迅速适应国外的日常生活、尽快建立和扩大社会交往范围有无可替代的作用,还有利于教师通过自身的体会和比较了解学生学习汉语时的困难和发生偏误的原因,对有的放矢地提高教学效果有极大的促进作用。语言学习的另一个非常重要的作用是可以了解对象国文化的基本价值观念在语言中的反映,为进一步了解中国文化和对象国文化之间的深层差异做准备。语言不行,其他一切都无从谈起。

其次,要求派往学校或机构提供尽可能详细具体的背景介绍,包括所在城市的历史,气候,基本物价,交通设施包括票价、城市地图、风景名胜介绍,住房条件包括是否有厨房、居住地点附近有无中国商店和市场等等,使汉教对新的生活环境有尽可能多的认识和认同感,尽量缩短出国伊始"两眼一抹黑"的陌生期,及早开始心理上调整适应的行动。

第三,对于派往学校尤其是正规院校汉学系的课程设置、教学要求、教材教法有尽可能全面的了解,以便在到任后能迅速进入角色,并尽快找到能够发挥自己特长的位置。例如,开设一些有特色的课程如中国传统文化、中国当代社会政治经济等专题讲座等,以利于迅速打开局面,扩大交际圈子,取得新的"社会支持",并以工作和事业上的成就抵消日常生活中大量所谓"负面事件"的影响。

第四,使汉教充分了解他们出国以后的"小环境"即人际关系所面临的变化,以及这种变化可能产生的对于汉教文化适应的负面影响。由于我国农耕文明和宗法社会的传统,以及人口密度高、流动性相对于西方社会而言却较低的社会现状,人际关系如家庭成员之间、朋友之间、同事之间、陌生人之间的关系跟西方相比都有很大的差异。总的来说,人与人之间的关系比西方社会密切,可以看成是家庭关系在各个层次上的放大。朋友之间亲如手足,单位犹如大家庭,除了职工的工资还包了生老病死、思想心理及各种福利，社会上各种关系网则好比扩大了的家庭关系。个体的人牵扯于其中，同时也从中获取所需要的各种社会支持，得到各种形式的认同。一旦脱离了国内原有的环境，不但家庭、亲朋好友、单位、各种关系都鞭长莫及，而且个人的社会角色、个人的价值观念都面临挑战，这对于任何人都是影响极大的负面事件，社会支持的减少和价值观念的改变也在所难免。因此，必须提醒汉教对于出国后人际关系的改变所带来的问题应引起充分的重视，并尽可能用讲座、讨论、角色训练等方式对汉教进行这方面的适应性培训。尤其必须注意以下三个方面：

(1)国外工作单位与国内单位的差别；

(2)国外工作单位领导与国内单位领导的差别；

(3)国外同事关系与国内同事关系的差别。

了解差异不是为了分辨优劣，而是为了知己知彼，减少跨文化交际中的不适应和冲突。

随着对外汉语教学事业在全世界范围内的发展，公派出国的汉语教师的数量正在迅速增加。怎样提高汉教的文化适应能力，尽量减少文化不适应和文化冲突对于汉教的影响，从而更好地发挥汉教在语言教学、对外交往和文化传播方面的作用也已经成为当务之急。从目前的状况来看，出国公派教师的外语培训已经得到了加强。例如，教育部约两年前开始选送青年汉语教师学习小语种，以便培养一批外语水平较高的汉教人选，并且从 2001 年度起将原来一年一次的出国汉教公派考试改为每三年一次；这样，顺利通过考核得到公派机会的教师就有比较充足的时间有针对性地进行外语学习，个人认为是一个很大的进步。但遗憾的是，对于公派出国汉语教师的跨文化交际方面的问题似乎尚未引起足够的重视。我们认为,只有充分认识汉教出国后在文化适应方面可能遇到的困难,并对造成这些困难的种种根源(尤其是价值观念方面的差异)具备比较清醒的认识,并采取相应的对策,才能进一步提高汉教的文化适应能力,并且最终促进国外汉语教学的更快发展。

第二节 对外汉语教师的业务素质

壹 对外汉语教师业务素质若干问题①

一 “对外汉语教师应具备怎样的业务素质”是一个亟待解决的问题

20 世纪 70 年代末、80 年代初以来,在我国改革、开放政策的影响下,许多国家学习汉语的人数迅速增加,汉语教学发展很快,逐渐形成了一股世界性的“汉语热”。与这股“汉语热”相适应,我国的对外汉语教学得到了迅速的发展。开展对外汉语教学的院校迅速增多,对外汉语教学的规模迅速扩大,对外汉语教师队伍也相应扩大,还有不少人(包括教师和非教师、对外汉语教师和非对外汉语教师)经过各种渠道到国外教授汉语。在新

① 本节选自吕必松《关于对外汉语教师业务素质的几个问题——一个亟待解决的问题》,载《对外汉语教学研究》,北京语言学院出版社 1990 年版。

的形势下，有一个老问题显得更加突出。这个老问题就是：对外汉语教师应当具备什么样的业务素质？

为什么说这是一个老问题呢？因为长期以来，一直有人认为从事对外汉语教学是一件很容易的事情，甚至认为只要会说中国话就可以教外国人学汉语。这个问题不但中国有，外国也有。赵智超在一篇文章中谈到，在美国发行的一家华文报纸上发表过一篇题为《怎么教老外学汉语》的文章，其中有这样一段话："教外国人学汉语并不难，条件也不多：要懂英文，要懂拼音，要有三 C——也就是'信心'(confidence)、'专心'(concentration)、'恒心'(consistence)。但是最重要的是要有兴趣，有兴趣教，自然就教好了一半。"赵教授在引述了这段话之后反问道："教外国人学汉语真的'并不难'吗？这篇文章的作者当然是教过汉语的，竟说出这样令人吃惊的看法，那么一般的人对'以汉语作为外语教学'又会有什么样的看法呢？难道所有能说汉语的人都能担任以汉语作为外语的教学工作吗？"[①]赵教授的反问值得深思。

为什么说"对外汉语教师应当具备什么样的业务素质"这个问题在今天显得更加突出了呢？因为我国的对外汉语教学正处于一个大发展的时期，国内和国外的教学任务都在迅速扩大，教学要求也越来越高。因此，一方面要不断地补充新教师，另一方面要尽快提高整个对外汉语教师队伍的素质。但是在提高素质的问题上，目前的状况还不能完全令人满意。"教外国人学汉语

---

① 参见〔美〕赵智超《教学效果较好的外语教师所应具备的主要条件》，载《第一届国际汉语教学讨论会论文选》，北京语言学院出版社 1986 年版。

并不难”的思想严重地影响着对外汉语教师业务素质的提高。这个问题的普遍性和严重性，我们至少可以从以下几个方面看到：

1. 在对外汉语教师的聘用方面。

我国现在的对外汉语教师，有不少是从其他岗位上转过来的。这些教师只要肯刻苦钻研，多数人是很有发展前途的，实际上不少人已成为教学骨干和学术带头人。但是也应当看到，有些人并不具备从事对外汉语教学的最起码的条件。有的单位把不能胜任其他专业的教学工作而又没有语言教学专长的教师调来从事对外汉语教学。聘用暑期班教师的情况更是无奇不有，甚至把校医院的护理人员也请来任教。

2. 在选派出国汉语教师方面。

我国派往国外教授汉语的教师，多数是经过派出单位选拔的，总的说素质是好的，受到了国外用人单位和学生的好评。但是不可否认，有一些出国汉语教师是不合格的。有的人不但没有任何对外汉语教学的经验，而且根本不懂汉语语法，甚至连汉语拼音也不会。也有的普通话很不标准。

3. 在对外汉语教师的培训方面。

由于我国高等院校过去没有专门开设培养对外汉语教师的专业，现有的对外汉语教师大部分出身于中文专业，少数出身于外语或其他专业。多数人在从事对外汉语教学工作之前，没有经过对外汉语教学的专门训练，因此知识结构和能力结构都有这样那样的欠缺。为了弥补这种欠缺，对这部分教师进行培训是完全必要的。已有不少教师经过了时间长短不等的培训，凡是经过培训的教师，业务素质都有了明显的提高，这说明培训和不培训是大不一样的。但是至今仍有不少人没有经过培训，原因之一是有些单位的领导人或教师本人并不认为他们在知识结构和能力结构上有什么欠缺。因此，也不认为有这种培训的必要。

4. 在对外汉语师资的培养方面。

为了适应对外汉语教学事业发展的需要，经国家教委（编者按：即今教育部）批准，最近几年有几所院校陆续开设了培养对外汉语师资的专业。开设了这类专业，对外汉语教学就有了比较稳定的师资来源，这是我国对外汉语教学事业的一大进步。但是，这一专业的毕业生应当具备什么样的知识结构和能力结构，人们的认识还不尽一致。有的认为只要中文加外语就可以成为一个合格的对外汉语教师，因此课程设置只是一部分中文专业课程和一部分外语专业课程的组合。实际上，这样的课程设置不可能使学生形成从事对外汉语教学所需要的知识结构和能力结构。如果专业课教师中有对外汉语教学经验的人不多，又没有多少人真正了解对外汉语教学的实际需要，就更难培养出真正合格的对外汉语师资。

对外汉语教学需要一部分高层次的人才。在要不要培养高层次的对外汉语教师，高层次的对外汉语教师应当具备什么样的知识结构和能力结构以及怎样进行培养这类问题上，人们的认识更不一致。

以上情况说明，“对外汉语教师应当具备什么样的业务素质”确是一个亟待解决的问题。加强对外汉语教师队伍建设是发展我国对外汉语教学事业的根本大计，如果不了解对外汉语教师应当具备什么样的素质，就不可能建设一支高水平的对外汉语教师队伍，我国的对外汉语教学事业也就不可能得到健康的发展。

二　确定素质要求的主要依据

对外汉语教师的业务素质应当与对外汉语教学的客观需要相适应,而这种客观需要是由对外汉语教学的性质和任务所决定的。因此,对对外汉语教师业务素质的要求要根据对外汉语教学的性质和任务来确定。

关于对外汉语教学的性质,笔者已有专文进行了论述。概括地说:对外汉语教学既是一种第二语言教学,又是一种外语教学。作为一种第二语言教学,它有别于对汉族学生的语文教学,而跟其他第二语言教学有一些共同的特点和共同的规律;作为一种外语教学,它有别于对我国少数民族的汉语教学,而跟其他外语教学有一些共同的特点和共同的规律;对外汉语教学的教学内容是汉语,汉语的特点又决定了对外汉语教学也有别于其他外语教学。[①] 对外汉语教学的上述性质决定了它的教学内容和教学方法有其特殊性,也决定了对外汉语教师要有一套专门的学问和特殊的本领。

对外汉语教学是一门专门的学科,从学科发展的角度说,对外汉语教学有以下三个方面的任务:

1. 教学工作。

跟其他语言教学一样,对外汉语教学的全过程和全部教学活动包括总体设计、教材编写、课堂教学和测试四大环节。总体设计是其他环节的前提和主要依据;教材是课堂教学的基础;课堂

---

① 参见吕必松《试论对外汉语教学的性质和特点》,载《对外汉语教学探索》,华语教学出版社 1987 年版,第 54 页。

教学是直接帮助学生掌握语言的中心环节,其他环节都是为这个中心环节服务的;测试是检验的手段,它不但检验学生的学习成绩和语言水平,而且检验全部教学活动(包括测试本身)是否科学、合理、有效。以上四大环节也就是教学工作的四大任务。

作为中心环节的课堂教学,其任务也是多种多样的。

我国高等学校的对外汉语教学目前有四年制的现代汉语本科专业、一年制和二年制的汉语预备教育、半年到一年的汉语进修班、半年以内的短期汉语班等多种教学类型,有班级教学、个别教学等多种教学形式。只要翻阅一下就可以发现,各种教学类型和各个年级的课程累计有几十门之多。这些课程大体上可以分为三大类,即语言课、语言理论课和文化知识课,个别课程兼有语言课和文化知识课的性质。在语言课方面,有从言语技能训练的角度开设的课程,如精读、听力、说话、阅读、写作等等,有从语体和语用教学的角度开设的课程,如新闻听读、外贸写作、翻译等等,此外还开设古代汉语。汉语预备教育要结合学生学习专业的需要,因此,同一门课程的教学内容不完全一样。例如,结合学习理工科需要的有数、理、化方面的内容,结合学习西医专业需要的有西医方面的内容,结合学习中医专业需要的有中医方面的内容,结合学习不同的文科专业需要的有文学、历史、经济、哲学等方面的内容。汉语预备教育的各门课程的目的虽然是教语言,而不是教专业知识,但教师必须懂得有关的专业知识。在语言理论课方面,目前开设的课程有语音学、词汇学、语法学、修辞学,此外,还开设文字学。在文化知识课方面,目前开设的有中国历史、中国文学史、中国哲学、中国文化等方面的课程以及中国经济、中国旅游地理等,此外,还开设汉字书法、中国绘画等。兼具语言课和文化知识性质的主要是古代和现代文学作品。各种教学类型、课程门类和课程内容的多样性这一特点是无法改变的。

2. 科学研究工作。

要使对外汉语教学建立在科学的基础之上,不断提高教学质量,就必须开展科学研究工作,建立和发展自己的学科理论。对外汉语教学的学科理论包括基础理论、教学理论和教学法三个方面的内容。要使对外汉语教学的学科理论得到全面的发展,就必须在这三个方面开展全面研究和双向研究。所谓双向研究,就是一方面开展从基础理论到应用理论到教学实践的研究,一方面开展从教学实践到应用理论到基础理论的研究,即从教学实践中提出问题,结合具体教学任务研究解决问题的方法,对研究的结果进行理论概括。这两种方向的研究都是需要的,后一种方向的研究更能解决实际问题,更能直接为教学服务。无论从事哪一方向的研究,都必须有对外汉语教师直接参加,同时要承认有创新意义的总体设计方案(包括教学计划、教学大纲等)、教材、课堂教学方法、考试试题等是科研成果。前提是有创新意义。在有些国家,理论家和语言教师在一定程度上是分离的。我们不应当走这样的道路,而应当鼓励语言教师努力成长为理论家,成了理论家之后继续以一名语言教师的身份从事语言教学工作。有了一大批称得上理论家的对外汉语教师,我们这个学科的地位就会大大提高,我国的对外汉语教学也就算有了自己的特色和自己的好传统。

3. 教学和科研的组织领导工作。

没有有效的组织和领导,教学和科研工作就难以进行,而要进行有效的组织和领导，就必须熟悉教学和科研工作。这样的组织和领导者一般要从对外汉语教师中产生。这里所说的组织和领导者，包括课程负责人、重要教材的主编、重点科研项目的主持人、各级教学和科研单位的有关负责人等等。对外汉语教学是一门发展中的新兴学科，要有一大批既懂业务又懂管理的、有才干的人员担负组织和领导工作，这门学科才能得到迅速的发展。因此，我们应当把从事教学和科研的组织和领导工作看成是教师分内的任务，是教师的本职工作之一。

对外汉语教学的上述性质和任务，要求对外汉语教师有特定的知识结构和能力结构，也就是说，要求对外汉语教师有特定的业务素质。

三　对业务素质的基本要求

对外汉语教师应当具备什么样的业务素质，我们不应当也不可能提出一个统一的标准。原因是：第一，正如前面已经谈到的，对外汉语教学包括三个方面的任务，这三个方面的任务要由许多教师进行分工合作来完成。并不是每一个教师都需要承担所有的任务。不同的工作对教师的知识结构和能力结构的要求有所不同，对其他素质的要求也有所不同。单纯从事教学工作是一种要求，既从事教学工作又从事科研工作又是一种要求，对兼做教学、科研组织领导工作的教师还有一些特殊的要求。第二，每一个教师都有一个成长的过程，不可能一开始就能胜任对外汉语教学的多种工作。第三，人总是有差别的，由于种种主客观原因，并不是所有的教师都能达到同样的要求。鉴于以上原因，对外汉语教师必然有不同的类型和不同的层次；

对不同类型和不同层次上的对外汉语教师,在素质的要求上应当有所区别。

根据对外汉语教学的客观需要,也考虑到我国对外汉语教师队伍的实际情况,我们认为,对外汉语教师大体上可以分成以下几种类型和层次:

(1) 能够胜任课堂教学工作的教师;

(2) 能够胜任多种教学任务的教师;

(3) 教学艺术高超的教师;

(4) 既能胜任教学工作,又能进行科学研究的教师;

(5) 科研能力特别强的教师;

(6) 能够兼任教学、科研的组织领导工作的教师;

(7) 能够受到特别欢迎和尊敬的教师。

以上七项不是在同一个层面上的分类,它们既包括不同类型的教师,也包括每个类型中不同层次上的教师。当然,所列各项还可分成若干小层次,那只是程度上的差别,不便细列。

下面按照不同的类型,分别讨论不同层次上的对外汉语教师的业务素质。

(一) 从能够胜任课堂教学工作到教学艺术高超

1. 胜任课堂教学工作。

这里所说的课堂教学工作,就是我们通常所说的"上课"。上课是教师最基本的任务,教师如果不能上课,就是不能完成最基本的任务。因此,能不能胜任课堂教学工作是合格的对外汉语教师与不合格的对外汉语教师的基本分界。进一步说,能够胜任课堂教学工作是对所有对外汉语教师的最基本的要求,只有首先达到最基本的要求，才能向更高的层次发展。如果达不到能够胜任课堂教学工作这一最基本的要求，其他条件再好，也不能算是合格的对外汉语教师。

教师应当能够胜任课堂教学工作，这是天经地义的事情，本来不用赘言。但是，由于“教外国人学汉语并不难”的思想在某些人的头脑中根深蒂固，加上至今还没有制定出能不能胜任教学工作的衡量标准，所以自以为能够胜任教学工作、外行人也以为他能够胜任教学工作而实际上并不能胜任教学工作的情况还普遍存在。既然肯把护理人员请来任教，既然肯把不懂汉语语法、不会汉语拼音或者普通话很不标准的人派到国外去任教，一般总是以为他们是能够胜任教学工作的；他们自愿在国内外承担教学任务，当然也是以为自己是能够胜任教学工作的。这样，就混淆了合格的对外汉语教师与不合格的对外汉语教师之间的界限。也有的教师还没达到最基本的要求，就在努力向更高的层次发展，就像俗话所说的，“还不会走，就想学跑”。这些情况的存在不但损害了教学质量，而且也影响了教师本身素质的提高。因此，很有必要强调指出，现有的对外汉语教师有能够胜任课堂教学工作与不能胜任课堂教学工作之分，有合格与不合格之分。凡是还不能胜任课堂教学工作的教师，也就是说，凡是还没有达到合格标准的教师，都应当首先按照能够胜任课堂教学工作这一最基本的要求来提高自己的素质。

具备什么样的条件才能胜任课堂教学工作呢？

一个美国人说过：“并不是任何一个会讲英语的人都能教英语。语言教学既是一门科学，又是一门艺术；教学方法只有通过大量的实践才能臻于完善。”[①]对外汉语教学与英语作为外语或第二语言教学属于同一性质，所以上面的论述也适用于对外汉语教学。王还教授也曾经指出：“作为一个教员没有理论知识，仅仅能说地道的汉语，是不够的。学生犯的错误是各种各样的，仅仅指出错误并加以纠正而说不出原因，统统归之于‘不合习惯’是在学生面前树立不起威信来的。”[②]由此可以看出，对外汉语教学的确是一项科学性、艺术性和知识性很强的工作。即使仅仅能够胜任课堂教学工作的教师，起码也需要具备下列条件：

(1) 要具有比较广博的专业知识和文化知识。

能够胜任课堂教学工作的教师的专业知识和文化知识主要包括：

语言学知识。任何语言都是一种系统，人们学习一种语言，就是要掌握这种语言系统。成年人学习第二语言跟幼儿学习第一语言不同，他们对学习的内容首先要理解，然后才能掌握。因此，教师只有对所教语言的系统有了较为深刻的理性认识，才能有效地进行这种语言的教学。要教会学生一个音节，就必须知道这个音节是怎样构成的，是由哪几个部分构成的，每一个构成部分有什么特点；要教会学生发送气音，就必须知道送气音与不送气音的对应关系；要发现学生把清音发成浊音或把浊音发成清音的错误，就必须知道清音和浊音的对应关系，还必须知道每一个音的发音部位和发音方法。总之，要教好一种语言的语音，

---

① 参见〔美〕Audrey L. Wright《作为第二语言的英语教学初步技巧》，载《英语教师的艺术》，北京师范大学出版社 1981 年版。

② 参见王还《和青年教师谈谈对外汉语教学》，载《门外偶得集》，北京语言学院出版社 1987 年版。

首先要对这种语言的语音系统有较为深刻的理性认识。同样，要教好一种语言的语法和词汇，也必须对这种语言的语法系统和词汇系统有较为深刻的理性认识。虽然不必把所有的理论知识都教给学生，但教师必须心中有数，否则就不能有效地组织教学。语言教学也是有系统的，这个系统就是根据语言规律、语言学习规律和语言教学规律组成的一种语言教学系统。如果语言教师对语言系统本身没有较为深刻的理性认识，就不可能认识这种语言教学系统，甚至不知道什么是语言点，更分不清什么语言点已经学过，什么语言点还没有学过，正在学习的语言点跟已经学过的和将要学习的语言点有什么联系和区别。这样，教学中就难免出现无的放矢甚至“打乱枪”的情况。前面说过，成年人学习第二语言要在理解的基础上才能掌握，因此，教师不但要预见到学生在哪些地方会遇到理解上的困难，而且要预见到学生在哪些地方可能会产生误解，在哪些语言点上可能会出现什么样的错误，以便有针对性地进行解释和组织练习。例如，如果不预先说明“或者”和“还是”在意义和用法上的区别，母语为英语的学生就会因为这两个词都可以翻译成英语的“or”而造出这样的句子：“你喝啤酒或者喝汽水？”“我明天去看朋友还是进城买东西。”我们的学生中有些人学过语言学或者对语言学有兴趣，有的就是要研究汉语或准备从事汉语教学的，他们学习汉语不但要掌握用汉语进行交际的技能，而且也希望掌握汉语理论，遇到教师没有解释清楚或者他们还不大理解的地方，就会提出问题。“他把杯子打碎了”和“他打碎了一个杯子”有何不同？为什么只能说“终于消灭了敌人”而不能说“终于敌人消灭了”？什么时候用“爱人”，什么时候用“妻子”“夫人”“太太”？如此等等。

对学生提出的问题，教师必须给以中肯的回答。学生在学习过程中出现错误是难以避免的，对于那些带普遍性的经常出现的错误，教师不但要指出错在哪里，而且要说明为什么只能这样说，而不能那样说，绝不能用“这是中国人的习惯”去搪塞。以上情况说明，要胜任教学工作，必须掌握系统的语言学知识，包括普通语言学、社会语言学和汉语语言学知识。在汉语语言学方面，不但要系统地掌握现代汉语普通话语音、词汇、语法、修辞等方面的知识，而且要具有一般的方言知识和较为系统的古代汉语知识。此外，还需要掌握一定的文字知识。如果不掌握这些知识，对所教的语言点就不能根据需要进行正确的解释；对学生提出的问题常常会回答不出来，或者讲不到点子上；对学生的错误即使能够分辨，也不能指出错误的原因。这样，就意味着不能胜任课堂教学工作，这样的教师当然就不是合格的教师。

心理学、教育学和语言教学法知识。从事语言教学必须掌握一定的语言教学法。对一个任课教师来说，首先要掌握体现在教材中的教学法。例如，有的教材按照语言结构的难易程度编排教学内容，对语言点的解释侧重于说明语言的结构特征，练习也是为了让学生熟练地掌握句子的结构形式。人们把这样的教材所贯彻的教学法叫做结构法。也有的教材以所谓功能、意念项目为纲编排教学内容，侧重于从语用的角度解释言语现象，练习方式的设计也是从语用出发。人们把这样的教材所贯彻的教学法叫做功能法。还有的教材一方面按照语言结构的难易程度编排教学内容，另一方面又以功能、意念项目为中心组织每一课的语言材料，对语言现象的解释和练习方式的设计也兼顾结构和功能两个方面。我们可以把这样的教材所贯彻的教学法叫做结构－功能法或功能－结构法。这几种教学法各有自己的长处和适用的对象，所以用不同的方法编写的教材往往都要使用。任课教师只有对语言教学法有比较透彻的了解，才能理解教材中的教学法意图，才能正确地使用教材；即使教材在教学法上有某些缺陷，也可以结合本班的实际加以弥补。除了正确贯彻和灵活运用教材中体现的教学法以外，组织课堂教学还需要一套具体的教学方法和教学技巧，贯彻一定的教学原则。怎样把言语要素转化为学生的言语技能，怎样解释某个具体的语言点，怎样调动全班每一个学生的积极性，怎样把课上得生动活泼、提高学生的学习兴趣，怎样消除学生的紧张情绪和心理障碍，以及怎样板书、怎样提问，等等，都不能有任何主观随意性。语言课上只讲不练或讲得多、练得少，过多地使用学生的第一语言，面朝天花板而不是面对学生，只对学习好的学生感兴趣而把学困生撂在一边不管，只顾照本宣科而不管学生能否理解，不时地问学生懂了没有，特殊的穿着打扮和大量琐屑动作使学生分散注意力，等等，都是课堂教学的大忌，都不符合语言教学法的要求。教学法与教学效果有直接的关系，如果不掌握教学法，就是学问再大，也不能取得好的教学效果。有些教师上课不受学生欢迎，多半不一定是因为学问不够，而往往是由于不懂教学法，不掌握课堂教学的要领。要真正懂得教学法，除了学习教学法本身以外，还要学习语言学、心理学和教育学。因为所谓语言教学法，实际上就是把语言规律、语言学习规律和语言教学规律统一起来的一种方法，是根据语言规律、语言学习规律和语言教学规律组成语言教学系统的一根纽带。如果不懂得语言学、心理学和教育学，就不知道怎样把三大规律统一起来，就不知道如何根据三大规律组成语言教学系统，在课堂教学中也就不知道如何贯彻教学原则和运用具体的教学方法。所谓“教学方法必须建立在正确的理论基础之上”，这里的“理论基础”就包括语言学、心理学和教育学。由此可见，语言学、心理学、教育学和语言教学法等方面的知识，都是对外汉语教师所必须掌握的专业知识。

文学知识。对一个对外汉语教师来说，文学知识既是专业知识，又是决定文化素养的一项文化知识。说它是专业知识，是因为从某种意义上说，语言和文学是分不开的。文学语言是语体的一种，文学作品是语言研究的原材料之一。人们学习语言，到了一定的阶段也需要通过文学作品来学习，所以文学作品也是语言教材不可缺少的内容。说它是决定文化素养的一项文化知识，是因为社会生活中到处都有文学的足迹，无论是本国人，还是外国人，每天都生活在文学的环境中，如果没有一定的文学知识和文学作品中常常反映的其他有关知识，就意味着缺少最基本的文化素养。文学作品还可以陶冶人的性格，培养人的气质。在大量优秀的文学作品陶冶下逐渐形成的丰满的性格和高雅的气质，是一个对外汉语教师所不可缺少的文化素养。因此，要成为一个合格的对外汉语教师，就必须有一定的文学知识和文学修养。首先，要了解中国古代、现代和当代文学的发展线索和轮廓，对各个时期有代表性的作家、作品要有一定的了解和体会，对名家、名著要比较熟悉。其次，对世界第一流的作家和作品以及主要对象国的文学概况要有所了解。

其他文化知识。我们的教学对象都是成年人，他们中不少人已经取得了高级学位，有的是经验丰富的教师，都有较为丰富的文化知识和较高的文化素养。在课上或课后的接触、交谈中他们如果觉得教师的知识过于贫乏，就会认为这样的教师不够资格。一个在大学任教的教师总要在一定程度上代表我国高等教育的水平，如果被学生认为不够资格，就不但影响个人的威信，而且会损害我国高等教育的声誉。因此，作为一个对外汉语教师，除了必须掌握一定的专业知识以外，还应当掌握有关的文化知识。例如，要熟悉中国的历史和地理，要了解主要的名胜古迹，要有一定的社会和民俗知识，包括婚丧嫁娶、亲属关系、传统节日乃至宗教信仰等等。因为教师是教育工作者，所以对我国社会主义建设和教育概况也要有所了解。此外，还要具有一般的世界历史、地理知识和"比较文化"知识，最好也了解当今世界的政治和经济形势，以及主要对象国的风土人情、社会习俗，尤其是禁忌。

(2) 具有一定的工作能力。

对外汉语教师的工作能力是非常重要的。因为他们不但要从事教学工作，而且要开展或参与跟教学有关的各种课外活动。无论是在课堂教学中，还是在课外活动中，都要起组织和主导作用。如果没有一定的工作能力，就是知识再丰富，也难以胜任教学工作。一个能够胜任教学工作的对外汉语教师的工作能力主要表现为语言文字能力、课堂教学能力、交际和组织能力。在语言文字能力方面的主要要求是：能讲标准的普通话，口齿清楚；具有较强的口头和笔头表达能力；汉字书写正确、工整，熟悉简繁两种字体，如有一定的书法修养就更好；有一定的外语水平，至少要熟悉教学用语，能进行日常生活会话，能借助工具书阅读专业书刊。在课堂教学能力方面的主要要求是：能有效地组织课堂教学；能正确贯彻和灵活运用课堂教学的原则和方法；能辨别和纠正学生在发音、声调、语法、词汇等方面的错误；能熟练地使用电教设备。在交际和组织能力方面的主要要求是：在正式场合举止得当，言语得体；在自己组织的集体活动中能调节气氛，左右局势；在尴尬场合下机敏沉着，表现自如；遇到紧急情况时头脑冷静，不致举止失措。也许可以这样说，如果教师具有特殊的文艺才能，例如在创作、导演、音乐、舞蹈、绘画等方面有一项或多项才能，能够组织、引导学生把所学的内容生动形象地表达出来，就能更好地吸引学生，教学效果也会大大提高。

(3) 具有一定的教学经验。

所谓教学方法"只有通过大量的实践才能臻于完善"，就是指通过教学实践取得教学经验。上面提出的关于知识和能力的各项要求，有许多从书本上是学不到的，只能是实践经验的积累。因此，要达到能够胜任课堂教学工作的要求，不但要刻苦学习有关的专业知识和文化知识，而且要在教学实践中磨炼，在教学实践磨炼中及时总结正反两个方面的经验。

2. 胜任多种教学任务。

所谓胜任多种教学任务，就是不但能够胜任课堂教学工作，而且能够担任其他教学工作(如设计课程、编写教材、编制考试题等)。在课堂教学方面，能担任两门或两门以上教学内容既不相同也不相近的课程。教学规模越大的单位，教师分工越细，在多数情况下，多数教师的教学任务比较固定，可以长期担任某一门或某几门教学内容相近的课程。在教学规模较小而教学类型和课程门类又较多的单位，教师分工就不能很细，一般都要能够承担多种教学任务。此外，我们还有一部分教师要到国外任教，在国外的教学任务要根据聘用单位的需要而定。不少聘用单位要求中国教师既教语言课，又教语言理论和文化知识课；在语言课方面既要教现代汉语，又要教古代汉语；一般都要开设文学方面的课程，有的还要指导研究生和青年教师。可见，到国外任教的教师更应该能够胜任多种教学任务。跟能够胜任课堂教学工作的教师相比，能够胜任多种教学任务的教师是较高层次上的教师。对这类教师的要求是：除了具备能够胜任课堂教学工作的教师所应当具备的一切条件之外，还必须具有能够适应多种教学任务所需要的更广博的知识。一般说来，只有首先达到能够胜任课堂教学工作的要求，并且取得了较为丰富的教学经验之后，才能进一步向能够胜任多种教学任务的方向努力。

3. 教学艺术高超。

我们赞成"语言教学既是一门科学，又是一门艺术"的提法。这里所说的艺术是一种教学艺术，是语言教师在掌握语言教学的科学的同时所要追求的目标。科学往往比较枯燥，艺术却可以供人欣赏，激发人的兴趣和热情。第二语言学习也比较枯燥，而且容易使人产生畏难情绪，外国人学汉语一般说来畏难情绪更大。要使枯燥的语言学习变得生动有趣，要消除学生的畏难情绪，激发他们的学习兴趣和学习热情，除了要依靠科学的力量以外，还必须借助于艺术的力量。对外汉语教师的任务就是在提高对外汉语教学的科学性的同时不断提高它的艺术性。掌握教学艺术是对外汉语教师必须具备的条件之一，也是对外汉语教师的特殊才能之一。

就像艺术家的艺术水平有高有低一样，对外汉语教师的教学艺术水平也有高有低。拿课堂教学来说，教学艺术高超是一定时期内课堂教学的最高境界和最全面的样板。我曾经听到过这样的赞叹：听某某老师的课，就像在炎热的夏天吃冰激凌一样舒适。我自己在听个别老师的课时，也产生过这样舒适的感觉。这种感觉是一种艺术感染的结果，这种艺术感染力来自教师杰出的课堂表现和由此产生的圆满的教学效果，只有教学艺术高超的教师才有可能达到这样的境界。

教学艺术高超的教师有哪些杰出的课堂表现呢？赵智超转引的“杰出的外语教师”的32条表现、《英语教师的艺术》和李景蕙教授《提高课堂教学质量的几个问题》中的许多论述①，对我们都有启发。参考各家的论述并考察许多优秀教师的教学实践，我认为最重要的有以下几点：

首先要充分了解自己的教学对象。

我们赞成以学生为中心的现代教育理论。所谓以学生为中心，我们的理解是：教学要求、教学内容和教学方法都要从学生的需要和特点出发，有针对性地进行教学，充分调动学生的积极性。这是取得好的教学效果的前提条件。学生的需要和特点，主要包括学习目的、年龄和性格特征、第一语言的特点、原有文化程度和教育背景、语言学习能力、兴趣爱好、家庭情况、心理变化状况以及由以上各种情况所决定的学习的特点和难点等。凡是教学艺术高超的教师，对本班每个学生的上述情况都了如指掌。

---

① 参见〔美〕赵智超《教学效果较好的外语教师所应具备的主要条件》，载《第一届国际汉语教学讨论会论文选》，北京语言学院出版社1986年版；〔美〕Audrey L. Wright《作为第二语言的英语教学初步技巧》，载《英语教师的艺术》，北京师范大学出版社1981年版；李景蕙《提高课堂教学质量的几个问题》，载《对外汉语教学研究会第二次学术讨论会论文选》，北京语言学院出版社1987年版。

第二，在教学任务、教学目标、教学要求、教学内容上能以全局提挈局部，以局部服从全局。

语言教学是一个过程，这个过程由若干个教学阶段组成。每一个教学阶段都要开设一定的课程或课型。无论是整个教学过程，还是一个教学阶段、一门课程或课型，都要确定一定的教学目标、教学要求和教学内容，并且把教学任务落实到任课教师。

在一般情况下，一个教师只能承担整个教学过程中的一部分课堂教学任务，总的课堂教学任务要由教师集体通过分工合作来共同承担。要明确这种分工合作的关系，每一个任课教师都必须了解自己所承担的是什么样的任务，这一部分任务跟合作者所承担的任务有什么联系和区别。只有这样，才能自觉地跟合作者进行有效的配合，通过完成自己的这一部分任务来为完成总的教学任务服务。而要透彻了解自己所承担的任务及其跟合作者所承担的任务的联系与区别，又必须首先了解总的教学任务。这也跟演员在舞台上演戏一样，一个演员虽然只扮演一个角色，但是每个演员都必须了解整个剧情，了解自己所扮演的角色跟其他角色的关系，否则就会出现张三抢李四的台词，而王五的台词又等着李四来说，或者某段台词竟被许多演员重复着说这样一种混乱的状况。任课教师的任务体现在整个教学周期中，要全面完成自己的教学任务，首先要了解整个教学周期内总的教学目的、教学目标、教学要求和教学内容。一个教学周期是由一节一节的课、一个一个的课堂教学环节组成的。学生对语言的掌握，也是通过每一节课、每一个课堂教学环节一点一滴地逐步积累起来的。因此，任课教师必须把整个教学周期内总的教学目标、教学要求和教学内容落实到每一节课、每一个课堂教学环节中去，使每一节课、每一个课堂教学环节都有具体的教学目标、教学要求和教学内容。只有自觉地把每一节课、每一个课堂教学环节的教学目标、教学要求和教学内容跟总的教学目标、教学要求和教学内容有机地联系起来，才能真正做到以局部服从全局。

一个教学艺术高超的教师，一方面能高屋建瓴，把握教学的全局，从全局出发考虑每一个教学细节；另一方面又能以小见大，精心设计每一节课、每一个课堂教学环节，使每一个课堂教学环节都能取得最佳教学效果。这就是以全局提挈局部，以局部服从全局。

第三，精通课堂教学的方法和要领。

关于课堂教学的方法和要领，这里只能举例说明。

在课堂教学环节的安排上能做到：层次清楚，环环紧扣；起伏有序，节奏感强；突出重点，解析难点；有好的开头和结尾，高潮的形成和发展恰到好处。因此，学生的情绪能随着课堂节奏的起伏而张弛，始终处于兴奋状态，在既紧张又轻松的气氛中进行有效的学习。

在处理讲和练的关系上能做到：该讲则讲，该练则练；不讲则已，讲则明透；不练则已，练则奏效。这就要求教师既有深厚的理论功底，又能采用灵活多样而有针对性的方法。这样，讲时才能深入浅出，使学生容易理解；练时才能有的放矢，使学生容易掌握。

在处理全班和个别的关系上能做到：既面对全班，又使每个学生都感到教师对自己的关注，对每个学生同样热情，不使任何一个学生感到受到冷落，也不让任何一个学生得到分散注意力的机会。善于用手势、眼神和面部表情控制课堂，善于从全班和每个学生的情绪、面部表情和眼神中了解他们的心理状态和对所学内容掌握的程度。如果遇到障碍，能采取有效的教学措施，包括调整教学进度和教学内容、改变教学方法等，及时加以排除。

课堂用语精益求精。语音语调清楚，语速快慢得当，声音高低适度。尽量做到生动有趣。不讲学生听不懂的话，但又要使学生从教师的课堂用语中学到新东西。不讲废话，不讲句子不完整的话。不轻易使用媒介语。

板书经过精心设计。使用的字体视学生的程度而定。

视听设备使用得当，设备的运转状况课前做过检查。

讲究仪容，衣着朴素、整洁，教态自然、大方。

善于处理突发事故。

以上是根据我个人学习和观察的结果，对教学艺术高超的教师的杰出的表现所作的不完整的描述。从以上描述不难看出，教学艺术高超的教师真正做到了熔理论、知识、经验和教学艺术为一炉。不经过长期的、孜孜不倦的刻苦钻研和潜心磨炼，是不可能达到这样的境界的。

(二) 从教学到科学研究

1. 既能胜任教学工作，又能进行科学研究。

这里所说的能够进行科学研究，是指有进行科学研究的理论基础，掌握进行科学研究的方法，能够拿出像样的科研成果，不能认为只要写出了一两篇文章，就可以证明能够进行科学研究，因为并不是所有的文章，包括正式发表的文章，都能算得上科研成果。要能结合对外汉语教学开展科学研究,除了必须具备能够胜任课堂教学工作的教师所应具备的一切条件之外,至少还要具备下列条件:

(1) 积累了较为丰富的教学经验。

(2) 有较为深厚的语言学基础。

(3) 有较为丰富的心理学和教育学知识。

(4) 有较高的外语水平。

(5) 有较强的逻辑思维能力。

(6) 对自己所研究的领域的研究现状有较为全面的了解。

2. 科研能力特别强。

这里所说的科研能力特别强,是指能解决学科建设中的重大理论问题,在学术上不断有所创新。要做到这一点,除了必须具备既能胜任教学工作又能进行科学研究的教师所应当具备的一切条件之外,至少还要具备下列条件:

(1) 对语言学诸领域有较为全面的知识和一定的心得。

(2) 对国内外语言教学研究的历史和现状有较为全面的了解,并能把握今后发展的趋向。

(3) 对本学科各个研究领域以及它们之间的相互关系有全面而深刻的了解,并有一定的心得。

(4) 在本学科范围内,不但能在某一个领域进行创造性的研究,而且有能力在其他领域进行深入的研究。

(5) 思维敏捷,有很强的观察能力和综合分析能力。

(三) 从教学、科研到组织领导

教学和科研的组织领导工作至少有以下几个特点:

(1) 综和性。既有业务又有行政。在业务方面,既有理论,又有实践；在行政方面，既有人事、财务，又有后勤，等等。

(2) 权威性。就是要能把各种意见集中起来，把不同的甚至对立的意见统一起来，形成一致的意见，使有关人员都愿意采纳，乐意贯彻执行。

(3) 有效性。就是能组织和领导有关人员在规定的时间内保质保量地完成规定的任务，尽可能不留后遗症。

根据以上特点，这类人员至少需要具备下列条件：

(1) 有很强的事业心和献身精神。组织领导工作的综合性决定了从事这方面的工作需要处理更多的矛盾，花费更多的时间和精力，这就必然要影响自己的教学和科研工作，同时也会使自己陷入各种矛盾和纠纷之中。没有很强的事业心和献身精神，就不可能全心全意地从事教学和科研的组织领导工作。

(2) 有教学和科研的全面能力和经验，了解本学科的历史、现状和发展趋势以及跟相关学科的关系。这一条件是组织领导工作的综合性、权威性和有效性所要求的。如果不具备这一条件，就难以充分发挥组织领导作用。

(3) 熟悉行政事务，有组织领导的才能。组织领导工作常常要处理政策性和规定性很强的人事、财务、后勤等方面的事务，要经常分析和解决工作中遇到的各种矛盾。在确定工作任务和制订工作计划时，既要高瞻远瞩，又要踏实细致。如果不熟悉行政事务，没有一定的组织领导才能，就难以有效地进行组织领导工作。

(4) 善于团结。要调动每个人的积极性，充分发挥集体的力量，必须做好团结工作。一个力量强大的集体必然是一个有凝聚力的集体。这种凝聚力首先要来自领导者，来自领导者的知人善任，能够体贴和关心他人，能够发挥每个人的专长，能够正确处理人与人之间的各种关系，特别是能够克己奉公。

（四）能够受到特别欢迎和尊重的教师

这是一种特殊的教师，他们通常有才有识，德高望重。要全面提高教师队伍的素质，很需要这样的样板。这类教师的主要特点是：

（1）具有某一方面的专长：或者是教学艺术高超，或者是科研能力特别强，至少要既能胜任教学工作，又能进行科学研究，或者能够胜任多种教学任务。

（2）热爱自己的事业，勇于为事业而献身；热爱自己的学生，对学生既有慈母之心，又有严父之志。

（3）在同事中是合作的模范、团结的纽带。

这类教师没有下列任何一条缺点：

（1）缺乏工作热情，不积极承担任务。

（2）对学生漠不关心，对学困生或者犯了错误的学生更加冷淡。

（3）教学上经常出错，教学效果不好。

（4）不关心集体和他人，过分珍惜自己的时间。

（5）斤斤计较个人利益，设法捞取荣誉。

（6）自以为是，固执己见，不尊重别人。

（7）说假话。

（8）对别人当面讨好，背后议论。

四　提高对外汉语教师业务素质的措施

对外汉语教师的教学水平和学术水平归根到底是由教师的

业务水平所决定的。要提高教学质量,取得更多高水平的科研成果,使我国的对外汉语教学事业得到健康的发展,必须加强教师队伍建设,提高教师队伍的素质。提高对外汉语教师队伍的素质是一项长期的任务,当前首先要使有关人员,特别是各级领导,对这项工作的重要性有足够的认识,在此基础上,坚定不移地采取下列措施:

1. 根据国内外教学和科研工作的需要,有意识地培养各种类型和各个层次的教师。

所谓各种类型和各个层次的教师,指的是:

(1) 能够胜任课堂教学工作的教师,这是最低层次上的教师。

(2)“教学型”的教师。又分两个层次:能够胜任多种教学任务的教师,教学艺术高超的教师。后者是最高层次上的教师。

(3)“科研型”的教师。也可分为两个层次:既能胜任教学工作,又能进行科学研究的教师;能够胜任教学工作,科研能力特别强的教师。后者也是最高层次上的教师。

(4)“管理型”的教师。也可再分为两个层次:既能胜任教学、科研工作,又能担任教学、科研管理工作的教师;既能胜任教学、科研工作,管理工作能力特别强的教师。后者同样是最高层次上的教师。

以上各种类型和各个层次上的教师都是对外汉语教学工作所需要的,只有做到各类教师成龙配套,各尽其能,才能满足国内外教学和科研工作的需要,也才能充分发挥人才的整体效益。因此,我们当前不但要尽快地使所有的教师都成为能够胜任课堂教学工作的教师,而且要从能够胜任课堂教学工作的教师中分别培养教学型、科研型和管理型的教师。要特别重视培养教学、科研和管理工作方面的尖子人才，即努力培养一批教学艺术高超和科研能力特别强的教师以及有才干、有远见卓识并且有献身精神的善于从事教学、科研管理工作的教师。对每个教师培养方向的确定，要充分考虑个人的特点，顺其自然。有的教师擅长教学艺术，应鼓励其向教学型的方向发展；有的教师善于钻研理论，可鼓励其向科研型的方向发展；还有的教师有管理才能，应使他们有机会在教学、科研工作的管理岗位上经受锻炼，帮助他们向管理型的方向发展。总之，只有扬其长而避其短，才能事半功倍；如果避其长而就其短，只能事倍功半。兼有各种专长的教师当然更受欢迎，但是这样的人才不可多得，各方面都能达到很高水平的人才更加不可多得。人的精力是有限的，平均使用力量，没有重点，就难以在某一个方面取得更大的优势，做出更大的贡献。语言教学的特点之一是科学性和艺术性的结合。要使这种结合达到相对完善的境界，必须在科学性和艺术性两个方面进行持续不断的研究和创造，而这种研究和创造只能通过全体教师长期的分工合作来进行。潜心研究教学艺术的教师，一般不可能有更多的时间去研究科学，而如果花较多的时间去研究科学，在教学艺术的钻研方面就必然要受到一定的影响。还应强调指出的是，语言教师科学研究的成果多半不能直接作为课堂讲授的内容，必须经过多种中间环节进入教学系统以后，才能在教学中发挥更大的作用。所以对教师个人来说，教学和科研相长往往难以立竿见影，更难做到同步前进。科研能力特别强的教师不一定能够成为教学艺术高超的教师；同样，教学艺术高超的教师不一定是科研能力特别强的教师。鉴于以上原因，对于大多数教师来说，每个人都应有一个主要的发展方向。确定一个主要的发展方向只是要求有所侧重，不等于在其他方面毫无要求，不作任何努力。科研型的教师当然要能够胜任教学工作，在教学中也要精益求精；教学型的教师也应有一定的科研能力，也应从事一定的科研工作，否则教学的艺术性就不可能有坚实的科学基础，在教学上就不可能有更大的发展。管理型的教师更应有教学和科研的全面能力。

2. 通过多种途径、多种形式对现有的对外汉语教师进行在职培训。

前面提到，我们过去没有开设专门培养对外汉语师资的专业，凡是没有经过培训或者没有经过自学补课的教师，在知识结构和能力结构方面都会有这样那样的欠缺。当前对外汉语教师队伍建设的任务之一，就是对知识结构和能力结构欠缺的教师进行补课性的培训，使他们达到正在制订的《对外汉语教师资格条例》中对教师的各项要求。培训的方式可以是举办时间长短不等的培训班，也可以举办专题讲座，或制订书目由教师自学。不论通过什么形式进行培训，都要进行严格的考试或考查。与此同时，要通过多种形式，包括举办专题研讨班、安排在国内外脱产进修、指定承担重要的科学研究或教学试验的任务等，努力培养更高层次的教师。

3. 采取有效措施培养不同层次的后备力量。

几所院校开设的对外汉语教学本科专业，要能培养出能够胜任课堂教学工作的教师；这一专业招收的硕士研究生，要能成为较高层次上的教师。当前这两个层次的专业，要进一步明确培养规格，完善课程设置，制订各门课程的教学大纲，各门课程的教学内容要有明显的针对性和一定的深度。要积极创造条件招收这一专业或与这一专业有关的博士研究生,培养更高层次的对外汉语教师。

4. 制订各种类型和各个层次教师的具体标准,对同一层次上的不同类型的教师在政策上要一视同仁。

正在制订的《对外汉语教师资格条例》,只是为了划清合格的对外汉语教师与不合格的对外汉语教师之间的界限,也就是说,只是规定了能够胜任课堂教学工作的教师所必须具备的基本的条件,因此不可能区分合格的对外汉语教师的类型和层次。要分清合格的对外汉语教师的类型和层次,必须制定另外的标准。就层次而言,能够胜任多种教学任务的教师,既能胜任教学工作又能胜任科学研究的教师,既能胜任教学、科研工作又能从事教学、科研管理工作的教师,属于同一个层次;教学艺术高超的教师,科研能力特别强的教师,既能从事教学、科研工作而管理能力又特别强的教师,属于同一个层次。在评定教师专业技术职务时,要充分考虑不同类型的教师的不同特点,对各类教师的上课时数和科研成果的数量和质量不能同等要求。只有这样,才能鼓励教师根据工作需要并从自己的特点出发确定自己的发展方向,也才能使对外汉语教学所需要的各种人才都能得到茁壮成长。

5. 引入竞争机制,采取鼓励措施。

为了充分发挥人才的作用,鼓励人们上进,在人才的培养和使用上,都要在同类人员中,优先安排最优秀者。为了推动各教学单位重视教师队伍建设,应建立教师队伍评估制度,通过评估,从数量和质量两个方面来检查各单位教师队伍的状况,凡达不到要求者，不应再作为国家承认的对外汉语教学点。

我们相信，只要有关人员，特别是各级领导，对加强对外汉语教师队伍建设的重要性有了足够的认识，并且采取各种切实可行的措施来提高教师素质，用不了多少年，我国整个对外汉语教学的面貌就会焕然一新。

贰　对外汉语教师的知识结构与能力结构①

人的知识结构大体可以概括为：(1) 对本学科内容、理论、概念的通晓；(2) 对相关学科的了解；(3) 对一般知识的掌握。智能是指智力和能力的总和。智力是人们在认识事物过程中所显示的水平；能力指人们顺利完成某种活动的本领。教师的教学能力在智能结构中占首要位置。下面我们分析一下对外汉语教师应具备的知识与智能。

一　汉语理论知识

按照将要公布的《对外汉语教师资格审查办法》的要求，教师应当“比较全面地掌握现代汉语理论，包括语音、词汇、语法、修辞、文字等方面的基本理论知识，并能对现代汉语的语言现象进行科学分析”。课堂教学工作要求教师对所教的内容有深刻的理论认识。在语音、语法、词汇教学的不同阶段，教师都应对教学内容了如指掌，并能对汉语的特点言之成理。经验告诉我

① 本节选自邓恩明《谈教师培训的课程设置》，载刘珣主编《对外汉语教学概论》，北京语言文化大学出版社 1997 年版。

们，发觉外国人汉语说得不正确、不地道并非难事，但是能抓住问题的关键所在（有内在规律的错误），并一针见血、言简意赅地道出错误的原因，则必须有扎实的汉语理论的根底。

对外汉语教学的内容，说到底是汉语的教学。教师的知识结构中，汉语理论占有首要地位是毋庸置疑的。朱德熙教授在谈到提高对外汉语教学水平的时候，特别强调了对汉语本身的研究。他说："上课许多问题说不清，是因为基础研究不够……应该强调汉语研究是对外汉语教学的基础，是后备力量，离开汉语研究，对外汉语教学就没法前进。"这段话说到了根本上。在课堂教学和教材编写工作中，我们都深切地感受到，有些问题不是教师讲解的问题，也不是教材编写的文字问题，而是理论上没有搞清楚。汉语教师既要掌握现有的研究成果，又有责任进行汉语研究，因此汉语理论知识对他们是不可缺少的。

另一方面，对外汉语教学的对象是外国人，这又形成了本专业的特点和特殊规律。以语法为例，我们都知道，语言学家跟语言教师相比，在描写同一种语言的语法规律时，采用的方式是不尽相同的。因为他们有各自的传授对象，他们所要达到的目的也不相同。有的应用语言学家把这两种描述作了区分：一是"理论语法描述"，一是"教学语法描述"。一般地说，"理论语法描述"目的在于证实某种理论或驳斥别种理论。"教学语法描述"自然要服务于教学，而我们的教学目的是使学习者在实战上掌握另一种语言，这又有别于传授语法知识的教学，因此语法条目的取舍、叙述的详略、术语使用的多少以及语法描述的方式等都围绕着如何有利于学习者掌握语言技能。这样说并不意味着教学语法可以忽视科学性。它与理论语法所描述的是同一"客体”,因而首先必须是正确的、科学的,但同时要符合语言学习和语言教学的规律,要适合教学对象的需要,这是教学语法的特点所在。

对外汉语教师不但要掌握一般的理论语法,更要通晓对外汉语教学这一学科的教学语法体系,并了解二者的基本区别。由此看来,即使是汉语专业的毕业生,仍然要调整知识结构,以适应对外汉语教学的需要。

二 语言教学法理论知识

对外汉语教学从其形式来说是第二语言教学或外语教学,这就规定了教师必须掌握外语教学的理论和原则。

每一位上课的教师,实际上在教学中都自觉或不自觉地根据个人经验、个人对学习过程的理解,遵循着一种或几种教学法理论。为了更自觉、更有效地按照教学法的科学原则搞好工作,就必须掌握教学法理论知识。在今天,世界上的外语教学法流派可说是纷繁复杂,但是人们得出比较一致的看法是,各流派都有自己的长处和短处。我们的态度应该是博采众家之长,为此就要对各种教学法理论进行研究,以达到弃短取长加以应用的目的。

研究教学法理论的另一个目的,是丰富和发展对外汉语教学的理论。吕必松教授在谈到语言教师的时候曾说:“他们不但是理论的消费者,而且也是理论的生产者,不赞成语言教师仅仅是理论消费者的说法。”回顾对外汉语教学几十年的历史,在不同时期我们曾受过不同教学法理论的影响。我们从语法—翻译法、听说法,以及近些年从功能—意念法、交际法等众多的教学法流派中吸取了长处。但是,对外汉语教学并没有教条主义地照搬某一家,始终走着具有自己特色的道路。我们不能照搬别人的理论,道理很简单,就以汉字教学为例吧,无论我们照搬听说法还是功能—意念法,或者其他外语教学法理论,如果不结合实际,都不能解决汉字教学的问题。结论只有一个,必须学习别人的长处,开创自己的道路。我们认为对外汉语教学过去是这样,今后仍应博采众家之长,为我所用,建设和发展汉语教学的理论体系。

为了教学工作,为了学科的理论建设,教师都必须具备外语教学法理论知识。

三 语言学知识

语言学是一门科学,是研究语言的本质、结构、起源和发展的科学。教语言的人,如果不能正确地认识语言,不能用科学的方法来分析语言现象,也就不能搞好教学工作。相反,掌握语言学知识,能使我们高屋建瓴,站在一定的理论高度,科学地描述语言现象,洞察教学中的问题,采取恰当的措施。我们举个例子来说明:世界上很多语言中都有"这是汉语"这样一句成语,用来表示难懂、难掌握的事物。可见,在一些人的眼里,汉语几乎成为不可知事物的代名词。我们的学生里,也会程度不同地存在着这种观念。究竟怎样认识才是正确的,怎样解释才最能说服人呢?伍铁平教授从比较语言结构的角度进行了分析。汉语与印欧语相比,从词形变化、音节构成、表达手段、词素与词义关系等几个方面进行论述,得出科学论断:汉语并不难学。吕必松教授分析了学习语言的难易与目的语和母语的差异程度的关系。

他引用了科学统计数据，对汉语的语音、语法、词汇、汉字从基本数量上进行分析，再与英语比较，得出同样的结论：汉语并不难学。这个例子说明，对语言的现实进行解释，必须站在理论高度，掌握先进的语言学理论，否则会和各种怪论纠缠不清，那么教学就会违背科学性。

一般地说，每一种教学法理论，都有它一定的语言学基础。教学法理论家，是依据他们对语言的认识，对语言习得过程的认识，创建了自己这一家理论的。例如，结构语言学注重语言的成分和次序，因此，可以明显地看出，重视句型教学的听说教学法是以结构语言学为基础的。语言教师要想真正掌握某种教学法的实质，正确地运用这种教学法，必须从它的语言学理论基础和语言学背景来入手。

四 心理学知识

教育实践的各个方面，包含着多种多样的心理活动，涉及众多的心理学问题。掌握一定的心理学知识，对所有的教育工作者都是绝对必要的。例如，教师应该了解“动机”“兴趣”等心理倾向的规律，激发学生的远景性动机，也要调动他们的近景性动机，使学生维持一贯的积极性；在教学活动中，既注意讲授内容新鲜有趣，从而引起学生的直接兴趣，又注意在学习的不同阶段，让学生看到自己的进步和取得的成果，从而引起他们的间接兴趣。又如，根据“注意”的心理活动规律，科学地组织教学，使学生既能保持“有意注意”，又不断地调动他们的“无意注意”，使二者交替发挥作用，进而产生“有意后注意”，达到最佳教学效果。这些都说明，在教育实践领域中，心理学知识起着重要的作用。

对于语言教师，包括对外汉语教师，心理学知识又具有特殊的意义。较有影响的外语教学法理论，都有各自的心理学基础。不少语言教学法理论，是心理学家倡导的。比如，听说法就是以行为主义心理学为基础，认为学习就是通过刺激—反应建立一套新的习惯。不了解教学法的心理学基础，就不能真正深刻地认识这种教学法，也就不能正确地运用这种教学法。

语言学习规律的研究跟心理学有着密切的关系。目前这方面的研究还是不够的。如果我们对语言习得过程、对学习第二语言的心理过程有较清晰的了解，无疑会使第二语言教学更符合客观规律而少走很多弯路。为了研究语言学习的规律，为了从根本上建立一套汉语教学体系，我们必须掌握心理学知识。

五 教学能力

这是从智能方面对教师提出的要求。

教学能力在教师的智能结构中占有关键性的位置，它是教师区别于其他人员的根本所在。工作中我们会遇到，有的人知识很丰富，学术功底也很扎实，但教学效果却不好。究其原因，问题往往出在教学能力上。教学能力是教师个人素质，如观察力、分析和辨别能力、思维和判断力、想象和创新能力等在教学活动中的显示。教学活动是一个相当复杂的过程，教师所做的工作，如熟悉、使用教材，设计教案，课堂教学，课下辅导，课外语言实践活动等都体现了他的教学能力，甚至每一节课、每一个教学环节也都是对教学能力的考验。由此我们可以看到，全面提高教师的教学能力，并非某一种课程所能胜任的。实际上这是培训过程的各种课程综合施教的结果。然而，培训中又必须有一些课是着意于教学能力的提高的。我们还是从教师所做的工作，以及从事这些工作应具备的能力来探讨培训课程的设置问题吧。

（一）课堂教学

这是教师所承担的最主要的工作，也是学校达到教育目的的主要途径。完成教学计划，落实教学大纲以及传授教材规定的知识和技能，主要是通过课堂教学来实现。教师必须具备如下的能力才能搞好课堂教学：

1. 观察能力。

教师有敏锐的观察力，才能及时发现学生在学习上的问题，这是采取措施的前提。我们听课时会遇到这样的教师：他只管按教案推进教学环节，对学生的错误和问题却很不敏感，一堂课下来，他按既定步骤"完成"了教学，但学生没得到什么"实惠"。这样的教学肯定是失败的。原因之一，就是教师没有敏锐的观察力。初学阶段的学生，会犯有大量的错误，这常常使教师养成迟钝的习惯，所以，教师保持敏锐的观察力并不容易，但却是必要的。

2. 分析、辨别能力。

比如在语音教学中，汉语有些韵母与印欧语的元音相近，学生受母语的影响，就会以母语元音代替汉语的韵母。教师要有较强的辨别能力，才能及时发现他的偏误，进而加以比较和纠正。

3. 思维、判断能力。

教师只要仔细观察、分辨发觉学生的表达错误并不难，但是要抓住关键错误，指出它的根源并且采取有效的改正措施，却是很不容易的。这除了要求教师有扎实的语言知识外,从教学能力来说,具有思维和判断能力是非常重要的。在语法和词汇教学中,教师时时都应当辨别出学生错误的性质,是母语的负迁移,还是其他理解上的问题,这样才能做到"对症下药"。

4．想象和创新能力。

教学工作是以教科书为主要内容,按教学大纲进行的。但教师的工作,从第一节课的教案设计,到课堂上教学技巧的恰当、灵活的运用,都体现了创造性的劳动。一个语法难点,有的教师能及早预见到,并且有多种措施,使学生比较轻松、自然地渡过难关;有的教师则只会让学生一味地重复例句,结果还是不能掌握。显然,前者由于发挥了他的想象力和创新力,因而取得较好的教学效果。

5．表达能力。

作为一名教师,本来就应该具备教学讲演能力,这是无须多谈的。然而对对外汉语教师的表达能力,应当有特殊的、更高的要求。因为我们是在教外国人学汉语,课堂上教师的每一句话,对学生来说都可能具有学习和模仿的意义,教师的每一句话都应当能让学生理解。因而,要求教师不仅语音标准、口齿清楚,而且在遣词用句方面都要照顾到学生掌握语言的程度。这在教学的初级阶段,师生间的交流还受语言程度很大限制的时候,尤其要引起注意。此外,多年来我们提倡的"精讲多练"的教学原则,是符合教学总目标的。对外汉语教学主要目的不是传授知识,而是训练语言技能。有经验的教师,能很好地把握自己用语的"分寸",准确、精练地完成课堂讲授。没有高超的教学技巧,没有很强的表达能力是做不到的。

(二) 语言技能课教学

这里谈的也是课堂教学。由于按语言技能分设课型,各课程对教师有不同的要求,所以我们把它单列出来。

以往的基础阶段教学,都是通过一种教材进行听、说、读、写的全面训练,我们可以称之为综合教学。到了20世纪70年代中期,北京语言学院的部分教师搞了一项按技能分课型进行教学的试验,取得了初步成功。此后,进入80年代,又继续了这项试验,获得进一步的成果,因而在一些教学单位,按技能设课的教学计划和新编教材得到了推广。这样的教学路子,对教师提出了新的要求,他们要对听、说、读、写等语言技能的本质有深入的认识;要对所设课型,如听力课、阅读课、汉字课、说话课的目的要求、教学方法、教材的使用和编写等等有所了解,并具备承担这些课程的教学能力。

(三) 教材的使用与编写

教科书是教师进行教学的基本依据,是教与学的主要材料。对于教师来说,熟悉教材是搞好教学的前提。对外汉语教材,尤其在基础阶段,所选用的语言材料都是很浅显的,但是能够熟悉和掌握一套教材并不是非常简单的事。新教师所遇到问题,常常是一看教材,内容都懂,一到课堂,却不知从哪儿教起。因而,读通教材,从中分析出它的语言学根据,了解教学法指导思想,掌握全书结构,进而产生教学设想,这些既是教师知识的体现,也是教师教学能力的体现。

教材编写工作对教师有更高的要求。

即使不专门从事教材编写工作,在教学中也常需要编写一些补充材料和练习材料。试想,在学生学过的有限字词之中,在他们掌握的语言规则的范围之内，编写出内容有益、生动有趣的短文，不具备相当的语言知识，不具备很强的语言文字能力是做不到的。

以上我们分析了对外汉语教师的知识结构和智能结构。要说明的是，对外汉语教师必须具备的知识和能力还不止这些，其他如文学知识，语言对比、文化对比知识，史地文化知识，以及组织能力、交际能力、应变能力等等，也是不可缺少的。

叁　对外汉语教师的几项基本功

一　谈对外汉语教师的"外功"①

如果将对汉语的精通掌握及对汉语本体的深入研究，比作每个对外汉语教师不言而喻的"内功"，那么，对外汉语教师还需进行不可缺少的"外功"修炼。"外功"又指哪些呢？它们的作用和意义何在？这正是本文所要讨论的。

作为对外汉语教学战线一名即将"退伍"的老兵，本人被邀参加由中国湖北大学、美国纽约大学联合主办的"2001 年国际汉语教学学术研讨会"殊感荣幸和高兴。会议东道主出题就"对外汉语教师的知识结构问题"，要我谈谈自己从事这项事业特别是从教的经验。这是因为随着对外汉语教学事业的发展，大批年轻新教师不断充实到对外汉语教师队伍中来，关于对外汉语

① 本节选自张德鑫《功夫在诗外——谈谈对外汉语教师的"外功"》，《海外华文教育》2001 年第 1 期。

教师的培养及其业务素质问题的研究，过去甚少从学术角度来探讨，今天确有必要针对进入新世纪后对外汉语教学面临的新使命来认真研究一下。就我自己而言，经验不敢说，体会还是有一些的。说到这个题目，我马上想起了自己的学生时代，我的语文老师批改我的作文时写给我的一句话："功夫在诗外。"这五个字几十年来一直是我从教从研尽职尽业的座右铭。

"功夫在诗外"是宋代大诗人陆游论诗的一句名言，意思是要写好诗，不能单凭写诗技巧，还取决于许多其他因素，诸如全面的知识结构、深厚的文化修养、丰富的人生阅历以及独特的才气风格，等等。由此引申至做好任何事情，不能只靠有关的直接经验，还有赖更多相关的间接经验，甚至常常后者比前者作用更大。同样，要当一名合格的、称职的乃至出色的对外汉语教师，除了必须首先对自己要教给学生的目的语汉语本身比较精通并掌握较好的教学方法外(这是理所当然不言而喻的，不是本文要讨论的)还远远不够，还得借助甚至仰仗一些"外功"。如果把对外汉语教学比作写诗，并将汉语的精通喻作"诗内"功夫，那么什么是今天处在21世纪信息化时代对外汉语教师的"诗外"功夫或曰"外功"呢？

在1999年8月德国汉诺威市举行的第六届国际汉语教学讨论会上，我向大会提交了论文《对外汉语教学五十年——世纪之交的回眸与思考》，文中谈到进入21世纪后，对外汉语教学应确立现代意识，即"教学思想的现代化和教学手段的现代化"。①

① 参见张德鑫《对外汉语教学五十年——世纪之交的回眸与思考》，载《第六届国际汉语教学讨论会论文选》，北京大学出版社2000年版。

我想这也是对外汉语教师今天所面临并应具备的“内外功夫”。记得王还先生在谈到对外汉语教师的基本功时曾说过：你要给学生一杯水时，你自己就得备有一桶水（一时没找到原文，仅凭记忆）。笔者以为，这“一桶水”的基本功中，必须练就过硬的精通汉语“内功”自不待说；但究竟还有哪些必备的“外功”应当“修炼”，本文略陈管见。

（一）“外功”之一——理论武装

了解乃至熟悉世界关于第二语言或外语教学理论的新发展及其教学法流派的演变，并将其消化乃至创造性地运用于作为外语或第二语言教学的汉语教学实践。

不可否认，第二语言教学理论及教学法流派，最初多从国外传入和引进，在这方面国外要比国内先行和发达，并影响着我们的语言教学。如长期以来，“以教为主”的教育思想一直主导甚至主宰着包括对外汉语教学在内的第二语言教学，在行为主义心理学强调外部因素作用的影响下，形成了“教得好坏决定了语言学习成败优劣”的传统观念，因而对外汉语教学也只重视研究教师如何教，不注意学生怎样学。然而，实践表明，“教”得再好，语言学习中有些问题和困难也始终无法解决。终于到了20世纪50年代末、60年代初，认知心理学的发展及美国语言学家乔姆斯基（N. Chomsky）的语言学习论开始强调语言习得内在机制的影响，人们逐渐认识到真正决定语言教学成败得失的是学习者自己，因而，“以学为中心”的口号打破了重“教”轻“学”的禁锢，强调“以学生为主体”，并重新廓清“教”的作用，即“教”必须为“学”服务并接受“学”的检验。教师要打破传统教学理念的束缚，不能仅仅停留在对学生“传道、授业、解惑”上，教师的课堂教学角色应从课堂的控制者转变为示范者和指导者，善于把更多的空间留给学生，着重培养学生的自主学习能力和创新精神。以口语教学为例，为改变“教学即讲授”的以教为主传统，我曾作过这样一次尝试：把原来的对话课文先放一边，而选择一段内容相近的电影录像片段，无声地放给学生看三遍。每看一遍，介绍一点这段录像的背景内容，并板书几个关键词语给学生（也尽可能是那篇口语课文中要学的单词和句型），然后让学生给剧中人物编汉语“台词”，两遍过后，再引导学生给剧中人物编出对话“配音”。当时课堂气氛十分活跃，学生的表现乃至表演欲相当强烈，口语潜力得到超水平发挥，从而培养了学生的发散性思维与收敛性思维，整个课堂教学活动的主体是学生，主角是学生。最后又回到那篇口语课文，学起来就比较水到渠成，轻而易举了。

至70年代末、80年代初，英国语言学家赛林格（L. Selinker）教授提出“中介语”（inter-language）理论，加强了对语言偏误分析及习得规律的研究，从而促进了近几十年来第二语言学习（习得）理论研究的大发展，并涉及语言学、教育学、社会学、心理学及认知科学等许多相关学科。由此，今天一些学者甚至断言对外汉语教学已跨越“应用语言学”的范畴，因而他们提出了“对外汉语教育”的概念，且认为“对外汉语教育”更受教育学普遍规律的制约，它应成为教育学的分支学科。

再看第二语言教学法主要流派及其演变发展过程，刘珣先生新著《对外汉语教育学引论》（注意，作者的书名就直称“对外汉语教育学”）介绍了两大类主要流派，即认知派与经验派，包括语法翻译法、直接法、情景法、阅读法、自觉对比法、听说法、视听法、自觉实践法、认知法；人本派与功能派，包括团体语言学习法、默教法、全身反应法、暗示法、自然法、交际法等。对所有这些第二语言教学理论和教学流派的了解并跟对外汉语教学与研究的实践相结合，应成为对外汉语教师知识结构及教学技能的必不可少的组成部分。因而，什么“凡中国人都能教外国人中文”的说法实在太无知、愚昧，今已基本没有市场；即使是对汉语本体研究颇具水平者，倘缺乏上述关于第二语言教学理论的修养及对第二语言教学法流派的了解，恐怕也难以成为出色的对外汉语教师。

可见，正是这些第二语言教学理论和教学法流派的“汉化”，加之对对外汉语教学学科建设的自身研究也取得了丰硕成果，才使对外汉语教学今天已发展成一门专门学科，对外汉语教师遂也形成为一支必须通过国家考试并取得国家颁发的专门资格证书的高度专业化队伍。

（二）“外功”之二——外语能力

对外汉语教学是一种涉外的汉语教学，其显著特征是教学内容的对比性和跨文化性，故至少掌握一门外语，是对外汉语教师必备的基本技能之一。

早在 1989 年笔者提交给中国对外汉语教学学会第三届学术讨论会的论文《对对外汉语教学本质之认识》中提出：“对外汉语教学是一种语言对比教学”和“文化对比教学”。[①] 鉴于学生母语（外语）跟目的语（汉语）之间存在正、负迁移的对立交融过

① 参见张德鑫《对对外汉语教学本质之认识》，载《中国对外汉语教学学会第三届学术讨论会论文选》，北京语言学院出版社 1990 年版。

程，教师的职责就是帮助学生在母语和目的语（外语和汉语）的对比过程中，利用、强化正迁移，克服、转化负迁移，让学生尽可能多、快、好地学会汉语。如果教师不至少掌握一门外语知识和技能，就往往很难有效地乃至事半功倍地使正迁移长、负迁移消，实现正负迁移的转化。

正是在这个意义上，笔者认为，汉外对比可说是对外汉语教学的灵魂，对比研究也是对外汉语教师的基本功之一。诸多名家对此早有论述和指点。如：

吕叔湘先生说过，"一种事物的特点，要跟别的事物比较才显示出来"，"语言也是这样。要认识汉语的特点，就要跟非汉语比较"。①

王力先生更直接主张："凡是搞对外汉语教学的，或者教外语的、教中文的，都应该考虑这个比较。"②他还说："我记得，我的老师赵元任先生说过：所谓语言学理论，实际上就是世界各民族语言综合比较分析研究得出的科学结论。"③

赵世开先生还认为："对比语言学（contrastive linguistics）的研究有助于对外汉语教学"；"对外汉语教师应该熟悉语言学的文献，特别是应用语言学和对比语言学。"④

美国语言学家弗瑞思（Fries）早在1945年发表的《作为外语的英语教学》中就指出："最有效的语言学习材料是以对外语

---

① 参见吕叔湘《通过对比研究语法》，《语言教学与研究》1979年试刊第二集。

② 参见王力《在第一届国际汉语教学讨论会上的讲话》，《语言教学与研究》1985年第4期。

③ 参见王力《王力论学新著》，广西人民出版社1983年版。

④ 参见赵世开《母语教学和外语教学》，载张德鑫主编《对外汉语教学回眸与思考》，外语教学与研究出版社2000年版。

和学生的母语进行科学对比描写(分析)为基础的。”①

另一位美国应用对比语言学家拉多（Lado）亦于 1957 年出版的《跨越文化的语言学》（*Linguistics across Culture*）中把对比分析作为外语教学的基石，认为：“语言的差异就是教学的难点。教师把外语和学生母语进行比较，就能较好地了解学生的真正难点是什么，从而更有办法进行教学。”②

乔姆斯基在其 1997 年《语言和自然》（*Language and Nature*）一文中主张最好把“语言学习”（language learning）说成“语言增长”（language growth），并认为语言有共性，要研究其“普遍语法”（UG，universal grammar）。人类的大脑里都有“语言机制”（language faculty），应研究这种机制的运作，它受普遍的原则和规则支配，不同的语言只是参数（parameter）有所不同，对比语言学正是要通过比较去找语言间的“共性”（linguistic universals）及“个性”（linguistic variants）。③

看，这么多中外著名语言学家如此一致地强调语言对比及对比语言学对外语或第二语言教学的重要性，难道我们还能无动于衷等闲视之吗？所谓对比语言学，是一门应用语言科学，它的研究方法是共时的（synchronic）、描写的（descriptive）；研究对象主要是无亲缘关系的不同语系的语言；对比两种语言的“共性”与“个性”，重点一般落在两种语言的差异性上。对比分析发展到今天，语言教学界将其同偏误分析结合

---

①② 参见张会森《对比语言学问题》，载王福祥编《对比语言学论文集》，外语教学与研究出版社 1992 年版。

③ 参见赵世开《母语教学和外语教学》，载张德鑫主编《对外汉语教学回眸与思考》，外语教学与研究出版社 2000 年版。

起来应用，从而使对比分析真正成为一种有效的具有诊断性质的研究方法和教学途径，可以用它来确定哪些错误或具有顽固性的负迁移现象是由第一语言干扰所引起的。可见，要阅读大量中外语言学文献资料，要将汉语和外语乃至中外文化进行对比研究，不掌握外语，就无从对比。即使教师不会对比，学生自己也会自觉不自觉、有意无意本能地将其母语跟汉语比较，只是由于学生所知甚少，不能保证对比正确，一旦错比，怎能学会学好？倘教师功底太差，给学生做了错误对比，则将误人子弟，会更糟糕。例如：

一般都认为量词是汉语特有的，英语无量词。但若进一步作具体对比分析时，就会发现情况并非如此简单，汉语某些量词是由名词变来的，英语亦有类似情况。如名词"杯"和"cup"，在"一杯茶"中，"杯"就成了量词，"cup"也是一个表量的名词；再如"个"这个"万能量词"，英语亦有一个对应的兼表具体和抽象概念的表量"万能词""piece"，可说 a piece of paper（一张纸）、a piece of chalk（一支粉笔）、a piece of glass（一块玻璃）、a piece of furniture（一件家具）、a piece of news（一条新闻）、a piece of advice（一个忠告）等等；此外，甚至连动量词英语也有对应词 once（一次）、twice（两次）、times（多次）等。在 Quirk 等人编写的 *Contemporary English Grammar*（中译名《当代英语语法》，辽宁教育出版社）中，上述那些英语表量的名词就被称作 partitive，该书中译作"单位词"（但《新英汉词典》将之笼统译为"表示部分的词"），任学良先生著《汉英比较语法》则确称其为"表量词"，更接近汉语语法的表述，可见中外学者对汉英两种语言中量词的认识亦有相通之处。量词如此，形容词比较等级亦有类似情况。虽然汉语的形容词比较无语法手段如英语的形态变化(-er, -est),但它们都可通过词汇手段来表示比较(英语用"more""most",汉语用"比较""比""较""更""最"),且英语日益简化的发展趋势使词汇手段更多被采用,从而也更接近汉语的表示方法。总之,我们在给学生讲授量词、形容词时,是能观其会通、知其典要、正确引导,还是只会就事论事、似是而非、一概而论,倘把握不对或不准,就会造成混乱和麻烦。而正是这些细微之处的研究和教学,能真正考量出一个对外汉语教师的业务功底。

回顾二三十年前笔者刚刚从事对外汉语教学的时候,接触到当时新中国初期培养的前辈老师,他们由于历史的原因一般都不谙外语,对国外语言学理论的发展亦知之甚少,更无引进、借鉴的风气。且那时还有一种观点,认为外国学生的母语对目的语汉语并不起干扰作用,甚至忌讳教师在课堂上使用外语。直至改革开放后,跟国际学术交流的窗口被打开,大量国外语言教学研究的理论和成果被引进和借鉴,这才大吃一惊,大开眼界,发现国外、境外搞语言教学或语言研究者,精通多门外语是最起码、极平常的,从而越来越意识到,今天搞语言特别是从事对外汉语教学的老师和学者,不懂外语是绝对不行的。

(三)"外功"之三——文化修养

应对中华文化有一定甚至较高修养,并至少熟悉一种本人已掌握的外语的所属文化。

常言:语言是文化的载体,语言本质上是一种文化现象。西方语言离不开基督文化,阿拉伯语跟伊斯兰文化不可分,而我们的汉语则跟儒、道、佛中国传统文化结下不解之缘。我们学过外语的人都有这样的经验和体会:学习英、法等西方语言,同时也在潜移默化、自觉不自觉地接受西方文化的影响。正是从这个意义上说，"对外汉语教学在宏观上就是传播中国文化"，这话亦见于笔者十几年前写的那篇《对对外汉语教学本质之认识》一文中。十余年后的今天已进入21世纪，笔者对这一问题又有了进一步思考，在刚刚发表的拙文《润物细无声——论对外汉语教学与汉学》中大胆提出："作为国家和民族的事业，对外汉语教学必须为国家的战略目标服务，21世纪的对外汉语教学发展及其学科建设应跟国际汉学接轨以适应形势发展的需要。"①这也正是为贯彻落实2000年12月召开的"第二次全国对外汉语教学工作会议"的精神，同时又反映了我国语言、文化等学术界最高层面对对外汉语教学的最新观念和期盼。如：

季羡林先生《我们要奉行"送去主义"》一文指出，"中华民族的优秀文化大部分保留在汉语言文字中，中华民族古代和现代的智慧也大部分保留在汉语言文字中"，因此要通过对外汉语教学"把中国文化的精华送到西方国家去"。②

任继愈先生《对外汉语教学回顾与前瞻》一文认为："只讲授语言的应用，而不是深入到文化的内涵，只能学到中国文化的表层，无法认识中国文化的本质。我们对外汉语教学……虽然从教授汉语起步，却不能满足于培养一般翻译人员，而要有计划地培养大批外国青年汉学家。"③

---

①　张德鑫《润物细无声——论对外汉语教学与汉学》，《语言文字应用》2001年第1期。

②　季羡林先生的引文载张德鑫主编《对外汉语教学回眸与思考》，外语教学与研究出版社2000年版。

③　任继愈先生的引文载张德鑫主编《对外汉语教学回眸与思考》，外语教学与研究出版社2000年版。

许嘉璐先生在就任北京师范大学汉语文化学院院长时所作的《关于"语言与文化"的讲演》中确定的办学方针是:"学院的方向应该是以语言教学为基础,建成语言和文化并重的教学与研究基地……语言与文化是全院的方向。"①

江蓝生教授《提高对外汉语教学的文化含量》一文主张:"面向新世纪的对外汉语教学,在教授汉语知识和技能的同时,要更加突出介绍中国文化的比重。"②

够了,无须更多引用,可以明确断言:对外汉语教学要扩展文化比重,要跟国际汉学接轨,这是大势所趋。这就向对外汉语教师的知识结构及业务素质提出了更高要求,特别是在文化修养方面,除了普遍提高对外汉语教师的常规文化修养外,还须抓紧"培养和组建一支精干的能在国内外开设(并能用外语讲授)中国文化一些主要领域各门课程的专家队伍,他们能跟外国的汉学家对话,进行高层次的学术交流与合作,并能产生一定影响"(引自拙文《润物细无声——论对外汉语教学与汉学》)。

关于这一点,早在一二十年前笔者就曾"有幸"(抑或"不幸")尝到过这"梨子"的滋味,真是甘苦自知。80 年代初笔者任教于比利时鲁汶大学,我的"顶头上司"是位比利时专门研究中国古代科技史的汉学家,他要我帮他校读一下他即将出版的一部新著,其中引用了我国唐代诗人李端的诗句"无盐何用妒西施"来推测中国在唐代就已生产和使用化工之母"盐"了。幸亏

① 许嘉璐先生的引文转引自张德鑫《润物细无声——论对外汉语教学与汉学》,《语言文字应用》2001 年第 1 期。

② 江蓝生教授的引文载张德鑫主编《对外汉语教学回眸与思考》,外语教学与研究出版社 2000 年版。

我还有一点古诗词的知识，知道此句中之“无盐”乃古代传说中的一位丑女，汉代刘向《列女传·齐钟离春》中有记载：无盐，原名钟离春，齐国无盐邑之女，貌极丑，年过三十还待字闺中，后“无盐”便成为“丑女”之代称；李诗“无盐何用妒西施”中“无盐”跟“西施”相对，显然是一种借代修辞手法，意为“丑女何必妒美女”，故“无盐”跟“食盐”可谓风马牛不相及。我帮那位汉学家纠正了这一谬误，赢得了他的尊重和友谊。90 年代初，我又被派赴美国 Uiran College 任教，校方要我用英语开设“中国古典文学”课（学生都不懂汉语），我只得用英语自撰教材，现编现教，苦不堪言，这是我出国任教最艰辛、最“痛苦”的一次。幸亏得益于我作为我国早期汉语出国储备师资而在北外正规学习过英语，且后来又长期坚持使用，加之本人自幼喜爱古典文学，忝居毕业于“文革”前中文系“科班”出身之列，在美国大学讲授这门课还算成功。终于苦尽甘来，不仅后来出版了这部 *A Survey of Classical Chinese Literature*（中译《中国古典文学概观》）英语专著，还因开这门课及出这部书，被美国“国际社会科学荣誉学会”（International Honor Society in Social Science）授予荣誉会员证书。本人上述经历，在当时来讲恐怕纯属“偶然”；但到今天及今后，当对外汉语教学跟国际汉学逐步“接轨”后，必将会有越来越多的对外汉语教师去播撒这样的种子。

倘说跟国际汉学接轨才刚起步，对广大对外汉语教师来讲还“遥远”了点，但千里之行始于足下，每位老师的文化积累不应等待，切莫虚失光阴。其实，只要留心，身边的学问可说俯拾即是。有次偶尔读到马克思的话“历史有惊人的相似之处”，随即联系到人类的语言、文化也不例外，并想到了汉英两种语言中的比喻之妙，会发现许多惊人的相似之处，如皆用钢铁比喻坚硬、用大象比喻巨大、用羊喻温顺、用狐狸喻狡猾等等；由此再作反思，又发现了更多相异之处，遂先后写出了《貌合神离，似是而非——汉英对应喻词中的"陷阱"》《汉英词语文化上的不对应》等汉英对比论文，使自己在教学和科研中至今受益匪浅。

总之，在提高文化修养上，笔者的深切感受是要提倡在治学上做有心人，相信由量变到质变的哲学规律，日积月累才会有朝一日水滴石穿。

（四）"外功"之四——电脑技能

信息时代给我们带来了思维革命及当代崭新的教育理念和手段。教育也要信息化。教师必须学会使用电脑，进行多媒体计算机辅助教学，这是新世纪发展对外汉语教学的必由之路，也是新时代对外汉语教师提高业务素质的必备之功。

有人预言，多媒体技术的出现及发展，人类将迎来一次比印刷术、电话和电视更大的技术革命。而教育信息化，多媒体计算机辅助教学（即 MCAI，Multimedia Computer-Assisted Instruction）正是利用多媒体技术将教学内容以人类联想的方式，把包括语言处理技术、图像处理技术、视听技术等多媒体技术予以有机集成，并将信息显示在屏幕上，使学习者通过交互操作来进行学习的一种教学手段，从而大大提高学习效率和质量。这无疑将改变人们传统的思维定势、教学观念及学习习惯。因而 MCAI 既是一种现代教育技术，又代表着一种崭新的当代教育理念。可喜的是，语言教育，特别是外语和第二语言教学在接受并运用这一技术和理念上，会首当其冲，从而受益无穷。

仲哲明先生《现代教育技术与对外汉语教学的改革》一文在

这一问题上有精辟论述。该文指出:“所谓教育信息化,就是要在教育过程中全面地运用以多媒体计算机和网络通讯技术为基础的现代化信息技术,促进教育的全面改革,使之适应未来信息社会对于教育发展的要求,培养造就大批具有正确选择、收集信息,分析、综合、判断信息,加工、处理、创造信息的知识和能力的人才,亦即具有创新精神和创新能力的人才。”①为加快推进教育信息化建设,世界各国特别是发达国家和地区如美、欧、日本、新加坡,我国的香港、台湾等地区相继做出近期和远期规划,并不惜大量资金投入,因为教育信息化的程度已被看做衡量一个国家教育现代化的重要标志之一。我国教育信息化比之那些发达国家和地区,虽起步略迟、起点略低,但发展速度还是较快的。教育部根据《国家信息化“九五”规划和 2010 年远景目标(纲要)》的要求,已把教育信息化列为《面向 21 世纪教育振兴行动计划》的一项重要内容,并加速实施,其中当然也包括我们的对外汉语教学。为此,对外汉语教学界再也不能固守“仅靠一本教材、一支粉笔、一张嘴巴,或者最多再加上一些图表、画片、幻灯、投影仪、影视片段,在课堂上进行重复而繁重的传授知识的表演,而是要适应时代要求,跟上信息化步伐,充分运用现代教育技术,向传统教学模式冲击,踏出一条对外汉语教学的新路子”②。

实践不断显示并越来越证明教育信息化绝非是一般教学方法、教学手段的改变,除此之外,它还可导致教学内容、教学模式

---

①② 参见仲哲明《现代教育技术与对外汉语教学的改革》,载《第六届国际汉语教学讨论会论文选》,北京大学出版社 2000 年版。

和教育思想观念的深刻变革。由于MCAI系统及网络系统(如教室网、校园网、因特网)具有集成性、交互性、超文本、超媒体等特性,从而能为语言教学创造理想的教学环境,在教学中能充当多种角色,既是知识渊博、反应敏捷、诲人不倦的老师,又是友好合作、互相启发、共同探索的学习伙伴,还是师生们呼之即来,挥之即去的忠实助手,非常有助于激发学生学习的主动性、积极性和创造性,使之真正成为语言学习认知活动的主体和信息加工的主体;教师则也不再是学生的"主宰",而成为教学活动的设计者、组织者、指导者,逐步形成一种全新的教育理念,印证并推动第二语言教学理论的发展。

说了这么多教育信息化的必要性和优越性,但归根结底,多么先进的技术,都是人赋予的,还得靠人去做才能有用,也即最终还得落实到我们对外汉语教师身上,看我们是否具备了这些现代教育技术的应用能力去实现之。何况信息的价值在于应用,倘只赞不用,好比埋金于土一文不值;而善用者则犹如点石成金能真正创造财富。当然,对于掌握和运用这些新"功夫",不应一刀切,一种标准,一样要求,而应分不同层次,如:对所有对外汉语教师来说,至少应初步了解多媒体计算机辅助教学系统(MCAI)的基本理论和操作要领;希望尽可能多的教师能比较熟练地将这些理论和技术应用于教学实践;要求少数骨干教师能达到独立设计教学软件的较专业化水平。

常言道:学海无涯,活到老学到老。对外汉语教师应掌握的基本功,应具备的"内功"和"外功"也是无止境的。本文仅据作者自己的经历和体会,谈了四大方面的"诗外"功夫,也许并不全面准确,每位老师还得根据自身情况及本职工作来进行调适,缺啥补啥,或"量身定做",并不断更新,以满足对外汉语教学事业发展的需求,应对新世纪的挑战。

二　关于教案设计[①]

《对外汉语教学课堂教案设计》是华东师范大学吴勇毅老师在国家汉办立项的一个科研课题,这是个集体项目,书中的教案设计出自众人之手。汉办师资处的初衷,无非是给青年教师以示范,使对外汉语课堂教学更加规范,科学性更强,从而逐步使我国的对外汉语教学融入世界上第二语言教学主流,使汉语作为第二语言教学(或外语教学)像英语作为外语教学(TESOL)那样真正成为一门科学。这样看来,教案事关全局,不可小觑。对于从教多年的老教师而言,写教案是教学过程中必有的环节,多年如一日,日新日日新。而一些刚刚步入对外汉语教学领域的新教师,面对眼花缭乱的各种教材,面临课堂教学纷繁复杂的局面,设计教案时常常茫然不知所措。这本教案设计可以起到领路和示范的作用。远在1964年,作为全国唯一一所专门对外国人进行汉语教学的大学北京语言学院刚刚建立,王亦山院长就对青年教师提出"上路下水"问题。其目的在于嘱托青年在步入对外汉语教学崇高殿堂时,应有足够的思想准备,应苦练基本功,应从足下做起,自然包括认真写好教案,不走弯路,而且要起点高,符合教学的科学规律,符合课堂教学的操作规范。本书的教案,春兰秋菊,各有千秋,望识者从中看出门道。本文作为附

---

① 本节选自赵金铭《论"教案"——〈对外汉语教学课堂教案设计〉代序》,华语教学出版社2003年版。

骥,谨就教案问题,略陈管见。

当过教师的人都知道,教师要把自己的知识或技能口头面授给学生,起码得要打个腹稿,上者应形成文字,于是,或编为教材,或写成讲义,或制成教案。

语言教学的教材和讲义实为一回事,皆为根据教学大纲和实际需要,为方便教师教学和学生应用而编选的教材。这就是我们所使用的课本。

教案则不同。教案的依据是教材。语言教学的教案更是对教材的重新演绎。也就是说,教案是教师以某种教学理论为指导,根据自己的理解,将教材中有关材料重新编排、处理和加工,使之更利于学生理解、吸收和掌握。所以,教案是教师在授课前以课时或以单元为单位编制的教学具体方案。它是授课的主要依据,是保证教学质量的重要措施。语言教学的教案详略不拘,格式不定,风格各异,呈现着明显的个性化倾向。究其原因,则一部语言教材本来就体现着编者的教学法思想,也体现着对语言本质的认识。在此基础上制定的语言教学教案,既不同于传业型的讲稿,也不同于讲释型的讲义,它是一种训练型的课程操作程序。"大匠授人以规矩",在不违背规矩的情况下,语言教学教案通常应包括如下内容:

(1) 教学内容

(2) 教学目标

(3) 教学程序(时间分配)

(4) 教学环节(教学步骤)

(5) 教学方法

(6) 课堂教学活动

（7）教学辅助工具（图片、实物、教具）准备

（8）课下语言实践、作业及检查

我国的对外汉语教学已经历了五十多年的发展，我们的教案设计也已有了五十多年的积淀。我们已经积累了十分丰富的课堂教学经验，早已形成我们自己的一套教学模式。老教师的言传身教，已经把新教师带上了教学第一线。同样不容否认，依然有一部分人教学尚带有一定的盲目性，不具备科学程式，不讲求操练技巧，缺乏行之有效的纠错改正能力，对教学中可能出现的问题不能未雨绸缪，缺乏预见性，应变能力差，诸如此类。如欲解决这些问题，唯一的办法就是认真写教案，反复思考，写细写好。也许有人会说，教案就是那么几部分，课课写，天天写，千篇一律，岂不重复？特别是一部教材已经教过不只一遍，轻车熟路，完全可以率由旧章。此言差矣！一个有经验的语言教师，是不会使用旧教案的。如果使用也要经过增补、删汰，或作结构与内容的重新调整。所以如此，一则因为教学对象不可能完全一样，他们的学习策略与学习方式就会有差别。对象变了，教学安排应因人而异，因材施教，随时调整教学内容，变换教学方法，采取相适应的教学手段。二则从教师的角度看，教学应不断出新，不断注入新的想法、新的思路，寻求最优化教学，于是教案也不能一成不变。如果使用旧教案以适应新的学习对象，甚或搬用别人的教案以图省时省力，教学中必定方枘圆凿，难于推进。

对于同一部教材，针对相同的教学内容，不同的教师也会设计制作出不同的教案。这就好比建造一幢楼房，规格造价确定之后，建筑设计方案却可多样化一样。在对外汉语教学中，因为“教无定法”，故教案应是个极具个性化的东西，但殊途同归，万

变不离其宗，无论使用什么样的教学方法，只要方法得当，行之有效，都可以达到预期的教学效果。但是又要“教有定则”，教学规律、教学法则，不可违背，这是共性的东西。比如教发音，音素的先后顺序，难易调配，单个地教还是语流中教，均可灵活处理。但语音系统不可紊乱。必要时应该成对地教，如送气与否。有时也要按同一发音部位来教，如 j、q、x。因此，教案设计的百花齐放，与教学规范的强调，正是个性与共性的统一，二者是不可偏废的。

本书所提供的教案设计并非样板，并不要求每位教师都照此办理，这里只提供一个范式，但无论如何，语言教学的教案应该写，必须写，而且要写得好，写得细，写得有特色，显示出个人的教学风格，这样教起来才得心应手，故此就不得不下些功夫。本书中的教案都是精心设计的。因出自不同学校的不同教师之手，从中也约略看出风格与取舍上的差异。

国外第二语言教学法已形成诸多流派。新中国的对外汉语教学虽已经历了五十多个寒暑，至今尚未形成独具特色的汉语作为第二语言教学的教学法主流，流派也未显现。语言教学流派的汇成与产生并非凭空臆想，也并非闭门造车。它是从教学实践中产生的，是由教学经验上升为理论而形成的。流派的形成有许多契机，教材的编写与教案的设计是不容忽视的两条重要途径。

我们曾经主张对外汉语教材应由行家来编写。所谓之行家里手，是因为他们具有丰富的教学实践经验，汉语功底深厚，有教学理论与第二语言习得理论的素养。他们所编之教材，体现着语言观，浸淫着教学法原则与方法。我们可以预期，随着教材编写的科学化，教材编写思路的多样化，以及教材编写体例的开拓创新，自然会水到渠成，形成某种教学法流派。

我们这里要特别提及的是还有一条不容忽视的途径，那就是教师的教案设计。教案设计虽说本乎教材，不能完全摆脱教材本身教学思路的规约，但却可以在教学安排与教学技巧上下功夫，可以在传授与操练的内容上见短长，可以在训练的方式上独出心裁，出奇制胜，达到事半功倍的效果，比如复习与检查环节，就既可以温故又可以知新。在课堂教学伊始，即教学法上通常说的提前准备阶段，便激发起学生学习的积极性，有助于以饱满的热情完成整个课堂教学。又如新的教学内容、新的语言点如何导入，也大有讲究，如何寻求最佳导入时机，用什么方法能以旧带新使学生于不知不觉之中接触到新的语言现象，怎样才能使这个新的语言现象在学生头脑里留下最深的印记。又比如，在进行生词教学时，生词出现的顺序与彼此之间摆放的位置排列是十分重要的，生词出现的顺序，体现着联想记忆的原则，生词彼此的位置关系与词义搭配息息相关，这都需要下一番功夫，琢磨透才行。此外，如训练的顺序，由理解性练习，逐步过渡到机械性记忆练习，最后进入自由活用练习，如何一步一步，如剥竹笋，层层深入，直至腹心，这都需要费一番苦心。所以，教案并非只是提示几个教学环节，把握好合理的时间就算了事的。“天下大事，必作于细”。教案设计越细越精密，环节之间丝丝入扣，安排得越紧密、妥帖、恰当，发现的问题也就会越多，思考得也就会更加细密入微，这不仅使自己的教学渐入佳境，还可以为个人的科学研究蓄积资料与素材。

这样，我们就把教案的设计与科研挂上了钩。我们天天上课，不断地写教案，教案付诸实施时，又会随时发现或遇到自己不能解决的问题，或有待修订的教材问题，或应予改进的教学问题，甚至是学生问起而自己一时回答不了的问题，凡此种种，如果我们不有意地抓住它，它便会像轻风浮云从我们身边悄悄地溜走。有心人则会把它记下来，并随时随地地搜集资料，从材料中发现问题，捕捉研究课题。对外汉语教学研究，无论是哪方面的研究，说到底都离不开语言材料。真正是"有一分材料说一分话"。吕叔湘先生就曾十分强调材料的重要。吕先生说，"务实就是钻研材料"。"钻研的结果可能是对前人的结论有所补充，或者有所修正"。"由于钻研材料而把前人的结论推翻，代之以新的结论，这当然是创新，可是这个创新显然是务实的结果"。[①]所以，要想研究对外汉语教学，首先得大量占有材料。没有材料的研究，无异于"无米之炊"，岂不是"空对空"？

现在，话再说回来。重视材料的积累与教案设计有什么关系？精心设计教案又如何有助于科研？

一般说来，设计教案时，首先要吃透教材，搞清教材编写者的意图，抓准重点和难点。在这一缜密深邃的思考过程中，定会对其中的若干现象形成自己的看法，这些初始的看法必定会显现在教案设计当中，留待今后进一步挖掘。此其一。我们建议，在每一份教案之后，做一个备忘或附记。记下该教案在实施过程中的问题，也可算作对该教案实施后的自我反思和评估，认真品题自己的教案。在此记下教学中遇到的问题，诸如课堂教学效果、教学难点的展开及其突破，学生的情绪动态，学生的不解与疑问，新

---

① 参见吕叔湘《务实与创新》，载《第三届全国现代语言学会议论文集》，语文出版社 1994 年版。

教法实施效果，教材中编排解释不当之处甚至误导的地方，教学中出现的意想不到的问题及如何应变，等等。能解决的记下当场是如何解决的，一时不能解决的暂时存疑，作为今后研究的问题。如此天天记，课课记，有话则长，无话则短，不拘一格，不惮其烦，几年下来会积累一大笔财富，会令我们终身受用无穷。我们就再也不会为找不到研究课题而发愁，也不会为没有掌握第一手的语言研究资料而烦恼。这是写教案带来的更大的收益。

本书所提出的教案设计，是基于纸本教材，应用于课堂环境，为面授教学而服务的。它是为了给成年人习得第二语言寻求最优化教学设计。但是，今天我们已经进入了信息时代，应用现代教育技术，借助于先进的科技手段，为提高教学质量探究新的教学模式，已经刻不容缓。

众所周知，新型的课堂教学应以学生发展为根本，以促进学生发展为取向，应该注重学生自主学习与探究，更何况我们的教学对象大都是成年人，他们心智成熟，有一定的文化学养，他们有独立思考的能力。因此，在课堂上，我们强调师生互动，精心营造一种积极主动的学习气氛，在课堂上形成一种愉快和谐、群体活动的场景，让学生成为学习的主体，成为课堂的主人，而教师只不过是导演或乐队指挥。

另一方面，课堂在今后相当长的时期里还将是我们教学的主要场地，教学质量的提高，在很大程度上要依赖课堂教学的变革。我们如果仍然沿袭旧有的认知和课堂教学模式，教学质量的提高便无从实现。有鉴于此，在纸本教材还在大量使用的情况下，教案的设计也有待于改革与创新。创新之路就是依据固定教材设计教案的同时制作多媒体教学课件，应用于课堂辅助教师教学。

所谓之课件，就是一种辅助教学的程序性教具。它是利用计算机应用软件，将授课内容依据教学程序和时间分割，制作成包含文字、声音、图像、视频剪辑等多媒体形式，以供教师课堂教学使用。课件作为一种教学工具，可以通过有效合理的使用，而达到教案规定的要实现的教学目标。所以，从某种意义上说，教案应包括对教学课件的选择、控制和使用，因为课件反映了教案的设计思想。

这种教学课件是在软件平台方式下讲课时所用的一种"讲稿"或"教案"。由于采用多媒体技术，它在灵活性、趣味性、启发性、吸引力和深入程度等方面便远远超过手写的"教案"，应用这种"教案"就会把课堂变成一个师生共同参与、彼此进行言语交流的场所。教学效果会更好，教学质量也会更高。目前，已有不少教师尝试制作对外汉语教学多媒体课件，并应用于课堂教学，取得了意想不到的效果。它是纸本教案重要的组成部分，有了课件教案就更上一层楼。今后在条件许可的地方，应提倡制作教学课件，应用教学课件。如果条件还不成熟，作为今后的发展方向，高山仰止，亦可佳也。

教案也好，课件也好，本为自用，今公诸世，任人评说，实难能可贵，定会嘉惠学人，推动对外汉语教学事业的发展，可喜可贺。

三 对外汉语教学的备课艺术[①]

备课即课前的准备，它是决定课堂教学质量高低的关键。

---

① 本节选自黄晓颖《对外汉语教学的备课艺术》，《汉语学习》2004 年第 3 期。

因此，备课艺术是整个对外汉语教学艺术中极为重要的组成部分。有人认为教外国人汉语很简单，只要会普通话就行。也正是基于这种错误的认识，个别教师的“备课”只是课前简单地浏览一下要讲的内容，至于教学环节的安排、板书的设计、教法的选择、教具的准备等都置之度外。如此备课，根本无法保证教学质量。大凡优秀的教师，都会有这样一种共识——要使一节课富有艺术感染力、达到最佳教学效果，首先必须讲究备课的艺术，在这个环节上下大功夫、花大力气。

（一）要驾驭备课艺术，教师首先要提高自身素质

同样是认真备课，有的教师会备课，能备好课，当然只有这样，才能讲好课；有的教师则不会备课，无论怎样努力，也备不好课，当然也不可能讲好课。这主要取决于教师的素质如何，要备好课，教师首先要提高自身素质。

对外汉语教师首先语言学基本功要过硬，要掌握语言学理论和汉语文字、语音、词汇、语法、修辞等诸方面的知识。语言学理论是让教师对语言有一个较为系统的、全面的认识，以指导其语言教学活动；汉字知识可以使教师了解字源、造字规律，以增强汉字教学的系统性和趣味性，这有助于克服学生学习汉字的畏难情绪。而汉字书法本身就是一种艺术，教师应把汉字写得十分规范，若再写得一手令人赏心悦目的好字更会增强课堂教学的艺术效果；汉语语音知识一方面可以使教师自己说一口标准的普通话，另一方面可以使教师发现学生发音错误的症结所在，并进行有效的纠正；汉语词汇知识一方面可以使教师能够准确快捷地辨析词义的异同，另一方面可以使教师从构词规律角度指导学生掌握词的意义及用法，培养学生根据词素推测词义的能力;汉语语法知识可以使教师敏感地发现并纠正学生的病句,言简意赅地解释各种语法现象及其相互关系;修辞知识既可用于指导学生写作,又可以使教师自身的授课语言生动、活泼、形象。

对外汉语教师还应掌握教育学、心理学、第二语言学习理论,等等。很多教师讲课不受学生欢迎,不是语言学知识不够,而往往是不懂教学法,不懂心理学,不懂第二语言学习的规律。我们知道,怎样设计板书、怎样提问、怎样处理讲与练的关系、怎样营造一个活泼轻松的课堂氛围、怎样调动每一个学生的学习积极性、如何最大限度地提高教学效率等问题,都不是语言理论本身所能解决的。因此,对外汉语教师除了应掌握语言自身的规律外,还必须掌握语言教学规律和语言学习规律,从而在课堂上真正体现以学生为主体的教学原则,实现最佳教学效果。

对外汉语教师要不断充实与对外汉语教学密切相关的知识,如中国文化、当代社会方方面面的新知识等。我们都知道,文化与语言是密不可分的,不了解目的语的文化,就不可能真正学好目的语。正因为如此,在对外汉语教材中,中国文化知识无所不在。举个简单的例子来说,教材中提到清明节,就会有学生问清明节是怎么来的,如果教师对这类问题总是一问三不知,显然是不称职的。此外,教师要紧跟时代的步伐,不断更新自己已有的知识,还要摄取当代社会方方面面的新信息。因为我们的教学对象有很多是受过高等教育或正在接受高等教育的人,如果教师的知识过于贫乏、陈旧,一方面会影响教师的个人威信,另一方面也有损我国高等教育的声誉。我们无法想象一个不知纳米为何物或对电脑一窍不通的人,怎么能适应现代教育的需要。

对外汉语教师要加强自身的品德修养。教师除了要有渊博的知识，还应具备高尚的道德情操，富有人格魅力。作为一名对外汉语教师，起码应做到热爱祖国，热爱对外汉语教学事业，热爱自己的学生，对工作一丝不苟，对学生一视同仁，诚实谦虚，乐于助人，不说有损人格国格的话，不做有损人格国格的事。既掌握高超的教学艺术又富有人格魅力的教师，才能彻底地征服学生。这自然会有助于克服学生学习的情感障碍和文化障碍。

对外汉语教师如果不具备上述素质，只是就课文备课文，是永远也谈不上备课艺术的。当然，上述素质不是一朝一夕就能“备”出来的，要靠勤奋学习、日积月累，才能“修成正果”。

(二) 从宏观到微观全面吃透教材

从宏观上，先要明确所教课程在教学计划中的地位、作用，明确本课程的教学任务、目的，以便把握好授课的详略、训练的侧重点，还要把握好教材的范围、深度和进度。此外，应对与本课平行的其他课程的教材及教学进度有所了解，起码对本课的语法点及重点词语是否在其他平行课中讲过，要做到心中有数，以便确定备课内容的详略。

从微观上，首先要认真阅读教材的前言或使用说明，了解教材的特点、体例、学时安排。其次要熟悉教材中每一课的全部内容，从生词、课文到语法、练习都应了如指掌。如遇到多义词，应了解此前是否学过这个词的其他用法，若学过，要复习一下。更要了解这个词在本课中的用法，若是初级班，可暂不交代其他用法，若是中、高级班，应将其他主要用法简单地讲解一下。对那些重要的有难度的词语或语法点，应多设计出几个语境，反复练习，直至学生能举一反三。再次，备课时要“备”出教材的不足，以便提前予以纠正和弥补。任何一部教材都会因印刷质量、编写仓促、编写者考虑不周等诸多因素而产生某些缺陷和错误。若是印刷错误，最好在讲解本课之前就让学生把错误改过来，以免学生在预习时弄错。

(三) 深入了解教学对象

现代教育理论提倡以学生为中心，一切教学活动都应根据学生的特点和需求来进行，以便增强教学的针对性，提高教学效率。

1. 了解学生的母语特点。

了解学生母语特点的目的是为了更科学地确定语音、语法等方面的教学重点和难点，并选择相应的教学对策。如日本学生普遍发不好“ü”和带“ü”的音，可选择夸张口型的方法加以纠正。

2. 了解学生的汉语水平。

只有了解学生现有的汉语水平，才能确定讲课时所使用的词语及语法知识的范围、讲课的语速和教学进度。应尽量少用学生没学过的生词和语法，对零起点的学生不应过多地讲语法理论。语速应控制在至少百分之八十以上的学生能听懂的程度上，不宜过快或过慢：语速过快，大部分学生都听不懂，等于没讲；语速越慢，与自然语言的差距就越大，不利于提高学生的听力水平。

3. 了解学生的民族心理及个性心理。

来自不同国家的学生，民族心理差异很大。一般来说，亚洲学生普遍自尊心较强，没有绝对的把握不愿主动发言；而欧美学生则比较外向和活跃，课堂上争先恐后地回答问题。当然，即便是同一个国家的学生也存在着个性差异，备课时我们应根据学生的不同心理来确定提问方式及授课技巧。对自尊心极强的学生，不可在他毫无准备的情况下去提问他，可采取表面上是按着某种自然顺序依次回答问题，实际上是有意地把他排得稍后一些的办法，还可以采取在回答简单的问题时先叫他，在回答较难的问题时后叫他的办法。当然，无论采取哪种方式，都不能让他觉得自己不如别人。此外，教师对对象国的文化也要有所了解，像日本人就忌讳问对方的工资、问女人的年龄。在设计相关练习时教师应该巧妙地避开这些问题，比如可以问某种职业的平均工资，可以问学生家里其他人的年龄等。

4. 了解学生的学习动机。

学习动机是影响学生外语学习效果的极为重要的因素之一。雅克博维次(Jakobovits)经过调查研究发现，影响外语学习的几个主要因素是：动力占 33%，才能占 33%，智力占 20%，其他占 14%。我们了解学生的学习动机，就是为了不失时机地去激发它。

学生学习汉语的目的各不相同，有的是为了做生意，有的是为了当导游，有的是为了当汉语教师。但无论将来从事什么工作，大部分学生都要参加 HSK 考试。教师在备课时，应将 HSK 考试可能出现的词语和语法点备深备透，在设计平时练习和考试题型时，尽量与 HSK 考试挂上钩。这使学生感到上课对 HSK 考试大有帮助，从而激发学生的学习动机，提高学习积极性。

(四) 精心准备教学辅助用品

第二语言教学与第一语言教学有着相当大的差异，很多在第一语言教学中不是问题的问题，在第二语言教学中却都成了问题。比如对中国人来说，都见过对联是什么样子，可是对大部分外国留学生来说，就十分陌生了。如果上课时教师不结合实物来讲，可能费很多口舌也讲不清楚。因此，在对外汉语教学中教学辅助用品显得尤为重要。

1. 提前准备好讲课所必需的实物教具。

在对外汉语教学中，使用实物教具往往会收到事半功倍的效果。特别是初级班，学生还听不懂汉语的解释，此时应该尽量多用实物或图片去教生词，这样既省时又形象，而且便于学生记忆。即便是中高级班也会遇到某些难以解释的词语，像景泰蓝、刺绣、绢花、陶和瓷的区别，等等，这时也最好借助实物来讲解。

2. 注意搜集和积累与教学内容相关的材料。

对外汉语教材，特别是报刊阅读课的教材涉及到科技、经济、医学、交通、环境、法律、婚恋、伦理等方方面面，而当今社会可以说是日新月异的。我们不能只局限于教材所反映的时空内，要把新的知识及时填充到教学中。否则，很可能会因孤陋寡闻而在课堂上陷于被动的境地。

3. 有效地利用多媒体进行教学。

教师在备课时要设计好哪些内容应利用多媒体教学，如介绍某个名胜古迹的课文，最好找来相应的录像带，一边放，一边讲。有条件的话，应该多制作一些多媒体课件，使教学更加生动、形象，富于艺术魅力，学生上起课来也会感到兴味无穷。

（五）巧妙设计教学环节

教学环节的设计应依据语言学习理论。比如根据遗忘先快后慢这一记忆规律，对所学知识要及时复习巩固。因此，我们每节课开始时都应通过听写、提问等形式对上节课的内容进行简明扼要的复习；每节课下课前应对当堂所讲的新知识加以归纳和总结，还要布置适量的课后作业；对某些重点、难点应注意反复重现。教学环节的安排也应该张弛相间。如果说教师讲授生词和新的语法点、让学生个别回答记忆性问题等环节是“张”的话，那么教师领读、集体做练习、自由会话等环节就是“弛”。教学最忌“张”得太满，这样学生难以接受；又忌“弛”得过松，这样影响教学效率。最好是“张”中有“弛”，“弛”中有“张”，比如在讲生词和语法点时应边讲边练，不时地调动学生参与，切不可一味灌输。这些都是我们在备课时就应该考虑到的。

（六）写出教案

教案主要有两大功用：一是提示，二是积累。对于教学经验十分丰富的教师来说，前者是次要的；而对缺乏教学经验的年轻教师来说，两者同等重要。有效地利用教案，可以避免教师讲课时顾此失彼、随意性太大，使教学更为科学严谨、有条不紊。

教案一般包括教案题目，即课文的课题；教学目的，即通过学习本课要达到的教学目标，目标应定得具体、明确、切实可行；教学方法，即讲授本课所运用的主要教学法；教学重点和难点，即根据学生的学习目的、层次水平等确定的本课的教学重点和难点；各教学环节，即如何导入新课、讲解知识点、教学互动练习、板书设计、课后作业等内容。

由于篇幅所限，上述很多内容都没有展开。可以说，讲课是一门遗憾的艺术，即便我们觉得备课备得已相当充分，一节课下来，还是或多或少地会有一些不足。这就需要我们从上述多方面去认认真真地备好每一节课，将遗憾降至最低程度，以提高教学效率，确保对外汉语教学的质量。

肆 信息化时代对对外汉语教师的要求

一 *课堂上的网络与网络上的课堂*①

现代信息技术的飞速发展冲击着我们的整个社会，也必然会引起对外汉语教学的变革。人们在广告的喧嚣和报刊文章的宣传攻势中，已经感觉到了这种必然的变革趋势。人们在思索，在讨论：课堂教学还重要吗？甚至有的教员担心自己的位置是否会被取代，感到一种潜在的"下岗"隐痛。

本文的目的是就新形势下对外汉语教学改革的方向进行探讨，并根据对外汉语教学自身的特点，提出如下观点：

1. 课堂教学仍然是对外汉语教学的中心环节，它不应当被削弱，而应当通过引入网络技术、基于计算机的多媒体技术等现代教育技术使之更加完善，更加合理，具有更高的效率。但课堂教学中技术因素的量和度，必须针对教学需求得到适当的控制，否则会效果不佳，甚至会出现负面效应。

2. 目前，网络上对外汉语教学存在着多种形式，但把课堂教学搬上网络，或者说在网络上创造虚拟的课堂教学环境，将是最有效的远距离教学方式。模拟得越逼真，其教学效果越接近真实环境下的课堂教学，教学效果也将会越好。

---

① 本节选自郑艳群《课堂上的网络和网络上的课堂——从现代化教育技术看对外汉语教学的发展》，《世界汉语教学》2001 年第 4 期。

3. 无论是课堂上的网络,还是网络上的课堂,都是传统的教学理论和方法所难以适应的,都需要有现代教育技术在理论和方法上的指导,都需要有教育技术专业人员的参与才能顺利进行。现代教育技术应当在教师、学生和现代媒体技术之间创造一种和谐,只有这样,才能产生比传统教学方式更好的教学效果。

(一) 对外汉语教学:人的因素和技术因素

众所周知,不同学科的教学对技术的依赖程度和所依赖的方面是有很大差别的。就目前的现状来看,技术学科中运用现代媒体技术比较普遍,效果也比较明显。原因是这些学科本身需要一定的技术含量,而从事这些学科教学的人员又有掌握现代信息技术的先天优势(例如物理教学、计算机教学等)。然而,对外汉语教学则是另外一种状况。语言是人与人之间直接的或间接的交际工具,因此,语言教学离不开人的参与,人的因素在语言教学中有着比其他学科更高的含量。这同时也导致了从事汉语教学的教师和技术之间有着某种天然的距离。但是,我们不能就此得出结论:语言教学,特别是对外汉语教学不需要现代技术,不需要改革。问题的核心是,我们怎样去把握汉语教学过程中人的因素和技术因素,并使两者有机地结合起来,从而产生出超越现存模式的教学效果?

目前,我国的对外汉语教学仍然以课堂教学为主要的手段。课堂教学模式经过多年的积累,形式多样,教学效果也不错,经验已经相当成熟,可以说目前还不能为其他的方式所替代。无论是其教学质量,还是其权威性,都是相当可靠的。否则,就不会有那么多的人漂洋过海、不远万里走进我们的汉语课堂。

那么，为什么课堂教学在对外汉语教学中的作用如此重要呢？

首先，从目前大多数的情况来看，课堂教学是以一个相对稳定的班组来进行的。这个班组由若干水平接近的学生和一个或多个教师组成。在这个微型的社会结构中，每个人的角色和职责都是明确的。在这里，教师既是语言知识的传授者，也是语言技能的训练者，还是学生使用新的语言进行交流的首要对象。学生从教师那里获得的不仅仅是教材中的知识，教师本身的形象和魅力，也对学生具有很强的感染力和吸引力，使学生体验到许多无法写入教材的社会文化知识。从这个意义上讲，汉语教师的角色是目前的技术手段所无法取代的。因为当前最先进的计算机的智力水平也还无法与人相比，而虚拟的汉语教师还存在着学习者的认同感问题。（我们在此不去预测未来当计算机的智能水平接近或者超越人类的情况，因为我们无法知道到那个时候外语教学是否还有必要。）一定数量的学习伙伴，也是必要的，对于外语的学习尤其重要。一个班组的同学，既可以是互相帮助提高学习兴致的伙伴，又可以是学习中竞争的对手和交流的对象。这些，同样也是无法用技术的手段替代的。

其次，我们来考察一下课堂教学的过程。课堂教学是由教师和学生组成的集体在一定环境中进行的活动。课堂教学由教师的讲解、示范、提问，学生的练习、回答和讨论等若干环节构成。一堂生动的课堂教学是科学性和艺术性的体现，它造就了一种浓厚的学习氛围。这种使学生融入其中的氛围，充分调动、集中了学习者的能动性，是提高学习者学习效率的主要原因。应当说，现在的技术手段虽然已经相当发达，但是要逼真地用人工的方法模拟这样一种课堂教学的现场气氛，在相当长的一段时间内是不可能做到的。因此，我们可以认为，面对面的课堂教学所达到的效果，是任何远距离教学形式都不能比拟的。这有点像人们对音乐会和足球比赛的感觉：尽管现在的转播效果已经相当好，但是仍然不能替代现场的参与感，所以人们仍不惜花很多钱跑很远的路到现场去观看。同样，毫无疑问，尽管远程教学将不断发展，那些想学习汉语的人士，仍会不辞辛苦跑到汉语的故乡中国来。

第三，我们必须看到，目前课堂教学的效率是离不开技术支持的。我们可以简单地设想一下：如果孔夫子当年也是一位外语教师，那时还没有发明纸张，也没有粉笔和黑板，学生面前不得不摆放着成捆的竹片，那么老先生能像现在的老师一样挥洒自如吗？其课堂气氛和效果显然是不能与现在相比的。课堂教学中的技术体现在教室环境、设备、教具、教材等方面，也体现在教师的教学以及对学生学习过程的监控中。没有现在音频、视频技术的使用，现在的汉语教学也必定会碰到很多难题。但是，人们常常意识不到技术因素的存在，因为这些都在课堂教学中与整个教学过程和谐、自然地结合起来了。如果人们明显地感觉到技术的存在，那么它一定是刚刚引入的新技术手段，或者是多余的、不恰当的技术手段。

从以上我们对目前对外汉语教学最成功的模式——课堂教学所进行的分析中可以看出：

第一，人的因素对语言教学有着极其重要的作用。新技术的使用不能冲淡或者限制课堂教学中人的因素，因此，在远程教学的设计中，应当考虑如何更多地模拟和体现人的因素。

第二,课堂教学离不开技术的支持。当前的课堂教学模式建立在过去的已有技术(黑板、粉笔、图片、教具等)之上,并非完美无缺。在更新的技术条件下,如基于计算机的多媒体技术、网络技术已经出现的时候,无疑会导致课堂教学模式的更新。如果我们假定现在的课堂教学效果为1,而在新技术条件的支持下,其效果一定会大于1。

本文提出的"课堂上的网络与网络上的课堂"的观点,正是基于以上的认识。其含义是:一方面,要把多媒体和网络技术引入课堂,使课堂教学更加完善;另一方面,在网络教学中,应当尽可能地再现课堂教学的人的因素和优势。

(二) 课堂上的网络:课堂教学模式的更新

所谓课堂上的网络,是指以网络为传输手段的、基于计算机技术、多媒体技术和网络技术的一种辅助教学形式。据报道,国外一些小学的课堂教学也已经开始使用网络技术。

对外汉语教学采用的教学网络,其组成大致是这样的:

硬件包括:一台作为教室局域网的服务器,同时又是教师使用的计算机,并且与电子投影仪、数字摄像机等音像设备相连接;供学生使用的终端计算机是可以掩藏或弹出式的,并带有立体声耳机等设备;教室局域网以可以控制的方式同校园网和因特网相同;教室局域网的硬件设施,应当支持高速的多媒体处理功能。软件包括:教室局域网管理平台以及教学控制、教学评估的软件、多媒体教学课件、用于各类语言技能操练的教学用素材库等。

从纯技术的角度来看,这种网络教室是综合应用了传统的音频、视频技术和基于计算机的多媒体技术、网络技术的系统。

这样的系统的特点是操作简便，容易为教师所接受。同时，由于外部网络的连接，不仅开拓了教学资源的来源，而且提高了教学资源的共享价值；网络所具有的可控特性，能够保证其不影响课堂教学的效果和气氛。

下面，我们探讨引入网络的对外汉语课堂教学可能会发生的一些变化：

第一，变封闭式课堂为开放型课堂。传统的课堂教学基本上是一种封闭式的教学方式，这种方式对于集中学生的精力和形成课堂气氛大有好处。但是，如果课程涉及某些与社会、外界人群密切相关的内容时，往往只能靠教员口说，或者留待以后的社会实践课再补上。网络技术的应用则为课堂教学提供了一种可以控制的开放性。教师可以根据教学内容的需要，安排远程的对话或访谈，聆听其他教师的讲课，观看某些场景和活动的转播。必要的时候，还可以指定学生到网络上检索资料或者参与网络上虚拟社区的具体活动。这种可控开放性，会使课堂教学变得更加活跃和富有吸引力。例如，在汉语阅读课上，教师指定学生阅读一部文学名著《红楼梦》，布置对某一段落进行讨论，讨论范围既包含所涉及的写作技巧和方法、好词好句的运用，也包含相关的中国历史、地理、文化等方面的知识。这些资料都是学生在课前通过电脑查询参考资料之后获得的。但由于每个学生的侧重点有所不同，因此通过交流，大家可以取长补短，既了解了写作的方法和技巧，又丰富了相关的中国历史、地理和文化知识。

第二，教材的形象化、多样化。许多有经验的教师都对对外汉语教学中的某些难点的教学深有体会。例如，四声问题、语法中的一些难点等。传统的教材和教学手段常常对此束手无策。原因是抽象的讲解或者示范都很难让学习者产生正确的认识和清晰的印象。基于计算机和网络的多媒体技术,可以使教材形象化、多样化,从而增加学生的感性印象,使一些教学难点得到解决,有助于学生的理解。目前,网络上已有不少针对汉语的听、说、读、写课程的形象生动的教学资源,初级、中级、高级各层次的汉语学习者,都可以在课堂上的网络中找到他们各自所需要的文字、图片、动画、视频资料,进行交互式的学习。如查看某个汉字的笔顺动画、听某个汉字或词语的读音、阅读一段小故事、看一段中国人过春节的场景、听一段新闻或听一段课文的朗读、找到中国历史年表,等等。

采用如上方式的教学有以下特点:

第一,教学方式的灵活性。在教学方式上历来有"教师为主"还是"学生为主"之争,但实际上是各有所长的。在基于网络的课堂教学中,可以灵活地运用。按照教学内容的要求,如果需要以教师为主进行讲解释义,就启动以教师为主的教学程序;反之,如果需要以学生为主进行操练,就启动以学生为主的过程。事实上,二者往往是交互进行的,网络和计算机为这种灵活的教学方式提供了便利的条件。

第二,促进因材施教的实施。因材施教是人们一直坚持的教学原则,但是在传统的课堂教学中,实现起来并不容易。其一是老师对学生的情况往往把握得不一定准确,其二是教师只有一张嘴,两条腿,哪能面面都照顾得到?通过网络的监控技术,教师有可能比较准确地把握学生的学习程度,然后,有针对性地发出不同的指令,从而避免学生之间的互相干扰。

第三，改善教师和学生之间的关系。在传统的课堂教学中一些可能影响师生关系的问题有望得到改善和缓解。例如，当一位教师面对许多学生授课时，有的学生出于自尊心方面的原因，不好意思开口，或不好意思说不会。又比如，坐在前面和后面的学生的注意力、学习的效果是不同的。借助课堂上的网络，学生面对电脑进行训练，不用担心说得不准确会被人耻笑；网络手段改变了教师和学生的距离，使学生有亲近感，可以提高每一个学生的注意力。

值得注意的是，如果教师过分地依赖网络，不再深入到学生之中，肯定会导致另一种新的隔离和疏远。

第四，提高教学评估的科学性。根据现代教育技术的理论，不进行评估就无法得知教学效果，而教学效果的检查也不应该是一次性地进行期末考试，而是应该贯穿于整个教学活动之中。有了课堂上的网络，教师就可以通过教师机随时查看学生的学习情况，为考查和记录学生的学习效果提供条件，还可以考查学生的反应情况、学习效果，分析他们的问题，同时还能得到学生学习汉语的中介语的第一手材料，为研究外国人学习汉语的认知和习得规律掌握第一手资料。

由此可见，通过网络，教材形式丰富了，学习方式更有利于发挥学生的主动性、积极性；用多媒体手段展示必要的语言环境、场景，更接近于真实；有可能做到因材施教，有利于提高学习效率，还可提高教学评估的科学性。

我们还必须清醒地认识到，课堂上运用技术手段的度、量和时机应尽可能地把握得当。它不应当冲淡自然的人际交流的气氛，不应当削弱教师的面授职能。可以设想，一位教师拿一个做好的多媒体教材，让计算机从头运行到尾，那么学生会满意吗？这样的教员不就仅仅相当于一个放映员吗？根据我们的体会，在课堂上使用网络和媒体的时间，一定要把握恰当。同时，课堂中技术手段的运用在内容上要与整个教学内容相协调，衔接过程要自然。也就是说，任何技术失误所导致的中断，都可能破坏和谐的教学气氛。另外，对某些具有较大副作用的技术应当加以限制。比如，学生在课堂上使用的计算机的汉字输入技术，比如具有模糊功能的书写技术，会影响学生准确地书写汉字，应当加以封闭。

（三）网络上的课堂：提高远程教学效果的重要手段

利用网络进行的远程教育（Distant Learning，DL）发展迅速，它的模式已经从纸介质主导的第一代，经历了电视介质主导的第二代，发展到以多媒体技术和计算机网络技术为特点的第三代。因此，与最先进的技术始终有不解之缘的汉语汉字，作为五千年文明史的载体，也得到了崭新的传播渠道。

现在，在因特网上已经出现了许多汉语教学的网站，但是总的来说，人们的评价并不高，其效果与目前的课堂教学还不具备可比性，人们常常批评它们是“课堂搬家”。本文则认为，他们恰恰没有做到“课堂搬家”，而仅仅是课堂教学的一部分——教学内容的搬家。在诸多形式的网络教学方式中，我们认为，只有做到完整的“课堂搬家”，即在网络上构造出虚拟的汉语教学课堂，才是提高远程教学效果的主要模式。因为只有这样，才能在网络上再现课堂教学所必需的科学性、艺术性和仿真语言学习过程所必需的“人的因素”，才能有基本的教学效果的保障。

如果使用网络教室中的摄像机，将一堂课的现场在网络上播放，虽然可以算作是一种网络上的课堂，但与使用电视的远程教育效果差不多。其视觉效果，目前虽然远不及电视，但是克服了电视的地域局限。但这仍然不够，网络上的课堂应当具备下面三个方面的特征：

第一，由有名有姓的固定教师和学习者构成虚拟的学习群体；

第二，体现课堂授课的真实过程和气氛；

第三，使学习者有参与感，即可以进行提问、会话和练习等。在技术上，实现上述目标可以有两种选择——半虚拟方式和完全虚拟方式。半虚拟方式：比如其中的教师和学生都是真实的，授课是该教师讲课的录像；真实的同学能通过网络进行交谈；他们战胜了距离，组成了一个虚拟的学习集体，因此，可以认为是"半虚拟"的。完全虚拟方式：就像网络上出现的仿真新闻主持人一样，教师、学生完全是电脑技术的产物，授课、提问、会话也都是跟虚拟角色进行的。比较这两种虚拟课堂模式，我们不难发现，半虚拟方式在组织上存在一定的困难，因为教师的授课、回答问题以及同学间的交谈，都必须有事先约定的时间，从而降低了网上学习的机动性。完全虚拟方式，使学习者具有很高的机动性，但实现的技术难度很高，在目前还只能做到某种程度的真实。

通过比较可以看出，真实的课堂教学肯定是最好的，而半虚拟的效果又好于完全虚拟的教学效果，这从目前人们对网络上的游戏的态度可以观察出来：那些以真人身份进行的游戏，远比只和计算机进行的游戏更有吸引力。当然，上述教学效果比较的结论是在教学水平差不多的情况下分析出来的。正如一场低水平现场音乐会的吸引力，肯定抵不上维也纳新年音乐会的转播。所以，在网络课堂上再现我们那些著名汉语教师的授课，肯定是许多人所期望的，也是提高汉语教学水平的重要途径。

构造虚拟的汉语教学课堂，有相当大的技术难度。无论服务器或者客户端设备，都需要有很高的信息处理和传输速度，特别是具备实时事件的处理能力。据说，现在计算机的处理速度每 18 个月会提高一倍，网络带宽每 3—4 个月会提高一倍，数据压缩和解压的能力也在迅速发展，软件和硬件环境也会越来越好。问题的关键是，应当有许多的汉语教学专家参与研究和制作，把他们多年汉语教学的成果加以累积并总结出来，这样就有可能创造出接近实际课堂教学环境的虚拟课堂环境。在某些方面，虚拟现实课堂甚至会超越现实的课堂。

未来的教育对教师提出了新的要求，为了适应新型的网络教学方式，网络汉语教师会应运而生，他们将通过技术手段把自己的教学经验表达出来，他们将在网上为学生们教授汉语、答疑解惑、联络感情、增进友谊、传播中华文化。

（四）教育技术：对外汉语教学改革的关键

无论是课堂上的网络，还是网络上的课堂，都是传统的教学理论和方法所难以适应的，都需要现代教育技术在理论上的指导和教育技术专业人员的参与才能进行。美国教育传播与技术学会（Association for Educational Communication and Technology，AECT）在 1994 年发布的有关教育技术的定义为：教育技术学是对学习过程和教学资源进行设计、开发、运用、管理和评估的理论与实践。目前，教育技术已经为越来越多的人所认识，并把它运用到各个学科的改革与发展之中，用来指导我们在提高教学质量、扩大教学规模、降低教育成本方面取得成效。对外汉语教学的发展和改革，当然也离不开教育技术的指导和参与。

第一，应当建立适合对外汉语教学特点的教育技术理论，用来处理和指导汉语教学改革中的具体问题。教育技术首先是一种理论，它研究教育过程中的各种关系，并把研究的结论体现到提高教学质量、扩大教育规模、降低教育成本的实际效果之中。随着现代科学技术的发展，可用于汉语教学的技术手段、设备越来越丰富，教育过程和方式都在发生变化，依靠传统的思维或者简单的方式来处理这些关系，是很难胜任的。语言教学是一个复杂的过程，应该根据不同的教学内容，运用行为主义理论和认知心理学理论，并运用现代科技手段强化教学，改善传统教学中的某些不足。所以，必须产生适合对外汉语教学特点的教育技术，这也是对外汉语教学现代化的重要标志。

第二，应当建立汉语教学方面的专业教育技术队伍。教育技术不仅是一种理论、技术，同时也是一种职业。教育技术人员从事教学过程的设计、评估、管理，从事教育资源的开发和应用，没有这样一种专业人员，也就谈不上教育技术的应用。过去也曾开发了一些针对汉语教学的软件、课件、光盘等，但是应用的情况并不理想，原因是汉语教师并非专业技术人员，在应用上存在一定困难。同时，这些产品也往往缺乏针对性。有了教育技术人员的参与，相信这个矛盾将会得到很好的解决。

第三，对外汉语教学要改革，对于任何教学模式的变革，对于一种新技术的运用，都应当通过实验的方法慎重进行。现行的教育方法和模式是经过了相当长时间的考察和反复实践才形成的。如果要引入新的机制，那么一定要经过理论上的论证，并付诸实验。尤其是对于对外汉语教学这种人的因素特别重要的学科，引入新的技术和方法必须考虑与人的因素互相适应，否则，新的模式的效果有可能不如原来的模式。

（五）结语

“课堂上的网络”，是对外汉语教学走向更高层次的发展形态；“网络上的课堂”，是对外汉语教学在广度上的拓展。两者既相互关联又相互促进。真实的和虚拟的课堂纵横相联将构成世界范围的汉语教学大课堂，这是对外汉语教学在新世纪的发展趋势。在中国走向世界、世界走近中国的历史过程中，这种发展趋势是必然的，也是必要的，更是需要我们为此付出努力的。

二　E时代对外汉语教师的应对策略[①]

（一）E时代对对外汉语教师的影响

随着教育信息化的日益普及，E-learning、E-education、E-business、E-training以及国内的E校、E教师、E管理等等一系列的新鲜术语铺天盖地迅速传播开来，笔者把这种具有数字化、网络化、多媒体化和智能化特点的信息化时代简称为E时代。

信息技术是推动教育改革的强大动力。我国四大骨干网的建成和连通，为教育系统提供了一个高质量信息服务的宽

① 本节选自徐娟等《E时代对外汉语教师应对策略》，载《第三届中文电化教学国际研讨会论文集》，清华大学出版社2002年版。

带多媒体通信平台。就技术支撑而言，以 CERNET 为例，目前全国已有 770 所大学连接到 CERNET，其中有近 100 所高校通过 100M 以上高速通信线路链接。许多高校都建成了先进的千兆校园网，校园网上的教学软件与教育信息资源得到了极大的丰富。同时，我国正在加大力度推广现代远程教育。据统计，2001 年年底我国参与开展现代远程教育试点的 45 所高校招收远程教育的学生人数超过 63 万，而 2002 年教育部又将试点院校由 45 所增加到 67 所，可见远程教育的发展势头又迈向了新台阶。

对外汉语教学是国家和民族的事业，是我国向世界展示我国教育技术现代化和高素质师资的窗口。对外汉语教师更应该向全世界充分展示我国教育信息化的风貌。E 时代下如何适应 21 世纪的先进教育模式，如何提高整个国家对外汉语教学队伍的素质等等，对对外汉语教学事业的发展有着极其重要而深远的意义。

（二）对外汉语教师面临的挑战和机遇

1. 面临教育改革的挑战。

信息技术在教育领域的运用是导致教育领域彻底变革的决定性因素，因此，现代教育技术是整个教育改革的制高点或突破口。现代教育技术对高等教育的影响是全面而深刻的。就宏观而言，它拓展了教育时空；就中观而言，它改变了传统的学校教育、班级授课的单一模式，改变了教师、学生的角色地位和相互关系；就微观而言，它使教师、学生及教育管理人员的思维、行为方式发生了革命性的变化……这些必将引起教育思想、教育观念、人才培养模式、教学内容、课程体系和教学方法等一系列重大的变革[①]。

当今深化高等教育改革的核心是：把建构既能充分发挥教师主导作用又能充分体现学生主体作用的新型教学结构作为主要的研究目标，在先进的教与学理论指导下，在结合各学科自身特点的基础上，运用以计算机为基础的信息技术所能提供的学习资源和学习环境，充分发挥学生在学习过程中的主动性、积极性，通过学科教学改革来努力培养学生的创新精神和实践能力，从而达到全面提高学生素质的目的。针对对外汉语教学领域，深化教学改革的主要目标就是要创建基于现代教育技术的对外汉语教学新模式。

2. 面临自我的挑战。

对外汉语教学领域中的许多教师，特别是中、老年教师，他们在学术上有深厚的造诣，在教学上也积累了丰富的经验。然而，一个无可讳言的事实是，由于我国教育长期的"文理分家"，自然学科与人文学科互不搭界，使许多对外汉语教师形成知识结构上的某种欠缺，他们习惯于在理念上将多媒体技术与网络技术视为理科的事，积习使他们对传统的教学手段安之若素，对电子计算机抱着一种"敬而远之"的态度。而在工科、理科、生物学科等其他学科里，由于多媒体技术的逐渐普及和网络技术的应用，教学手段、教育技术正在发生着越来越大的变化。因此，必须清醒地认识到，如果不从现在花大力气抓起，对外汉语教学现代化的工作将会越来越滞后，最终会影响对外汉语教学学科

---

① 参见丁卫泽《现代教育技术条件下教师的角色定位》，《电化教育研究》2002年第3期，第16—19页。

自身的发展。

随着信息技术的发展,信息技术硬件和软件不断更新换代,教师的信息技术知识与技能或者空缺,或者不足,或者老化,需要补充或更新。教师应该是不断接受新知的学习者。只有连续不断地终身学习才能适应社会发展的需要,跟上时代的步伐,不至于被淘汰。这也符合后现代主义教育观。如果教师不了解如何更加有效地运用技术,所有与教育有关的技术都将没有任何实际意义。教师自我应树立这样一种紧迫感——以往传统的教学模式再也不能无限期地继续下去了,不改变落后的教学手段,不掌握新的科学技术,最终是没有出路的。

3. 抓住机遇,积极参加教育技术培训。

作为“新世纪教改工程”的重要组成部分,“教育技术培训”是深化教学改革、提高教学质量的重要举措。教育技术培训旨在通过教育技术基本理论的学习、基本技能的实际训练和优秀教学案例的示范研讨,促进高校教师教学能力的提高,增强教师应用现代教育技术的主动性和自觉性。其主要任务是力争在“十五”期间,基本完成对全国高校教师的培训,使教学思想、教学方法、教学手段的改革取得显著进展,使高等学校应用教育技术的整体水平得到明显提高。

教育部高等教育司委托全国高等学校教育技术协作委员会负责培训工作。全国高等学校教育技术协作委员会已经组织制定了培训大纲、编写出版了培训教材,并授权在 97 所高校成立了教育技术培训中心,具体实施对校内外教师的培训工作。现代教育技术为教师施展才华提供了契机,如果不把握住这一历史机遇,就会成为时代的落伍者。

(三)对外汉语教师应对策略研究

这里主要从以下五个方面来探讨:

1.具备扎实的专业知识功底是前提。

专业知识作为本体,这在任何时候都是颠扑不破、不可动摇的。对外汉语教学是语言教学的一种,是应用语言学的一个分支学科。专业知识包括第二语言教学概论、课堂教学概论、对外汉语教材编写与分析、汉语水平测试、对外汉语语音教学、语法教学、词汇教学、汉字教学、阅读教学、听力教学、口语教学、报刊教学等。对外汉语教师不仅要能熟练掌握对外汉语教学的理论知识框架,还应对相关课程的知识重点、难点及与邻近学科的关系有足够的了解,而且还要不断吸取本学科的最新学术成果。

2. 建立"E化"教学的思想观念是根本。

现代教育信息技术呼唤要深刻变革对外汉语教学,而转变思想观念是最根本的环节。因为"授人以鱼,不如授人以渔"。给人以鱼,仅供一时之需;教人以渔,则终身受用。现代教育观可归纳为:素质教育观、终身教育观、双主体教育观(即"以教师为主导—以学生为主体")、创新教育观、情商教育观、四大支柱教育观(即"学会认知,学会做事,学会共同生活和学会生存")六个方面。[①] 应当以先进的教育科学理论为指导,主要涉及教育原理、教学理论、学习理论、教育心理、教学设计、教育传播学、教育测量、教学评价等多方面,从而改变单纯依靠教材、粉笔、黑板的传统教学模式,形成将书本知识和社会的各种信息相结合、教

---

① 参见薛业《信息化网络教育下教师角色的转换》,《现代远距离教育》2002年第1期,第56—57页。

师传授和学生自我探索相结合的全新的现代教学模式。这些理论如果仅仅照搬书本既枯燥又空洞，令教师难以接受；如果结合对外汉语教学的特点，根据典型案例引导教师进行深入研究，掌握现代教育理论中先进的教育理念、教学方法、教学手段和教学管理内容，并且倡导在教学中灵活运用这些教育教学理论，在教学方法和教学手段上得以体现，就能够大大丰富教学内容，拓展教育空间。

在转变教育思想观念的过程中还要重视对教育问题的思考与分析、对教育实践的观察和反思。没有理论指导的实践是盲目的，也是最终要失败的。

3. 培养应用现代教育技术的能力是关键。

(1)"专业为体，技术为翼"，二者缺一不可，相辅相成。

要克服对现代教育技术的神秘感、恐惧感和焦虑感。对外汉语研究在工具论层面上的定位是指从事现代科技手段如何应用于教学与学习的研究，其理论基础为计算语言学和现代教育技术。[①] 因此，对对外汉语教师而言，掌握现代教育技术已成当务之急。

考量掌握与利用现代教育技术的水平具体体现在是否具备信息技术的基础知识和操作技能，是否具有利用信息技术获取、交流、处理与应用教学信息的能力。只有在"专业为体，技术为翼"的指导方针下，才能培养教师综合运用计算机辅助对外汉语教学的能力，从而加强对外汉语师资系统的整体性建设与目的

① 参见赵金铭《对外汉语研究的基本框架》，《世界汉语教学》2001 年第 3 期，第 3—11 页。

性建设。

(2) 信息化教学设计模式。

从现代教育技术应用的实际情况来看,存在许多片面性,一谈到计算机辅助教学似乎就是开发课件。其实课件只是信息化教育系统的一个构件,其他构件如积件、电子作品集、包件等,也越来越多地受到重视,特别是积件由于将教育理论和教学设计与CAI产品开发相分离,具有高度灵活性、通用性和可重组性,因而能够更好地发挥教师教学的主导性。一个完整的信息化教育系统除了课件、积件等以外,还需要利用多种信息工具和大量的信息资源作为教学支撑。培养教师应用现代教育技术的重点应该从课件设计开发转移到信息环境下的教学设计。

教学设计(即教学系统设计)是运用现代学习与教学心理学、传播学、教学媒体论等相关理论与技术,来分析教学中的问题和需要,设计解决方法,试行解决方法,评价试行结果并在评价基础上改进设计的一个系统过程。教学设计的开展,有利于教学工作的科学化和青年教师的培养,有利于教学理论与教学实践的结合,有利于科学思维习惯和能力的培养,有利于信息化教育的开展和多媒体教材质量的提高。①

信息化教学设计模式的构成要素有以下八个方面:学习需要分析、学习内容分析、学习者分析、教学目标设计、教学策略设计、教学媒体设计、教学过程设计、教学设计评价。由这八个要

① 参见皮连生《教学设计——心理学的理论与技术》,高等教育出版社2001年版,第5—23页。

素构成的教学设计过程，可用图1—1的流程图表示。①

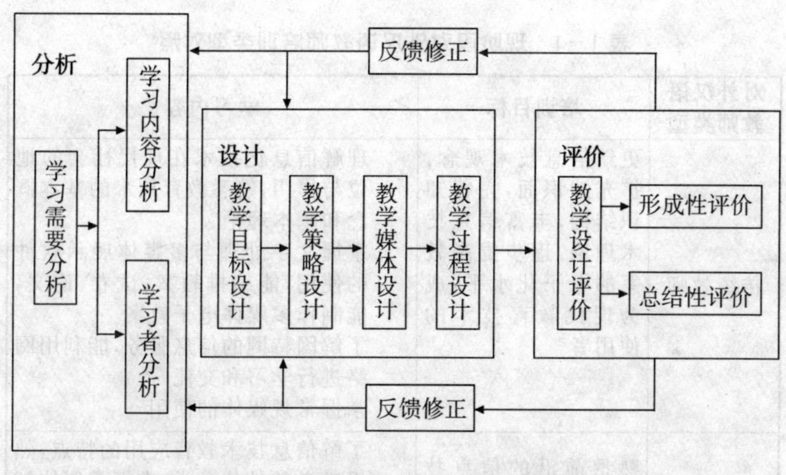

图1—1　信息化教学设计模式流程图

(3) 培训类型阶段化与层次化。

高等学校教育技术等级培训大纲共分为三级：第一级是基本理论和基本技能；第二级是一般原理与基本技术；第三级是网络课程开发。

本文将对外汉语教师分为传统教师与网络教师两大类型。传统教师就是在传统课堂教学意义上的教师。根据对外汉语师资的整体素质水平，达到第一级培训要求是现阶段的主要任务。网络教师(E教师)是指利用因特网开展教学活动的教师。与面授教师相比较，网络教师掌握新知识的要求是巨大的，要以更大的宽容和知识容量迎接来自网络教育学习者的挑战，因此应当达到第二级培训要求。不同类型的老师对应的培训目标与学习

① 参见徐英俊《教学设计》，教育科学出版社2001年版，第58—66页。

内容见表1—1。

表1—1　现阶段对外汉语教师培训类型对照

对外汉语教师类型	培训目标	学习内容
传统教师	更新信息技术观念，扩充知识面，完善知识结构，丰富信息技术理论，逐步提高教案的电子化水平，成为现代教育技术的使用者	● 理解信息化技术在现代社会的地位与作用，熟悉教育技术的基本概念和基本理论 ● 掌握文字处理与多媒体展示软件的使用，能编排教案、试卷、论文，能制作多媒体电子教案 ● 了解因特网的信息服务，能利用网络进行学习和交流 ● 掌握常规媒体的使用
网络教师	熟悉前沿的信息技术理论与发展动态，掌握现代新型信息技术媒体在教育教学过程中的应用，培养网络技术使用能力，逐步提高网络教学的质量，成为现代教育技术的传播者	● 了解信息技术教育应用的特点，熟悉教学软件的分类，掌握多媒体辅助教学软件的使用方法 ● 熟悉学习的原理和策略 ● 熟悉教学环境的功能、教学目标的设计和教学评价的基本方法 ● 掌握多媒体素材制作的基本方法 ● 掌握主页的制作与发布，能将电子教案、作业、参考材料等放到网上

4. 调整重心是必然。

在双主体教育观的理论指导下，新型教学模式的核心在于如何利用信息技术，充分发挥学生在学习过程中的主动性、积极性与创造性，使学生在学习过程中真正成为信息加工的主体和知识意义的主动建构者，而不是外部刺激的被动接受者和知识灌输的对象；使教师成为教学信息的制作者、加工者、处理者，教学过程的组织者、指导者、管理者，学生建构意义的引导者、帮助者、促进者，而不是知识的灌输者和课堂的主宰。由于教学方式发生了变化，教师的作用不是削弱了，而是更加重要了。教师大量的工作从课前的资料准备、课堂上的讲授知识变成了课前的教学情景设计、教学软件的熟悉、教学资源的选择或重组、教学活动的策划等。教师在传授知识的同时，更要帮助学生去寻找、发现、组织和管理知识。

传统教师要成为教学过程组织的专家：在教学中侧重于组织教学过程，对学生的学习提出建议，确定学生的学习方向和指导学生进行学习，并就学习重点、难点、思路和方法给予学生指导和点拨，以提高学生的自学能力。

传统教师还要成为教育资源整合专家：掌握数字化教学的设计方法，将教学内容以多媒体、超文本、友好交互等方式进行集成、加工处理，转化为数字化教学资源。善于利用教学信息资源结合自己的教学设计，善于驾驭多种形态（文字、音像、实物、电子）的教材，把握各种教材的设计思想、编导意图、表现特点，并针对学生的特点和需求，构筑自己的数字化电子教案。

网络教师除具备上述两点外，还要成为教学课件（或积件）设计专家：具备设计高质量、适合学生自学的多种学习材料的能力，设计出适合于学生独立学习的远程学习材料的能力。[①] 网络教师既要考虑内容，又要考虑技术（包括信息呈现技术、传输反馈技术）；既要考虑实时的信息组织方式，又要考虑异步的教学内容扩展。网络教师不仅要解决教育的繁重任

---

① 参见刘建安《关于教师适应现代远程教育的思考》，《开放教育研究》2002年第1期，第51—52页。

务和出现的问题,还要克服网络时代的负面影响,保证学生身心健康发展。

5. 相应举措与政策是保障。

(1) 逐步建立基于互连网络的教育信息资源共享系统。

对外汉语教师需要得到内容资源层面上的服务:提供免费或有偿使用的、水平内容适合的、媒体格式丰富的、便于多种教学环境使用的教学资源。所以,应当逐步建设科学的、规范的、共享的对外汉语教学多媒体资源库(包括素材库、积件库、课件库等),为教师提供大量的图片、声音、动画、视频素材,方便教师整合教学资源。更可以让教师在互连网上开阔视野,领略学科最前沿的知识,在知识的海洋中畅游。

(2) 为教师创造良好的现代教育技术运用环境。

为了充分发挥教学资源的功能和使用效率,让多媒体设法进入教研室、年级组,建议建立专门的电子备课室,将录像机、电视机、计算机等设备以及编排有序的软件资料放到教师最方便选取的地方,解决教师利用多媒体备课的不便。还要在教室里配备计算机、投影仪等设备,并能联通到校园网上,供教师上课使用。有条件的话还可以配备专门的计算机辅助教学设计人员,或者加强教学单位与相关教育技术单位(如网络教育学院、电教中心、信息中心)的通力合作,辅助专业教师完成数字化课程整合,使广大教师运用现代教育媒体进行备课和教学就像用黑板和粉笔那样便利。

(3) 加强教育技术培训工作。

各级教育行政部门和各高等学校要高度重视教育技术培训工作,把教育技术培训作为高校教师队伍建设的经常性工作,常抓不懈。争取做到80％的教师都能接受现代教育思想和现代教育技术基本知识、技能的培训，50％以上的教师具有信息化教学设计的能力，20％以上的教师具有从事现代教育技术科学研究工作的能力。要制定相关政策，在教学过程中积极应用教育技术，鼓励创新，强调教育技术应用模式的多样化和广泛普及，努力营造提高教学能力、重视教学效果的良好氛围。

（4）将运用现代教育技术纳入教学评估体系，促进教师进行教学改革。

应根据对外汉语教学的学科特点，结合教学设计的原则，从教学的目的性、教学内容知识结构设计、教学媒体的选择、教师主导作用的发挥、学生主体作用的体现、教学效果等方面制订客观的教学评估指标体系，将现代教育技术的应用和研究开发成果纳入评估体系中。对使用现代教育技术的教学过程进行检查、督导和评价，并对有示范性的教学过程进行演示或组织教师观摩学习。同时，在成果认定、职称评定方面出台相应的政策，并在设备购置、经费分配上给予一定的倾斜。

（四）总结

E时代下对外汉语教师任重而道远。教师除了具备较高的专业知识外，还需要具有基于信息技术的现代教育思想和新的教育观念，设计行之有效的新型教学模式，熟练掌握和运用各种相关技术，并具有继续学习信息技术新知识的能力。唯有不断更新知识，把握和追踪现代教育思想和教育技术的发展，不断提高自身素质，才能顺应时代要求与时俱进，成为既能使用现代教学媒体和资源，又能运用教学设计的理论、方法设计教学过程的高素质的对外汉语教师。

三 信息化时代对外汉语教师的作用①

进入21世纪后，信息技术与传统教育相结合，正在引发一场深刻的教育革命。作为跨文化、跨国界的对外汉语教学，如何利用最新的信息技术、网络技术、多媒体技术、现代远程教育技术，结合传统对外汉语教学的理论和方法，在现代远程对外汉语教学事业中做出新尝试，是北京语言大学网络教育学院近两年来努力探索与研究的课题。随着"网上北语"对外汉语教学的不断深入，我们对教师在网上对外汉语教学中的作用进行了重新定位。

(一)"网上北语"的教学情况

"网上北语"的对外汉语课程分为学历课程和培训课程，课程体系与北京语言大学其他学院接轨并相互承认学分。修读学历课程的外国留学生可以通过网络完成部分学分，在学校的实体学院完成部分学分，修完全部学分后由学校根据学分的比例颁发相应的证书。

目前上网的23门汉语学历课是汉语言专业和中国语言文化专业一、二年级的课程。教学方式是：学生自学网络汉语多媒体课件，通过 Internet 进行网上实时或非实时答疑、讨论、作业提交和辅导等，在当地集中考试。教学是开放性的，没有时间、地域的限制，学生注册后，可以以自己的进度和方式学习。另外，学习过程中可以通过常见问题库解决遇到的一些问题，也可

① 本节选自赵冬梅《论信息化时代对外汉语教师的作用》，《云南师范大学学报》2003年第5期。

以通过 E-mail 提交作业，通过语音答疑提出问题，与教师进行交流。定期安排教师进行实时答疑和实时教学。专设讨论区，以便网上学生相互交流。目前学生还不能通过网络参加考试，需要在规定的时间和指定的地点，在有人监考的情况下进行每门课的结业考试，考试通过者可以得到相应的学分。

非学历教育的培训课程中有一些是针对不同的学习目标而设置的。根据不同的学习时段、不同的学习内容，把学历教育的主干课程拆分为：入门、基础、提高、高级四个层次，重新整合出31门非学历汉语培训课程。也有一些课程是根据学习者的需要而设立的专业汉语培训课程，目前有《初级商务口语》《旅游汉语》《HSK 辅导》等。修读非学历教育课程的学生通过课程考试，可以获得单科结业证书。有的非学历课程学分可以累积，达到学历教育毕业要求的学分时，也可以申请撰写毕业论文，通过论文答辩者可以获得有“网络学习”字样的学士学位证书和北京语言大学本科毕业证书。

“网上北语”目前聘有 14 位网上学习指导教师。这些教师都是具备“三证”的懂现代教育技术的对外汉语教师。“三证”即教育部颁发的教师证、国家汉办颁发的对外汉语教师资格证书和教育部授权全国高等学校教育技术协作委员会颁发的教育技术等级证书。这里特别需要说明是，信息技术在教育领域的运用，要求从事现代远程对外汉语教学的教师必须是树立了信息化时代现代教育思想和观念的人，必须是具备了现代教育技术和手段的人，必须是热爱对外汉语教学，并把它当成一项事业来做的人。所以，在“网上北语”从事课件脚本编写、教学设计、学习指导和答疑的人员，都是接受过现代教育技术培训,掌握初级或中级的现代教育技术和手段的一线汉语教师。

（二）网上对外汉语教师的定位和作用

1. 定位。

通过两年来的网上教学实践,我们逐渐认识到网上对外汉语教学是借助先进的技术手段完成远距离的对外汉语教学活动,与传统学校面授教育相比,网上的对外汉语教学仅仅是表现形式和传输手段发生变化的一种新的教学模式,而非一种新的教育体系。为保证网上对外汉语教学的质量,首先是请有教学经验的老师依据现有纸版本教材编写网上汉语教学课件脚本,或根据学生的学习需求,编写和设计新的网络教学课件。[①]

在网上教学这种新的教学模式下,“教师的角色不再以信息的传播者或组织良好的知识体系的呈现者为主,而是从‘教师’转变为‘导师’,从‘教’学习者,转变为‘导’学习者”。[②] 因此,在网上对外汉语教学实施过程中,教师由传统面授转变为网络指导、答疑,网络教师的定位由“教学”转变为引导网上的学生“学什么”“怎么学”。

2. 作用。

（1）向导、引路作用。网上对外汉语教学的学生进入网站后,首先面对的不是传统的老师,而是引导学生一步步进入网络

① 参见赵冬梅《基于网络的对外汉语教学课件脚本编写初探》,载《国际中文电脑学术会议论文集》,新加坡国立大学出版社 2001 年版,第 96—100 页。

② 参见周洁贞、王少华《试析远程开放教育模式下的教师角色》,中国教育网 http://www.cernet.edu.cn. 2002 年 3 月 8 日。

课程的网络教学平台。这个网络教学平台的开发依靠的是有教学经验和管理经验的教师根据多年的教学实践，为编程人员写的“对外汉语教学平台需求”分析报告。这就要求教师必须了解网络教学的特性并把教师的引导作用与网络教学的特性相结合，使学习者通过这个教学平台，对他要学习课程的概况、步骤、要求有所了解，“引”其入门。

网上汉语教学通过对网络平台的管理制度、“导学”手段、教与学的模式、支持服务体系等项的介绍，使学习者了解什么是网上学汉语，明确网络汉语学习与传统面授教育、函授教育、电视教育的不同，帮助学生建立起初步的网络汉语学习概念；之后，学生在网上了解专业的培养目标、教学计划和开设的主干课程等。此时，教师的作用就是通过网络平台帮助学习者在对网上所开课程有较清楚认识的基础上，能够自主、科学、合理地选择课程。尽管学生在网络上看不到真实的教师，但是学生所看到的一切都是按照教师设计的对外汉语教学、学习思路来完成的。

(2) 参谋、指导作用。学习者经网上报名、验证、注册后进入网上对外汉语教学学习系统，成为“网上北语”的学生。如何使网上的课程能满足学生自主学习和个性化学习的需求，如何建议学生合理选择学习媒体呢？此时，教师的作用就是要从学习者的需要和可能两方面考虑和选择教学素材和媒体，当好学习者的参谋。

“网上北语”的对外汉语教学课程目前有网络版学习课件和纸介质教材两种，最近应学习者的要求，正准备制作可供学习者随时脱网学习网上汉语课程的光盘版课件。在一些网络课程当中，脚本编写教师将一些课件中的练习根据不同的答题时间设置成不同的难度等级，满足学生个性化学习的要求。教师还根据学生的汉语水平和自己对网上教学素材的掌握情况，为学习者提供有针对性的学习建议和学习指导，使学习顺利进行。网上教师在学生自主学习和个性化学习方面的参谋、指导作用是非常重要的。

（3）课程设计和鼓动作用。当学习者借助丰富多彩的网上学习环境和资源，激发起学习兴趣，使学习转化为内在需要时，功劳应归功于课程设计者。正是因课件脚本教师的设计和"鼓动"，才充分调动起学习者学习的积极性。在网上对外汉语教学课件中，脚本编写教师借助于交互式的课程设计与组织，以及多种媒体图、文、声并茂的多重感官刺激，诱发学习者的学习兴趣，为学习者创造特有的知识再现的环境，推动学习者主动参与知识建构活动，这正符合皮亚杰的发生认识论：人类认识发生的始源性机制就是主体参与。为此，网络课件脚本编写教师必须对课程的多种媒体进行精心策划、组织和一体化设计，采取适当技巧弥补多媒体教学设计上的情感缺失，以丰富教学环境，并在此基础上，采取相应措施诱导、鼓励学习者尝试和坚持使用多种媒体帮助自我学习，并从中掌握获取各种汉语知识的途径、方法。

（4）参与、辅导作用。网络教育模式下学习者的自主学习和个性化学习，是有教师辅导帮助的自主学习和个别化学习，这是它区别于其他教育形式的重要特征。在网络教育中，学习者的学习起点多种多样，知识能力因人而异，学习目标也不尽相同，因此，有教师参与的学习辅导和帮助贯穿于网上汉语学习者学习的全过程。[①] 具体体现在：第一，每门网上课程，我们采取教师先在网上对课程内容做文字的总体介绍（包括课程学习大纲和考试大纲、课程体系结构、每课学习重点等）的方法，让学习者对课程内容和学习要求有一个基本了解，便于学习者自主和个别化学习；第二，根据课程特点和个人差异，网上教师提出学习方法和学习建议，包括指导学习者如何使用纸版本教材，如何发现自己的问题并提出问题，如何进行知识系统化整理，如何获取学习支持服务，如何带着问题参加讨论、提问和辅导，如何运用理论、方法去分析解决实际问题，如何进行备考和考试等；第三，在网络教育模式下，教师要采取以学生为中心、集中与分散辅导相结合，重点、难点精讲，利用多种形式如集中线下面授辅导、线上个别辅导、在线交流、小组讨论、网上语音答疑、网上辅导、E-mail 回复、声音邮件等，解疑答难，为学习者扫除学习上的种种障碍，增强其学习的信心和动力。

(5) 管理、监督作用。网上汉语教学借助网络、多媒体等技术实现了教与学的时空分离。这种教与学的"时空分离"带来了"师生分离"和"教管分离"，造成教师控制的先天不足，弱化了教学管理，使得网络教育过于依赖学习者的主体参与和学习者的自我管理能力。在没有教学管理压力的环境下，缺乏自我管理能力的学习者很难自主完成学业。基于此，网上教师就必须加大对教学过程的控制力度。具体应从课程作业的完成、平时作业的收交、学习进度的跟踪、各种媒体的使用、邮件收发记载、考

---

① 参见张普《现代化教育技术与对外汉语教学》，广西师范大学出版社 2000 年版，第 10—15 页。

核结果的评价和反馈等环节入手，加强对学习者学习过程的检查、监控和指导，从而既保证网络教育教学目标的实现，又借此培养、提高学习者的自我管理能力和自我控制能力。网上教师对学生的管理和监督，对保证学习者学习的有效性和教学活动展开的有序性起着重要的保障作用。

（三）有待改进和解决的几个问题

长期以来，教师由于受传统教育的思维定势和习惯心理的影响，在教学过程中习惯了以教师为中心、以教材为中心、以课堂为中心，完全把学习者当成知识的被动接受者，把他们牢牢地禁锢在课堂上学习书本知识。计算机、网络和远程通讯技术的发展并广泛地运用于教育，也改变着教师的思想观念和教师在教学中的地位和作用。我们从"网上北语"一年多来的教学实践中深深体会到，作为从事现代远程对外汉语教育的教师，还有以下需要改变和解决的问题：

1. 信息化时代的网上汉语教师必须转变观念。

网上汉语教师要变"以教师为中心、以教材为中心、以课堂为中心"为"以学生为中心、以课件为中心、以远程指导为中心"，一切教学活动都从学生在远端、自学这个出发点考虑，真正树立以学生为中心、一切为学生的学习服务的意识。①

2. 教师及时更新教育知识和技能，与时俱进。

现代远程教育的教师在编写和设计网络汉语教学课件时，要更新教育理念和知识，注意追踪新技术和新知识，树立"学习

---

① 参见张普《E-Learning与对外汉语教学》，清华大学出版社2002年版，第7—13页。

效率优先"的思想，网络课件中的指导、学习、答疑、辅导各个环节要实事求是地利用新技术、新理念，注意实效，注重网上已有的汉语教学资源的共享和整合。

3. 要重视对网上汉语教师现代教育技术的培训。

北京语言大学有很多教学经验丰富的教师，经过几代人的探索和努力，无论是在对外汉语教学教材编写，还是教学理论、教学方法方面都取得了可喜的成就。北语的教学环境、教学设备也随着时代的进步逐渐实现了现代化。只有让教师们接受现代教育技术培训，掌握现代教育技术这个有力武器，才能充分体现我国对外汉语教学领域高素质的师资水平，才能把对外汉语的教学理论、教学方法与现代化的仪器、设备、技术更好地结合在一起，打造出21世纪的信息化时代的对外汉语教学的优秀课件。

第二章

对外汉语师资培训研究

第一节 对外汉语师资队伍的构成

壹 对外汉语教师队伍建设

一 关于教师队伍建设的若干问题[①]

汉语作为外语教学的性质和特点对从事这项工作的教师提出了许多特殊的要求。不经过专门的训练,是很难达到这些要求的。但是我国高等院校过去没有设立关于汉语作为外语教学的专业,也没有开设有关的课程。广大教师由于没有受过特别的专业训练,教学上就只能凭经验,而且在备课和其他教学准备工作方面往往要花费加倍的时间。要开展语言教学理论的研究,一般首先要利用外国资料进行自学。但是,目前还不是所有的人都能够直接利用外国资料进行自学。那些看不懂有关的外文资料或者不愿意在这方面进行自学的人,由于缺少最基本的理论素养,就难以开展这方面的理论研究。现在从事汉语作为外语教学的教师一般都很关心教学法问题,但是有些人并不完全了解什么是语言教学法。提到教学法,有些人只想到课堂教

---

① 本节选自吕必松《对外汉语教学探索》,华语教学出版社 1987 年版。

学中的一些具体方法，例如，课堂教学包括哪些环节，怎样处理某个语法现象，怎样把课教得生动活泼，怎样利用形象化教具，等等。这些问题当然也是重要的，都属于教学法的研究对象。但是，仅仅研究这些，并不能解决教学中的根本问题。要建立一个比较科学的教学体系，还有很多更重要的理论问题要研究。就是回答上面的那些具体问题，也需要一定的理论指导。但是，由于没有受过特别的专业训练，现在真正从事这方面的理论研究的人可以说寥寥无几。北京语言学院已开设了对外汉语教学专业，专门培养从事汉语作为外语教学的教师。这为加强我们这个学科的建设带来了新的希望。但是，这仍然是一个初步的措施。如果不通过招收硕士和博士研究生来培养一些更高级的人才，恐怕还是不能从根本上解决教师队伍的建设问题。况且第一批受过专门训练的教师最早也要五六年以后才能参加工作，目前阶段就不得不考虑如何对现有教师进行培训的问题。语言学院曾开办过几期补课性质的教师进修班。其实补课的任务还远远没有完结，像应用语言学、心理语言学、语言教学法等语言教师所必需的课程，都还没有系统地学过。当然，也有的教师在这方面做得较好。看来还需要再开办学制为一到两年的进修班，专攻上述课程和其他有关的课程。与此同时，还应通过减轻教学负担等措施保证教师经常性的学习和研究的时间。为了迅速培养教学和研究的骨干力量，还应有计划地选派一些工作表现突出、业务基础较好、外语水平较高而又比较年轻的教师到国外进修语言教学理论。汉语教师要不要到国外进修？我们认为不但需要，而且很迫切。这主要是因为国内对语言教学的研究还很不够，既然汉语作为外语教学也是一种外语教学，它跟其他外语教学就属于同一学科。在国内目前刚开始开设这种专业的情况下，必须更多地向国外借鉴。派教师出国进修，是向国外借鉴的途径之一。就是将来这种专业比较成熟了，也还有个国际间互相交流的问题。

我们相信，只要把汉语作为外语教学当作一个专门的学科来建设，并根据这一学科的性质和特点，在理论研究和教师队伍建设等方面采取一些得力的措施，我国的汉语作为外语教学就一定能赶上甚至在某些方面超过把本族语作为外语教学的世界先进水平。

二　再论教师队伍建设①

关于教师队伍建设问题，现在再专门强调几点。

1. 改革和完善教学体系以提高教学质量、加强理论研究以提高学术水平、加强教师队伍建设以提高教师素质这三项学科建设任务之间的关系，既是一种递进的关系，又是一种互相促进的关系。要改革和完善教学体系以提高教学质量，就必须加强理论研究以提高学术水平；要改革和完善教学体系以提高教学质量，要加强理论研究以提高学术水平，就必须加强教师队伍建设以提高教师素质。这就是一种递进的关系。提高教师素质也包括提高教师的学术水平，学术水平提高了，又可以更好地开展理论研究，所以加强教师队伍建设对理论研究是一个促进；教师素质提高了，学术水平提高了，就更能发现教学体系中存在的问题，也更

① 本节选自吕必松《关于对外汉语教学学科建设的一些问题》，载《对外汉语教学研究》，北京语言学院出版社 1993 年版。

有能力去解决这些问题，所以加强教师队伍建设和加强理论研究对改革和完善教学体系是一个促进。这就是一种互相促进的关系。这种递进和互相促进的关系告诉我们，在三项任务中，提高教学质量是中心，提高学术水平是关键，提高教师素质是根本。只有认识到这种递进和互相促进的关系，才能把三者当作一个不可分割的整体，才能在工作中自觉地把三者紧密地结合起来。

2. 加强教师队伍建设，就是要有计划、有组织地培养不同类型的教师，并使每一种类型的教师都有一定的层次梯队，以适应对外汉语教学的全面需要。所谓不同类型的教师，主要是指以教学为主的教师和以科研为主的教师；在以教学为主的教师中，既要有以教语言为主的教师，又要有以教语言学为主的教师，还要有既能教语言和语言学，又能讲授中国文化和"比较文化"的教师，其中要有一些人能直接用外语讲课；在以科研为主的教师中，既要有以研究语言为主的教师，又要有以研究语言学习和语言教学为主的教师，还要有以研究中国文化和"比较文化"为主的教师。这样区分，并不是把教学和科研以及不同的教学和科研内容截然分开，而只是要求各有侧重。具有双重或多重优势的教师当然更受欢迎，但是一个人的精力毕竟是有限的，平均使用力量，没有重点，就难以在某一方面取得更大的优势，做出更大的贡献。建立一定的层次梯队，就是要首先使所有的教师都能胜任教学工作（能胜任教学工作是最起码的要求，只有达到这一要求，才能取得对外汉语教师资格），然后在能够胜任教学工作的教师中，根据每个人的特点和工作需要，确定一部分人以教学为主，另一部分人以科研为主，同时确定每个人的教学或科研的侧重点，并分别加以培养；在以教学为主和以科研为主的教师中，都要着力培养骨干力量和尖子人才。教学尖子就是堪称教学样板的教学权威，科研尖子就是在国内外有影响的学术权威。只有形成了这样一种由不同类型的教师组成的教师梯队，特别是形成了由教学尖子和科研尖子组成的权威力量，对外汉语教学学科发展的步伐才能加快，对外汉语教学的学科地位才能得到巩固。

3. 要通过多种途径、多种形式培养对外汉语教师。首先要加强对现有教师的培养。凡是知识结构和能力结构不符合对外汉语教学要求的，应当组织补课。例如，凡是不懂外语或外语水平不够的，只要不是因为年龄关系不具备学习外语的条件，就应当补习外语；凡是没有系统地学过汉语理论的，都应当补习汉语理论；凡是没有学过心理学、心理语言学、教育学和语言教学法的，都应当补习这些方面的课程。补习的办法可以多种多样。例如，可以参加脱产或业务进修班，也可以根据指定书目自学。要鼓励和推动教师在工作实践中提高。例如，可通过教学检查、教学评估、教学试验、教学观摩、经验交流等多种形式提高教学水平，培养教学骨干和教学尖子；可通过组织编写教材、规定科研任务等形式提高教师的编教、科研能力和学术水平，培养科研骨干和理论尖子。还应当采取一些特殊措施培养骨干力量和教学科研方面的尖子人才。例如，可组织高级专门研讨班；可选拔一部分教师在职或脱产进行专题进修或念高级学位，包括派往国外进修。在加强培养现有教师的同时，要努力办好培养对外汉语教师的本科专业，明确专业方向和培养规格，加强课程建设（包括教学计划、教学大纲、教材、课堂教学等方面的建设）和教师队伍建设；要加快培养对外汉语教学方面的硕士研究生，并积极创造条件，尽快开始培养这方面的博士研究生。当然，这只是我个人的一点想法，也可以说是我个人的几点建议。

4. 补充对外汉语教师，首先要从对外汉语教学为专业方向的本科毕业生和毕业研究生中录用。有些单位的人事部门还不太了解对外汉语教学对教师的特殊要求，也不了解已有几所院校开设了培养对外汉语教师的本科专业，并已开始培养这方面的硕士研究生。因此，在录用对外汉语教师的时候，往往只想到原有的渠道。我想我们每一个具体的用人单位都有责任主动向各自的人事部门说明情况，疏通新的进人渠道。

我讲这些主要是想说明，我们在学科建设方面要做的事情确实很多，任务确实很重，要走的路还很长很长。

三　进一步加强师资队伍建设[①]

至今，我国的对外汉语师资已形成了相当的规模。在国家宏观政策的指导和推动下，教师的整体素质有了明显的提高。但仍有一些问题：专职教师数量的增加跟不上教学规模的扩大，教学和科研梯队建设不全，教师的知识结构不尽合理，教学能力和理论水平参差不齐等。

因此，今后将在以下几个方面加强师资队伍建设。

1. 改善和扩充对外汉语本科专业。

目前，有不少学校开设有对外汉语本科专业，但有的学校的课程设置与对外汉语教学的实际脱节，加上有的教师在教学中

① 本节选自陈昌来主编《对外汉语教学概论》，复旦大学出版社 2005 年版。

并未结合对外汉语教学实际，教学效果很不理想。所以，有必要结合实际需要，改善课程设置。而随着对外汉语教学规模的不断扩大，有必要扩充对外汉语本科专业，以培养更多合格的对外汉语教师。

2. 培养更多对外汉语教学专业的高级专业人才。

目前虽已培养了一批对外汉语教学专业的硕士、博士研究生，但还远不能满足教学和科研的需要，今后将加强这方面高级专门人才的培养。

3. 继续搞好在职教师的培训工作。

目前仍有教师尚未接受过对外汉语教学的专业教育，知识结构不尽合理，也有教师知识结构老化，因此须继续加强对在职教师的业务培训工作，以提高教学质量。

对外汉语教学的发展，不仅需要一批教师骨干梯队和学术研究梯队，还需要一批既精通教学及科研，又具有管理才能及外交能力的领导人才。因此，搞好人才规划，加强师资梯队建设，具有重要的意义。

贰　师资队伍建设中的成就与问题

一　对外汉语教学队伍建设与人才培养①

我们的对外汉语教学学科的学者和教师名单中，有不少令

① 本节选自范开泰《对外汉语教学学科的队伍建设和人才培养》，载《对外汉语教学回顾与思考》，外语教学与研究出版社 2000 年版。

人骄傲的熠熠发光的名字：吕叔湘先生在1950年7月任清华大学“东欧交换生中国语文进修班”副班主任，是新中国最早的对外汉语教学负责人。朱德熙先生是中国最早公派出国教学的对外汉语教师，担任过两任世界汉语教学学会会长。周祖谟先生1953年在《中国语文》上发表的《教非汉族学生学习汉语的一些问题》，是新中国最早发表的对外汉语教学的学术论文。“文革”结束后，随着改革开放政策的实施，对外汉语教学学科更是兴旺发达，人才济济。

但是我们也应看到，面对21世纪科学发展的总趋势，我们学科的人才准备还不是那么充分，甚至在某种意义上说，这方面问题的严重性，还没有得到领导方面(行政领导、学术领导)的足够重视。

我们需要一批顶尖的国家级的学术带头人，在对外汉语教学学科的基础理论研究、教学理论研究、基础工程建设和应用实践研究等各分支点上领导一支国家级的学术队伍，与各地区、学校的广大研究、教学人员共同构成本学科的专门人才的网络。我们可以通过国家级的研究课题、国家级的学科基地建设等任务来逐步吸收、组织专家队伍，协调研究方向，形成一个国家级对外汉语教学人才库。另一方面，通过世界汉语教学学会和中国汉语教学学会以及各级分支组织的学术会议、刊物、出版物等形式来帮助这个人才库的建设。

我们还需要发展、组织、统筹、完善对中青年学术骨干的培养工作。从学科发展的前景看，目前，我们这支队伍的学历层次还需要提高。这方面我们的思想要开通一些，一方面，青年人经过严格的基础训练，打好学术基础，对今后的实践运用大有好处；另一方面，有关专业的博士、硕士加入对外汉语教学队伍，对促进对外汉语教学各分支点的研究和建设是注入了生力军，而且对整个学科的交叉性、综合性研究和建设会产生重大影响。从学科建设角度讲，还要注意与教育学、心理学、计算机科学、社会学等等有关专业博士、硕士点的联系，请他们帮助培养为我们的学科建设服务的专门人才。

1988 年全国第一次对外汉语教学工作会议上，着重要解决的一个问题就是纠正把对外汉语教学看成"小儿科"的错误认识。11 年过去了，情况有了些好转，很多著名的大学注意加强对外汉语教学这一块的"学术领导"，提出要用与其他文理教育学科同样的学术标准来建设这一方面的学科基地。在学校机构改革中，这些基地的行政级别有升有降，或由"中心"升为"学院"，或撤销"学院"降为"中心"；从深层次上看，这些都是好事，是各级教育领导对学科基地建设采取了一视同仁的学术标准的结果。外因的变化可以促进内因的变化，我们应该乘这个东风，做好我们这个学科 21 世纪的人才培养和队伍建设工作。

二 对外汉语教学师资队伍建设与素质培养①

今年 2 月 7 日到 2 月 18 日，教育部、国家汉办在北京、苏州、济南三地组织了 2001 年至 2003 年国家公派汉语师资储备的选拔面试工作。目前，选拔工作即将结束，其结果除百名教师即将整装待发以外，同时也留给我们一些问题去思考。

① 本节选自张和生《对外汉语教学师资的队伍建设与素质培养——2001 年国家公派汉语教师选拔备忘录》，《北京师范大学学报》2001 年专刊。

(一)

对外汉语教学历来是一项备受国家重视的特殊事业,近年来更上升到"国家与民族的事业"的高度。如果不考虑汉语在历史上的传播,也不考虑不成规模的个人教学行为,而仅就新中国现代意义上的对外汉语教学而言,我们已经走过了半个世纪的路程。而由国家向海外派遣汉语教师,也有了近50年的经验,并且一直是对外汉语教学的一项重要工作。

在第二语言教学中,以母语进行第二语言教学的教师(native speaker)具有不可替代的语言优势。对于我们把汉语作为第二语言的教学来说,在实施教学的方式上,不外乎或是把学生招进来,或是把教师派出去,抑或是借助现代化手段实施远程教学。鉴于大多数学生并没有到目的语国家学习的机会,以及现阶段远程教学的诸多局限和课堂教学人—人交际的不可替代性,向海外派遣汉语教师又将是一项长期的工作。

近年来,由于国外汉语作为第二语言的教学有了长足的发展,国家向海外公派汉语教师面临着新形势。一方面,开办汉语课程的国家与机构不断增多,汉语教学规模日益扩大,因而对师资的需求不断增加;另一方面,国内有能力承担对外汉语教学任务的院校从原北京语言学院等仅有的几所,发展为遍布全国的300多所院校。而专职教师须持普通话等级证书与对外汉语教师资格证书上岗的制度,为我们师资队伍的专业化提供了保证。为了适应新形势,教育部、国家汉办对外派汉语教师的方式也做了相应的调整,由分配名额到公开选拔;由一年一选到三年储备。对汉语教师综合水平与教学能力的评估也逐步趋于规范、成熟。为了使选拔工作更加客观公正,组织者今年还采取了北方专家组南下、南方专家组北上的方式。毫无疑问，这些调整，这种基于公平、公正、公开的选拔原则，为全国的对外汉语教师提供了参与竞争的机会，也为国家发现专业人才提供了新的渠道。事实上，这次确实有不少表现优秀的教师从边远地区的中小院校脱颖而出。与对外汉语教学资格审核制度一样，这次选拔工作对我们师资素质的培养与队伍建设势必起到积极的促进与导向作用。

（二）

此次外派共涉及亚洲、欧洲、非洲、美洲、大洋洲十多个国家的几十所教学机构，共有 86 个汉语教师岗位，在三年中约需 110 人次。经单位推荐报名参加选拔的教师共 272 人（不包括一名材料不详者），实际参加选拔评审的共有 255 人，入选比例为 40%左右。参选教师分别来自全国各地 95 所高等院校机构，但人员分布仍主要集中于京津沪穗几大城市，虽然这近 272 位候选人尚不足全国对外汉语教学师资全员的 1/10，但从某种意义上说，是我们这支队伍的一个缩影，因此，这次选拔工作在一定程度上可以看成是对我们师资队伍的一次检阅。

一个学科的发展离不开一支年轻化、专业化的队伍，我们从下表可以了解到此次参加选拔的教师的一些状况：

表 2－1　2001 年国家公派汉语教师参选人员情况表

	性别		年　龄				学　历		
	男	女	20—29	30—39	40—49	50 以上	本科	硕士	博士
人数	87	185	51	153	36	32	122	139	11
比例(约)	32%	68%	19%	56%	13%	12%	45%	51%	4%

统计结果为我们提供了这样一些信息：国家对派往海外工作教师的年龄要求是一般不超过55岁，而此次参选教师的平均年龄不足37岁。如果说我们的对外汉语教师队伍在1996年有“已经开始老化，从总体上来说并不能完全适应对外汉语教学事业的需要”的问题①，那么这个问题经过了五年的新老交替后如今已经基本上得到了解决。统计还显示出我们教师队伍男女比例的不均衡，这种现象目前虽似无大碍，但联想到现时各高校对外汉语教学专业研究生队伍更为严重的男女比例失调，考虑到在某些国家女性汉语教师工作的不便，我们就有理由为此担忧。

从学历层次和专业结构看，272位报名教师中具有硕士以上学历者占55%，这还不包括有相当数量的教师正在在职攻读上一级学位或已经拥有本科双学位。应该说，这个比例目前无论在哪一专业的师资队伍中都不能算低。随着我们师资队伍的年轻化和新教师录用时的学历高起点化，以及现有教师的在职进修，高学历教师所占比例还会进一步提高。然而，我们也不难发现，我们教师队伍每年补充的新生力量主要是来自中文或外语专业，真正经过对外汉语教学专门训练的“科班出身”者并不多。还应当指出的是，对外汉语教学是一门结缘性很强的学科，它与语言学、文化学、教育学、心理学等学科有着密切的联系。因此，无论从课程设置的角度，还是从学科发展的角度，无论是针对全国总体师资结构，还是针对某一所高校，建设怎样一支师资队伍才算是“最佳组合”，就很值得我们研究。

---

①　参见刘珣《对外汉语教学概论》，北京语言文化大学出版社1997年版，第449页。

（三）

如果说性别、年龄、学历只是师资水平的外在条件，那么教师的业务素质、教师的知识结构与能力结构则是衡量师资水平的本质因素。这次选拔工作对候选教师从外语水平、专业知识和时事政治三个方面进行了评估。

由于我们队伍的年轻化、高学历化以及对外汉语教师资格审核制度化，对外汉语教学师资整体外语水平有了显著的提高，这自不必多说。但引起我们注意的是，法语、西班牙语等小语种教师明显不足，以致限制了国家的选才范围，组织者不得不在资格证书的要求和业务能力的要求等方面作出适当的变通。因此，加强小语种专职教师的培养是我们师资队伍建设的一项重要工作。让人欣慰的是，这一工作国家汉办已经开始实施，其成果在下一次选拔工作中必将显现出来。

在国外工作难免会遇到政治问题，多数情况是来自学生的善意探讨，但也不排除有恶意的纠缠。而国家公派赴海外从事对外汉语教学工作的教师如何应对，绝不仅仅是个人行为，在一定程度上代表着国家的形象。因此，这次对参选教师时事政治水平的考核实行的是“一票否决制”。我们高兴地看到绝大多数教师关心时事政治，关心国家的命运前途，在大是大非问题上旗帜鲜明，有开阔的政治视野，同时有一定的理论分析能力。但也有少数教师的表现有些令人失望。比如有的党员教师不知何谓“三讲”“三个代表”；在对台政策问题上，有的人不知何为“三通”；还有的人竟荒唐到把代表美国“战区导弹防御系统”“国家导弹防御系统”的英文缩写“TMD”与“NMD”解释为“国骂”。这些现象提醒我们，在建设师资队伍时切不可忽视教师政治素质的培养。国家对那些只做学问不关心政治的人无法委以重任。

我们这里着重要讨论的是对外汉语教学师资的专业素质。这次师资选拔对教师的业务素质是从汉语本体知识、教学基本功和文化知识三方面进行考察。

长期以来,对外汉语教学界有一种重学科教学论研究,轻语言本体研究的倾向。认为语言本体研究主要是汉语言文字学专业的事。至于对外汉语教学界以外,更有“对外汉语教学,国人皆可一试”的怪论。然而,对外汉语教学说到底教的是汉语,目的是培养学生使用汉语进行交际的能力。为实现这一目的,教师必须有计划地对学生进行汉语的语音、语法、词汇等语言内容的教学。课堂教学要求教师对所教的语言内容有深刻的认识。课堂上讲不清楚的问题,要么是因为基础研究不足,要么是因为自己对现有的研究成果掌握得不够。很难设想,一个对汉语理论知识不甚了了的教师,能担得起授业解惑的重任。在对外汉语教师的知识结构中,汉语理论占首要地位,这是毋庸置疑的。即便是汉语专业的毕业生,由于第二语言教学不同于母语教学,因此也需要不断完善、调整自己的知识结构,以适应对外汉语教学的需要。总之,离开汉语研究,对外汉语教学就无法前进。

事实上,选拔中暴露出不少汉语言本体知识功底不足的问题,反映出我们教师业务素质最薄弱的环节恰恰在语言本体知识的学习与研究上。比如,有些教师不能从学生的发音错误中找到规律;不能言简意赅地道出学生病句的原因;不能对句子成分做细致的句法分析;分不清同一语法成分之下的小类;说不清汉语词类划分的依据;不知道如何对近义词或同形词进行辨析;

不能通过分析汉字形体结构解决学生汉字书写中部件错位的问题，等等。更有个别教师明明说不清，却或“强为之解”，或以我们业内最忌讳的“中国人习惯这么说”搪塞。凡此种种，说明我们必须加强汉语理论知识的学习与研究，否则，提高教师业务素质就是一句空话。

此次师资选拔共准备了 40 篇课文供试讲用，候选教师通过抽签的方式决定其课堂教学演示内容。组织者对教学基本功的评估涉及课文定位、教学环节的设计、语言点的把握与讲解练习、课堂教学技巧、普通话水平、应变能力、教态、板书等几个方面。

关于教学基本功，我们要求教师拿到一篇课文后，能迅速判断出该课文适用于学过多长时间汉语或大致掌握了多少汉语词汇与语法的学生（笔者质疑所谓初级、中级、中高级一类过于模糊的提法）；能准确地找到需要讲解的生词和语法点；能确定该课文适宜于哪种课型，需要多少课时完成。教师应根据课文定位制订教案，通过实施教学步骤实现教学环节，最终完成教学目的。我们高兴地看到多数教师在课堂教学方面显示出了自己的经验。有些教师在处理课文时由点（词）到线（句），由线到段（句群），环环相扣，条理清晰；有些教师善于把汉语理论知识运用于课堂教学，这些都给组织者留下了深刻的印象。

应当引起我们注意的是，时至今日，我们的教学仍然是传统意义上的课堂教学，一支粉笔，一块黑板，教学手段单一。在科学技术高度发展的今天，组织者是否更应大力提倡现代化教学手段呢？善于运用现代化教学手段是否也是一种教学基本功呢？

关于第二语言教学中的文化问题，对外汉语教学界已经达成了这样的共识：语言的理解包含着文化的理解，语言的理解需要文化的理解，学生文化知识的储备为语言水平的提高提供了潜在的可能性。所以，近年来，我们对教学中的文化因素与文化知识的重视程度不断增加，对教师在文化方面有所造诣也提出了较高的要求。派往海外工作的教师由于环境的限制与资料的不足，就更要求他们有较深厚的文化底蕴。然而，本次教师选拔中有些教师讲"南辕北辙"说不清"辕"为何物，讲"固若金汤"不知"金汤"作何解，讲京杭大运河弄不清历史朝代……这恐怕只能用文化素养欠缺来解释。如何提高教师的综合文化素质，应当引起我们的注意。

从1952年中国政府向海外派遣首批汉语教师到1985年，不过600多人次而已[①]，而如今仅三年的派遣任务即超过百人，这还不包括大量的校际交流。我们完全有理由相信，政府公派汉语教师的规模还会继续扩大。建设一只强大的对外汉语教学师资队伍，提高教师的综合素质，不辜负国家的重托，是我们对外汉语教学界每一个人的任务。

---

① 参见张亚军《对外汉语教法学》，现代出版社1990年版，第47页。

第二节 对外汉语教师培训

壹 对外汉语教师培训的指导思想

一 对外汉语教师的在职培训①

(一) 必要性

对外汉语教师是指对外国人进行汉语教学的教师。对外国人的汉语教学,就其教学内容来说,是一种汉语教学;就其教学过程和教学方法来说,是一种外语或第二语言教学,目的是培养学生的汉语交际能力。教学对象多半是成年人,他们来自不同的国家,具有不同的文化背景,学习目的和学习要求也不尽相同。开展对外汉语教学必须根据不同教学对象的特点(包括年龄、文化程度、原有的汉语水平、母语跟汉语的关系以及学习目的和学习要求等)和汉语本身的特点进行教学的总体设计,编写相应的教材,精心组织课堂教学(包括有计划、有组织的语言实践活动)和测试,力求在有限的时间内取得最好的教学效果。对外汉语教学的上述性质、特点和任务,决定了对外汉语教师必须具备特定的智能结构:他们不但需要精通汉语的理论、知识和技能,而且需要熟悉一两种外语的理论、知识和技能,还要掌握对

① 本节选自吕必松《对外汉语教学探索》,华语教学出版社 1987 年版。

比语言学的理论和方法；不但需要具备语言学、心理学、教育学、语言教学法等方面的专业知识，而且需要具有较高的文化素养，熟悉中国和外国的有关文化知识，还需要具有组织教学的才能。

新中国成立以后，1950 年就开始招收外国留学生，开展对外汉语教学。随着世界“汉语热”的兴起，最近几年教学规模有了很大的发展。北京语言学院是从事对外汉语教学的主要单位，现在拥有学习一年至四年的长期生近 1 000 名，每年还要招收学习四周至半年的短期生 700 名左右，拥有专职对外汉语教师近 500 人（包括在国外任教、从事研究工作和编写教材的人员）。据不完全统计，现在全国已有 60 多所高等院校开设了对外汉语课程，专职对外汉语教师已达七八百人。但是，中国高等学校过去没有开设专门培养对外汉语教师的专业，直到 1983 年才由北京语言学院首先开设了五年制的对外汉语教学本科专业（第一届本科生 1988 年毕业），1986 年才由北京语言学院开始招收这一专业的硕士研究生（第一届硕士研究生 1989 年毕业）。现有对外汉语教师原来的专业背景多半是中文或外语，或中文和外语。他们虽然各有自己的专业特长，但原有的智能结构不能完全适应对外汉语教学的需要。为了改善这部分对外汉语教师的智能结构，帮助他们提高教学水平和研究能力，必须开展在职培训。语言学、心理学和语言教学理论正在蓬勃发展，新的教学思想和教学方法不断出现，即使是教学经验丰富、智能结构优异的教师，也需要通过在职培训来继续补充新的知识。近年来，我们在对外汉语教师的在职培训方面做了大量的工作，取得了明显的成效，使多数教师基本上具备了从事对外汉语教学的条件，其中不少人已成了对外汉语教学方面的专家。

(二) 主要内容和方式

任何在职培训都必须有明确的目的,培训的内容必须切合实际需要,具有针对性,培训的方式必须灵活多样,便于有关人员进行选择。对外汉语教师的在职培训也必须遵循这样的原则。

未经专门培训的对外汉语教师,智能结构方面的主要缺陷是:多数人缺少语言教学理论知识、语言教学法知识和从事对外汉语教学的基本技能;非汉语专业出身的教师,多数人语言学理论知识不够,汉语知识也不够全面;非师范院校出身的教师,多数人缺少心理学和教育学知识;非外语专业出身的教师,多数人外语水平不高。针对以上情况,培训的主要内容是:(1) 语言学(包括普通语言学、心理语言学、社会语言学等);(2) 汉语理论和知识;(3)心理学、教育学;(4)语言教学理论和教学技能;(5)外语。

下面介绍北京语言学院的几种主要的培训方式:

1. 上岗前的短期培训。

北京语言学院每年都要补充一批对外汉语教师,他们多半是从大学中文系或外语系毕业的本科生或研究生。由于教师人数不足,他们到校后马上就要承担一定的教学任务。为了保证基本的教学质量,一般要在开课前用一个月左右的时间进行上岗前的培训。培训的主要内容是:介绍对外汉语教学的性质和特点;介绍如何对外国人进行语音、语法、词汇教学;介绍课堂教学的基本环节和基本技能以及备课的基本方法和基本要求;对普通话不够标准或不熟悉《汉语拼音方案》的教师要进行语音和拼音规则的训练。

2. 师傅带徒弟。

新教师上课的第一年，一般要有一名教师指导。指导的内容包括帮助写教案，跟班听课并指出教学中的优缺点，帮助总结教学经验等。

3. 开设专题讲座。

除了一次性的讲演活动外，我们每年都要邀请一些国内外和校内外的著名学者举行系列专题讲座。时间是数周到半年，每周 2 至 8 小时不等，内容有语言学、语言教学法、研究方法及有关的文化知识等。开设这类讲座的好处是，教师可根据自己的需要和时间自由选听，可以学到较为系统的理论知识和最新研究成果，可以活跃学校的学术气氛。

4. 举办暑期培训班。

过去共举行过三期。1965 年，中国接受了一大批越南留学生，由 20 多所高等院校承担对这批学生的汉语教学任务，其中多数院校是第一次开展对外汉语教学。中国高教部在 1965 年暑假期间组织有关院校的汉语教师到北京语言学院培训，由语言学院的教师讲课，主要内容有对外汉语教学的特点，教学计划、教学大纲和教材，语音、语法、词汇教学等。1984 年暑期，中国对外汉语教学研究会在北京语言学院举办了为期一个月的培训班，参加培训的有来自全国 23 所院校的 50 名年轻教师，开设的主要课程有教材编写、课堂教学、语音教学和语法教学。1986 年暑假，北京语言学院和美国俄亥俄州立大学（黎天睦教授为主要发起人和美方负责人）在北京语言学院联合举办了一期汉语教师培训班，参加培训的有美国汉语教师 13 人，中国汉语教师

25人。开设的主要课程有:语言教学法和教材编写、汉语语法分析、中美文化对比,由中美双方教授联合主讲。除讲课外,还组织课堂讨论、教学见习(听其他教师的汉语课)和教学演习(学员模拟教课,在精心准备的基础上每人教10分钟,然后放教课时的录像,进行评议)。此外,还聘请了一些著名学者和专家到培训班讲演、座谈。开设这类暑假培训班的好处是,时间集中,可以专心致志地学习;集中学习的时间短,又在假期,有很多人可以参加;每期可以开设几门课,学习的内容较多。中美合作举办的培训班,教授和学员来自中美的都有,教授与教授之间、学员和学员之间也可以互相交流,取长补短,这样的交流可以起到一般培训班所起不到的作用。举办这类培训班要注意的主要问题是学员的智能结构必须大致相当。

5. 选派一部分教师脱产到其他大学进修。

这类进修的时间一般为一年,进修教师可以根据自己的需要,选修语言学、现代汉语、古代汉语等本科生和研究生课程。这种培训方式的好处是学习的时间较长,可以学到其他院校最好的课程和最新研究成果。但由于教师人数不足,每年派出的人数不能太多。

6. 选派一部分教师到国外进修。

我院每年都要选派若干名外语水平较高的汉语教师到国外进修,学习时间一般也是一年,进修的内容包括语言学、心理学、语言教学法等。到国外进修不但可以学到专业知识,而且可以提高外语水平,了解当地的风俗民情,体会中外文化的差异。但每年派出的人数也不能太多。

7. 举行学术报告会和经验交流会。

我院有四个系从事对外汉语教学，两个系从事外语教学，还有一个专门培养对外汉语教师的语言文学系，每个系都有若干个教研室。全院每两年举行一次科学报告会，各系每年举行一次或两次科学报告会，各教研室每学期都要举行若干次经验交流会或学术讨论会。此外，还有各种不定期的学术报告会或专题讨论会。通过这些学术活动，可以推动教师及时总结经验，加强理论研究，同时推动教师之间的学术交流，起到互相促进、取长补短的作用。这类学术活动可以及时交流最新研究成果，对提高全体教师的学术水平大有裨益，是教师在职培训的一种好形式。

8. 外语培训。

主要有三种方式：(1) 参加业余班学习。这种业余班一般每周上课四小时，初级程度，侧重听说训练。(2) 参加专门的培训班，脱产学习一年。这种培训班以提高阅读专业书刊的能力为主要目标，兼顾听说能力的培养。(3)参加为出国留学人员举办的强化训练班，学习时间半年至一年，侧重提高听、读能力。

（三）今后的计划

实践证明，上述各种培训方式都是行之有效的，因此要坚持下去，同时要开辟新的培训渠道。

1. 办助教进修班。

中国大学一般都有专职助教，多半由大学本科毕业生担任。为了尽快提高这部分助教的业务水平，国家实行助教进修班制度。这种助教进修班学制一年，要求学完硕士研究生的主要课程。助教进修班招生要举行入学考试，择优录取，具有两年以上教学经验的助教才能报考。北京语言学院正申请从1987年开始举办对外汉语助教进修班，在全国范围内招生。计划开设语音学、音韵学、汉语史、汉语语法、汉语语法学史、社会语言学、心理语言学、对外汉语教学的理论与实践、对外汉语教材编写、中外文化对比等必修和选修课程。

2. 鼓励一部分教师利用业余时间选修一部分研究生课程或助教进修班课程。

没有机会参加助教进修班或攻读硕士学位的教师，经过几年的努力，也可以修完助教进修班甚至硕士研究生的课程，达到助教进修或硕士研究生毕业的水平。

3. 建立汉语教师研修中心。

争取1987年上半年完成筹建工作。汉语教师研修中心的主要任务是：(1) 举办助教进修班。(2) 举办各种形式的暑假培训班和大型专题讲座。(3)接待国内外汉语教师和有关的学者前来从事汉语和汉语教学方面的研究工作。(4) 促进校际和国际间在汉语教师培训方面的交流与合作。汉语教师研修中心建立后，将能更有计划地组织对外汉语教师的在职培训。

二　关于汉语教师培训的几个问题①

(一) 迅速发展的教师培训事业

为了迎接并推动90年代后期和21世纪汉语教学事业的大发展，需要做很多准备工作。而其中最根本的一项就是加强教师队伍的建设，特别是在职教师的业务培训。理由很简单：我们

---

① 本节选自刘珣《关于汉语教师培训的几个问题》，《世界汉语教学》1996年第2期。

学科的理论研究、教学方法的探索、教材的编写、考试的研制、课堂教学水准的提高，都离不开教师的努力，更取决于教师的素质。使现有教师的理论水平和教学能力得到提高，并为21世纪培养新一代的汉语教师，这是我们的事业发展的前提条件和根本保证。

1993年6月，中国国家教委（编者按：即今教育部）正式批准北京语言学院汉语教师研修中心成立，这是中国第一个得到国家教委批准的海内外汉语教师的培训机构。中国对外汉语教师培训工作实际开始于60年代。1965年暑假，高教部委托北京语言学院为新接受越南留学生教学任务的20多所院校的教师举办了培训班。后来，因“文化大革命”教师培训工作未能再继续下去。直到1984年暑假，当时的对外汉语教学研究会在北京语言学院举办了为期一个月、由全国23所院校的50名汉语教师参加的培训班。1986年暑假，北京语言学院和美国俄亥俄州立大学在北京语言学院联合举办了为期一个月的中美汉语教师培训班，参加培训的有美国汉语教师13人、中国对外汉语教师25人。以上的几期全国性的对外汉语教师培训班，为恢复教师培训工作积累了经验。自1987年开始，北京语言学院每年都举办汉语教师培训班，1988年又成立了教师研修部，使这项工作逐渐步入正轨。自1987年到1995年，北京语言学院已举办过48期培训班（其中包括自1990年以来受国家教委委托每年暑期举办的国际汉语教师奖学金班），共培训近30个国家和地区的800多名汉语教师（其中有中小学教师、大学助教、讲师、副教授、教授和教育部官员），以及国内50多所院校的250多名对外汉语教师。北京语言学院汉语教师研修中心与新加坡教育部、美国马里兰大学全美暑期汉语教师培训部、菲律宾华文教育研究中心及香港中文教育学会等单位已有多年的合作关系。近两年来,参加培训班的海外教师人数剧增:1993年一年培训的海外汉语教师人数超过了前六年的总和,1994年、1995年所接待的海外教师的人数又有了增长。

教师培训工作的规模为什么能迅速扩大?其根本原因在于近年来世界汉语教学事业的不断发展,同时又与汉语教师队伍现状及加强教师队伍建设的迫切需要有直接的关系。

(二)汉语教师队伍的现状

中国目前拥有世界上最大的一支汉语教师队伍。据不完全统计,中国大陆地区目前从事对外汉语教学的院校实际上已达300余所,获得国家机构颁发的对外汉语教师资格证书的人数已超过千人,估计实际从事这项工作的教师是这个数目的两倍。

分析这支队伍的组成情况,我们可以看到,其中绝大部分是来自高等院校中文系和外语系的毕业生。他们当初是为教授中国人的汉语言文学或外国语言文学而培养的,他们具有较高的汉语或外语水平,但并未受过汉语作为第二语言教学系统的、正规的、专门的教育,在从事这项工作之初并不十分了解汉语作为第二语言教学的特点和规律。通过长期的教学实践和理论方面的摸索与钻研,他们积累了丰富的教学经验,也逐渐熟悉了对外汉语教学理论,其中相当一部分人已成为既能胜任教学工作同时在理论研究方面也取得一定成果的骨干教师,而且还出现了一批在国内外有一定知名度的从事对外汉语教学工作的学者和专家。这就是我们通常所说的由"经验型"到"科学型"的转变,但这毕竟不是一种科学的、高效率的培养对外汉语师资的途径,而且不可能改变教师队伍内部素质上的不平衡状况。

同时,我们也不能不承认,由于这支历史上形成的队伍现在已经开始老化,从总体上来说并不能完全适应对外汉语教学事业发展的需要。我们的事业需要补充一批经过科学的、专门的、严格的训练培养出来的新型教师,并进而造就出本学科世界一流的专家、权威。为培养对外汉语教师所进行的学历教育开始于 80 年代,1983 年起北京语言学院等四所院校先后开设了对外汉语教育专业,培养从事对外汉语教学的本科毕业生;1986 年起北京语言学院、北京大学等几所院校先后开设了以培养对外汉语教师为方向的硕士课程;1992 年起,北京语言学院每年又从大学外语系及中文系的本科毕业生中招收对外汉语教育专业第二学士学位生。这样我们就有了一套从本科生、第二学士学位生到硕士生培养“科班出身”的对外汉语师资的途径。但几年来通过这一途径培养出来的毕业生为数极有限,而且由于种种原因,这一专业的绝大多数本科毕业生后来并没有从事对外汉语教学工作。我们教师队伍每年所补充的新鲜血液,主要还是从其他专业转来的。因此,长期以来,对外汉语教师没有受过本专业的专门训练的状况至今并没有根本性的改变。

国外汉语教师的情况又是如何呢?我们无法了解全貌,仅于 1993 年对在北京语言学院汉语教师研修中心进修的暑期国际班的 40 名海外教师作过一次小小的调查。他们来自 17 个国家和地区,有中学教师、大学助教、讲师、副教授和教授,其中以前学过汉语教学理论或教学方法课程的只有 7 名,占总人数的 17.5%。美国是汉语教学比较发达的国家,黎天睦教授在 1988 年曾著文谈到,美国国内所设立的汉语作为第二语言教学的唯一学位课程就是夏威夷大学的硕士课程(与之相比,英语、法语等作为第二语言教学的硕士点、博士点几乎遍布全国)。在汉语教学领域,“绝大部分教师很少或者根本没有受过训练”。[①] 一些东南亚国家由于刚刚恢复中断了十多年甚至几十年的华文教学,出现了汉语教师奇缺的现象,现有教师无论从数量上或素质上都无法满足目前汉语教学的需要。

(三)教师队伍建设的迫切性

根据以上分析,无论是中国对外汉语教学界或世界汉语教学界缺乏受过专业训练的汉语教师已成为普遍的问题。这样的现状对汉语作为第二语言教学产生了哪些不利的影响呢?

首先,由于教师队伍中对汉语作为第二语言教学的原理缺少共识,一些对英、法、西等其他第二语言教学界来说早已解决或基本解决的教学理论和实践问题,如第二语言教学学科的定性问题、第二语言教学的特点和教学目标、文化因素的教学与语言教学的关系等,我们争论至今,仍有不同的看法。中国对外汉语教学界如此,其他国家如美国的汉语教学界也是如此。[②] 学术争论固然不是一件坏事,但在一些最根本的问题上长期不能达成共识且时有反复,必然会影响到我们的教学实践和学科建设。

第二,我们在为汉语教学事业的发展感到欣慰的同时,对我们自己的教学效果愈来愈不满意。我们同行之间常常议论:汉语教学耗费的时间长而学生的语言运用能力却提高得很慢。美

---

① 参见 Light, Timothy(1988) *Chinese Language Training for New Sinologists*, the Wilson Center Conference。

② 参见刘珣《美国基础汉语教学评介》,《语言教学与研究》1993 年第 1 期。

国的同行们也认为他们“所培养出的能真正使用中文的人很少”。[①] 当然，我们不能无视由于汉语本身的特点和汉语教学在世界上所处的历史地位而形成的一些客观原因，但教学效果差的根本原因还在于人的因素。学生有时反映我们某些教师对所教的知识很熟悉，教学态度也非常认真，就是不懂得教学法。第二语言教学从本质上说是一门技能课，需要有一整套科学的技能训练的方法。而目前对我们整个教师队伍恐怕还不能提出这样的要求，我们的课堂教学也还远远没有做到规范化。

第三，比起英语等第二语言教学来，汉语教学是一门年轻的学科，直到70年代末才提出建立学科的问题。经过十多年的努力，我们已从无到有在学科理论框架的提出和一些重大项目的研制方面，取得了令人瞩目的成就，但总的说来汉语教学学科理论建设还处于起步阶段，一些领域甚至还停留在理论引进的阶段。而汉语教学发展的形势又不容许我们长期落在后面，我们面临着大量的教学实践问题亟待解决，我们也有责任同英语等其他第二语言教学界的同行们一道为发展整个第二语言教学作出贡献。但我们教师队伍的现状显然还不能适应学科理论建设的要求。

教师队伍建设是汉语教学事业中薄弱的一环，已经在一定程度上影响到我们的教学质量和学科理论建设。如果我们再不及时加以解决，将会成为下一个世纪汉语教学事业发展的巨大制约因素，这并非危言耸听。如何着手解决这个问题？一方面

---

① 参见 Light, Timothy(1988) *Chinese Language Training for New Sinologists*, the Wilson Center Conference。

我们要继续加强对外汉语专业教育，特别是发展硕士、博士学位课程，培养新一代科班出身的汉语教师；另一方面就目前的急需来看，最切实而有效的办法则是举办在职教师业务培训班。

(四) 教师培训目标

国内或海外的汉语教师，根据所担任的具体工作的要求，都应在不同程度上具备下列业务素质：

1. 具有较系统的汉语语言学的理论知识和规范的汉语口语和书面语的熟练运用能力；

2. 熟悉汉语作为第二语言教学的基本理论与原则，并具有将这些原则根据需要创造性地运用到汉语课堂教学中的能力，包括担任多种汉语课型教学的能力，使用不同教学手段的能力，对教材、教学步骤和教学大纲进行设计、编制和评估的能力以及对学生的学习效果及汉语水平进行分析、判断、评估和解释的能力；

3. 能尊重并正确地理解中华文化，具有一定的中华文化、中国文学和中国社会的背景知识，特别是与汉语交际直接相关的文化知识；

4. 具有一定的语言学、社会语言学、心理语言学、语言学习理论和教育学等理论知识，了解语言学习和习得的过程和规律，能结合教学进行一定的科学研究；

5. 具有学习并获得某种第二语言及其相关文化最好是学生的母语和母文化或与之有一定联系的第二语言和文化的经历；

6. 热爱汉语教学工作并具有一定的组织能力。

教师培训班为短期非学历教育，不可能期望在短短的几周或几个月内完全达到上述目标。只能根据具体的条件,在本学科范围内并在学员原有的基础上,提高其汉语知识水平、汉语教学理论水平和教学实践能力,增进对中华文化和中国社会的了解,从而有助于推动汉语教学事业的发展,促进中外汉语教师在汉语和中华文化教学与研究领域的交流与合作。

(五)培训班类型与课程设置

教师培训的对象为海内外在职的或未来的汉语教师。国内教师除在职的青年教师外,还有即将上岗的新教师及正申请对外汉语教师资格证书者;海外教师既有母语为汉语的华裔教师,也有母语不是汉语的外国教师,有大学教师,也有中小学、幼儿园教师。各类教师知识水平不同,教学任务不同,进修的目的也有很大差异。因此,课程设置必须有针对性地作出不同的安排。

每期培训的时间大多为 4 周,也有长至 6 周或 11 周的,短的则为 2 周。课程要根据教学时间作出适当的安排。

根据不同的要求,培训班大体上分 5 种类型:国内外汉语教师培训班(普通班)、国内外汉语教师研修班(高级班)、香港普通话科教师培训班、国内申请对外汉语教师资格证书辅导班和国内在职教师硕士研究生班。

1. 国内外汉语教师培训班(普通班)。

这是目前开办最多的班,教学对象为海外汉语教师和国内的青年教师。培训班的主要任务是介绍汉语作为第二语言的教学理论、教学内容和教学方法。主要课程为汉语言要素和汉语言技能的教学内容和教学方法,汉语教学理论和课堂教学的方法和技巧,汉语教材的分析、使用和编写,汉语测试,中华文化专题讲座,汉语能力提高课,语言教学观摩课,参观游览及语言实践活动。

2. 国内外汉语教师研修班(高级班)。

这是为满足从事多年汉语教学和研究的国内外教师、学者进一步研修的需求,选择一两个重点课题所开设的高级研修班。课题为:汉语语言专题及教学研究;汉外语言对比专题及教学研究;中华文化专题及教学研究;汉语作为第二语言教学理论和方法的专题研究(如教学的性质与特点,汉语学习理论和中介语研究,教学结构,总体设计,教学原则,课堂教学方法与技巧,教材的编写与评估,测试等)。

3. 香港普通话科教师培训班。

这是专门为培训香港中小学普通话科教师而开设的,以汉语语音教学为重点,主要课程为汉语语音和拼音方案、普通话会话训练、普通话听力训练、课文朗诵、普通话教学方法、普通话与粤方言对比等。

4. 国内申请对外汉语教师资格证书辅导班。

教学对象为具有大学本科以上学历或同等学力,有志于从事对外汉语教学工作,或已从事对外汉语教学而希望参加由国家教委对外汉语教师资格审查委员会举办的对外汉语教师资格考试申请资格证书者。按照资格考试大纲的要求,开设现代汉语、古代汉语、语言学、中国古代文学、中国现代文学、中国文化知识、对外汉语教学概论、外语等课程,办班时间为一学期。

5. 国内在职教师硕士研究生班。

本班与前几种班的性质不同,主要是为北京语言学院和少量外校的在职对外汉语教师进修硕士研究生课程,以培养高一级的对外汉语教师而开设的。主要课程为汉语语音学、语义学、语法学、语言学导读、对外汉语教学专题研究及汉语信息处理等。学习时间为两年(不脱产学习)。

(六)培训班教学特点和教学原则

教师培训与一般学历教育有所不同,因而办好教师培训班,应体现下列教学原则:

1. 在职教师进修,教学对象情况十分复杂,其需求也有很大差异。在确定总的培训目标的前提下,应更充分体现“以学员为中心”“为学员服务”的原则,考虑其不同的特点,满足其特殊需要。比如,对海外学员的教学应以介绍中国对外汉语教学的丰富经验和理论研究成果为主,学员才感兴趣,而对国内学员的教学除了介绍我们自己的东西外,还应多介绍国外汉语教学以及其他第二语言教学的研究成果,以扩大学员的视野,更好地借鉴国外的经验。再如,同样是国外的教师,欧美日本的教师希望增加语言实践课,充分利用汉语的环境提高汉语交际能力,而东南亚的华裔教师则希望多开语言知识课特别是语法课,以弥补这方面知识的不足;同样是东南亚的华文教学,菲律宾、泰国基本上属于第二语言教学,而新加坡则介于母语教学与第二语言教学之间,更多地带有母语教学的特点,对他们必须补充中国中小学语文教学方法,才能满足其要求。因此,在课程设置、课表安排、教学方法甚至办班的时间方面都要作弹性处理。有时干脆由对方“点菜”,充分征求学员的意见。另一方面,又要在积累经验、摸索对不同教学对象的教学规律的基础上,使各种类型的教学逐步走向规范化。

2. 培训班的主要任课教师不仅要有较高的业务知识水平，还必须有丰富的对外汉语教学实践经验和教学理论水平。在教学方法上，在教师为主导的前提下应尽可能体现教师讲授与师生讨论相结合的特点，注重启发式，加强师生之间的交流。对国外的资深汉语教师特别是高级研修班的学员，更需强调师生之间的学术讨论，多了解国外的汉语教学情况并学习对方好的经验，做到教学相长。

3. 贯彻理论与实践相结合的原则，尽可能组织学生参加教学实践活动，从听课、观摩教学开始，逐步创造条件给学员一定的教学实习机会。为帮助学员了解中国文化和社会，应适当组织一些参观访问活动。对汉语非母语的学员，按“沉浸法”的要求，提倡在华期间一般只用汉语交际，以提高其汉语能力。

北京语言学院文化学院所属的汉语教师研修中心及其前身教师研修部，虽然从事教师培训工作已有七八年之久，但仍处于经验型阶段，需要在搞好教学的同时开展研究工作，进行理论方面的探索。

文化学院除了汉语教师培训中心承担上述非学历教育的各种类型的教师培训班以外，其所属的语文系和汉学系还承担大学本科、第二学士学位及硕士研究生等学历教育的对外汉语教师的培养任务。这样，就形成了一个比较全面完整的培养对外汉语教师的教育系统，为对外汉语教师培养的理论研究和实际操作创造了较好的条件。我们愿与担负同样任务的各兄弟院校一起，为发展汉语教学事业培养更多合格的国内外汉语教师。

贰　对外汉语教师培训的方式与内容

一　*教师培训的课程设置*①

世界汉语教学交流中心自成立之日起，就很重视提高各国汉语教师的理论水平和教学能力。在其领导下的教师研修部，担负着培训中外汉语教师和接待国外教师前来研修的任务。几年来，这方面的工作取得了一定的进展，从 1987 年至今，教师研修部举办了七期培训班，培训各国学员 130 名。

培训班的宗旨是推进汉语作为第二语言和外语教学事业的发展，为提高世界各地汉语教师的汉语水平、汉语教学的理论水平和教学实践能力提供服务。

培训班的教学，一方面重视传授理论和知识，另一方面重视教学能力的培养，尤其注重解决教学中的实际问题。对外国学员，我们也兼顾他们语言提高的需要，安排他们选修高级汉语课程。

为了使在职教师，特别是新教师对对外汉语教学有个概括的了解，加强对本学科基础理论的认识，我们开设了如下课程和讲座：

- 对外汉语教学的性质、特点和任务
- 对外汉语教学的语言学基础

---

①　本节选自邓恩明《谈教师培训的课程设置》，载《第三届国际汉语教学讨论会论文选》，北京语言学院出版社 1991 年版。

- 对外汉语教学的心理学基础
- 语言教学法理论
- 外语教学的社会文化因素
- 中介语理论与错误分析
- 汉外语言对比与对外汉语教学

为了使学员对对外汉语教学的全过程有个基本的了解，掌握各阶段教学的基本内容以及课堂教学的原则和方法，我们开设了如下课程：

- 汉语作为第二语言教学的语音、语法、词汇
- 对外汉语课堂教学的理论和方法

近些年按语言技能训练划分课型的教学，在一些单位得到推广，即使不分设课型，教师们也普遍认识到，听、说、读、写等基本技能提高应当有各自相应的教学方法。为了使学员掌握不同技能的教学内容和方法，培训班开设了：

- 口语课教学
- 听力课教学
- 阅读课教学
- 汉字课教学

此外，汉语测试，对外汉语教材的分析、使用与编写等都是针对教学的实际需要而设置的课程。

培训班的教学，在重视讲授理论和知识的同时，努力做到理论与实践相结合，主要课程有理论知识测验，有教案成绩考核并安排听课，在教师指导下进行评议，有些课程安排了试讲。我们对试讲的成绩给予格外重视。我院的新教师在培训中的试讲成绩将作为他们能否上岗任教的重要依据。

几年来，各教学单位对我们的培训工作反映基本是好的，今后我们仍将继续努力，克服工作中的缺点，为学科建设做更多工作。

下面就在职教师培训的必要性谈谈我们的看法。

汉语作为外语的教学，对任职教师有特殊的要求。从专业知识和技能来说，既要求教师具备现代汉语的理论知识，能对汉语的语言现象进行科学分析，又要求教师掌握汉语作为外语教学从内容到教学方法的特点。从事这项工作的应当是受过专业培养的教师。但目前的情况却不是这样。国内只在近几年才有三四所院校设置了培养对外汉语师资的专业，1988 年才有第一届毕业生。而对外汉语教学工作从新中国成立初算起，至今已有 40 年的历史。目前，在国内开展对外汉语教学的院校和教学单位已有一百多个，教师数量约有 1 500 名。这就意味着有相当数量的教师缺乏正规的专业训练。我们一方面要看到多年来在教学第一线工作的广大教师担负了艰巨的任务，他们作出的贡献和取得的经验应当受到珍视；另一方面，从师资队伍的现状看，也必须承认，在职培训是非常必要的。

40 年来，对外汉语教学事业在探索中不断前进，逐渐形成了独具特色的学科。但多年来，我们对新教师采取的是"口传身授"式的培养，工作之初向他们传授的教学原则也多是"经验型"的介绍。发展到今天，这些已经满足不了形势的需要。目前学科的发展面临着两个重要问题：一是理论建设，二是队伍建设。而理论也要靠人去建设，因此提高教师的素质就显得尤其重要。近几年在高校中设立培养对外汉语师资的专业，这是具有战略意义的措施，可以从根本上解决后继乏人的问题，是学科进一步发展的保证。

以专业培养的方式解决师资来源，是一项根本性的措施，但这并不能代替教师的在职培训。二者虽然在总方向上是一致的，却又有各自的特殊使命。培训的对象是在职教师，他们毕业于不同的学校和专业，学有专长，已经形成了不同的知识结构。培训的目的，一方面是充实和调整他们的知识结构，使之适应工作需要；另一方面又要保持他们的专业特长，在本学科领域里发挥更大作用。在职培训应当十分重视对学员智能结构的调整，尤其是实际能力的提高，使他们能在教学和科研实践中胜任各项任务。

在职培训，无论从教学对象、从教学目的、从教学要求来看，都具有自己的特点，是专业培养不能代替的。因而，我们在重视专业培养人才的同时，必须认识到在职培训的必要性。

以上我们探讨了在职教师培训应设的课程。要说明的是，对外汉语教师必须具备的知识和能力还不止这些，其他如文学知识，语言对比、文化对比知识，史地文化知识，以及组织能力、交际能力、应变能力等等，也是不可缺少的。针对这些需要，有的应设置课程，有的则应在培训的各种课程中综合施教，这里不再赘述。

在职教师的培训是一项值得重视的工作。培训课程的设置，既要针对教师应具备的知识、智能，又容许因时、因人而异。教学内容既应有一定的理论高度，又要紧密结合教学实际，满足教学需要，希望有更多的同事对这项工作进行研究。

二 对对外汉语教师业务培训的思考①

G. Bereday 在 1963 年的教育年鉴序言中写道:"一个教育系统之优劣,必然是大大地依赖于在这个系统中服务的教师。"教师是教育发展中最重要的因素,因为教师是使教育目标转化为现实的人,是教育的具体实施者。

自从有集体训练教师以来,训练的模式都是以在教室中整班地授课为主的。这种培训到现在已经有很长时间了,而且训练方式基本没有大的变化。训练的内容是根据教师应具备的两个主要条件而制定的:一个是所教的专业知识,一个是教学的技巧,训练时在两者的侧重方面有时有所偏重。因此,传统的教师教育就是为教师预备应有的学科知识,再加上一套普遍认为有效的课堂教学方法。

从世界范围来看,60 年代以前,教师教育的主要发展是在教学方法方面。而方法又是以人为本的,即人是教学的主要的甚至是唯一的媒介。由此,教师教育就是围绕着如何把传授知识的工具磨炼好。60 年代以来,教师教育呈现了较大的转变。由于科技的发展和新的教育理论的出现,人不再是唯一的教学工具。因为知识的传授有其他的途径,而知识的获取也并不完全依赖于教。如果学生处在一个适合的学习环境中,自我发现式的学习比被动的教更容易产生有意义的学习。这一时代又是各学科知识内容急剧增长的时代,课程的革新蓬勃发展,新

---

① 本节选自刘晓雨《对对外汉语教师业务培训的思考》,《北京大学学报(哲学社会科学版)》1999 年第 4 期。

内容引出了新的学习方法，把概念与结构置于技巧和事实之上成为趋势。教师培训也因此受到影响，在量的方面有极大的发展，时间大大延长，在职教师的进修也大大加强。在这种形势下，反观国内的对外汉语教师业务培训，在已经取得了一些成果的情况下，不能不说这项工作在深度上和广度上还存在很大的欠缺。国内外教育界以往在教师培训方面有着成熟的理论，积累了丰富的经验，虽然不一定完全适合对外汉语教学行业，但共性还是存在的。所以，我们先考察一下一般的规律，以有利于分析我们在工作中的成就和不足，进而借鉴一些有用的原则和方法。

为使本文的论述更有根据，在北京、天津、吉林、上海、安徽、湖北、福建、四川等省市 10 所大学的对外汉语教学单位进行了问卷调查和调查访问，共收单位培训情况调查表 10 份（涉及教师人数 259 人），教师问卷 47 份。

（一）教师培训的几种方式

自从 19 世纪初期开始有正规的教师培训以来，对教师应如何接受训练就有不停的争论，这种情况直至今天也是如此。有人把相异的意见归纳为四种主张（K. Zeichner，1983）。[①]

1. 行为主义式：训练教师具有良好的目标行为，方法是确定明确的技巧，在特定的环境中重复以达到熟练。讲求教学效果，认为受训就是要接受一套必须具备的专业知识与技巧。

2. 人本主义式：训练教师具有良好的道德和品质。

3. 传统工艺式：视教师训练为工艺学徒，即寻找良好的教

① 参见郑肇桢《教师教育》，香港中文大学出版社 1987 年版。

学模式，受训者观察示范教学，跟随“师傅”学习教学技巧。因为有经验的、有优良教学技巧的教师是最有效的教学技巧传授者，受训者一定程度上被视为被动地接受知识的人，所以在观察后依样画葫芦就可以获得教学技巧。传统的教育学院喜欢这种训练方式，因为可以短期内使受训者获得某些技巧。但这种训练缺乏内化的过程，仅是一些教学程序的技艺表演，受训者在遇到所教课程及对象不同时难以将所学的技巧迁移应用。因此，这并不是一种有深度的学习，只能解决某些问题。

4. 反省式：着重探索，要求受训者在专家的指导下思考，对事物现象不断探求根源。如课堂中某些行为是如何发生的？某种教学行为会引发什么效果？原因何在？受训者要经过个人思考，明确自身的需要，进行探求、分析、研究，直至解决问题。这样，教师就是一个主动学习的人，可以更清楚地知道行为的结果，他可以尝试控制或改变因素，观察后效，也可以设计自己的学习。

在教师培训方面，美国斯坦福大学 1963 年首创的“微格教学”法（microteaching）进行了系统的实践和研究。[①] 这种方法的理论依据是：教学是一种复杂的工作，它包含了太多的技巧，初学者实在难以同时练习并掌握所需的这些技巧。“微格教学”简化了教学过程，由简单的开始，逐步增加教学的复杂性：一是在学生人数、内容及时间方面简化，二是在技巧量方面简化。假如要练习十种技巧，就一个一个地进行，这样容易集中注意力来掌握。微格教学便于控制在教学中的各种变素，所以这种训练

---

① 参见孟宪恺《微格教学基本教程》，北京师范大学出版社 1995 年版。

教学的方法可以使受训者由易入难，试着进行由小到大、由简到繁的相对真实的课堂教学，避免了把教师突然置于一个要求具有全面教学技巧的环境中。其训练程序包括选取需要练习的教学技巧，选择教学内容，决定教学策略，编写教案，作好教学准备，进行教学、录像。教学后播放录像，受训者、"学生"（可以是同事或一同受训的同学）和导师边观看录像边做笔记。然后，由"学生"作听课的反馈，受训者作自我检查，导师也提出意见，三方一起讨论并决定如何改进教学。然后，根据技巧的掌握情况受训者再试教一次或几次（可马上进行或另定时间），再放录像，大家再讨论，总结这一方面的教学经验后再进行下一种技巧的练习。在微格教学过程中，受训者也可以独自进行练习，个人反复详细观看教学录像，比较不同设计的教学，思考提高教学的效果，征求专家或同行的意见后再进一步作类似的教学。以录像作反馈来源对自我训练是很方便的。

练习课每课包括一个三小时的学习活动循环：

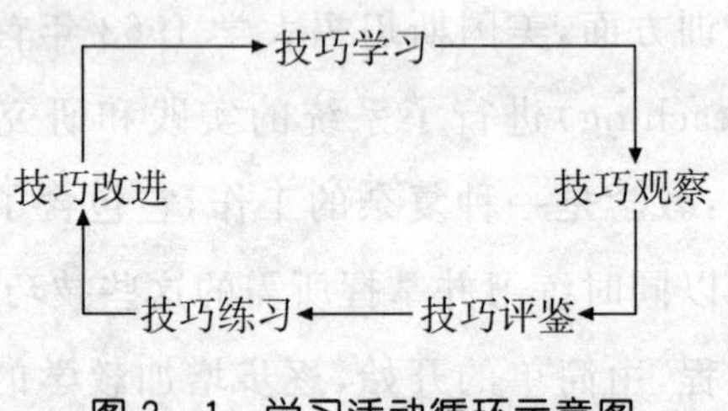

图 2—1　学习活动循环示意图

一般的课堂教学技巧都可以利用微格教学进行练习，但利用这种方法训练通常要特别重视以下几点：

(1) 导入（set induction）：即唤起学生注意力、刺激学生的学习兴趣，为要教的知识或技能准备条件（如背景知识等）；

(2) 结束(closure):即在课要结束时所作的概括性教学,如板书要点、提问要点、教师复述要点、学生讲感受、小测验等等;

(3) 对某种技能进行强化(reinforcement):比如分小步的阶梯式进行或有提高的循环进行等;

(4) 刺激变化(stimulus variation):有动态的和非语言的两种形式,即通过视觉、听觉等感觉途径,如站的位置、手势、表情、目光、静默时间、声调、交流模式(教师对学生、教师与学生、学生与学生)等,向学生传达教学意图。

对微格教学的研究表明,教师的教学技巧可以借助微格教学的训练而得到显著的改进。如发问技巧的12项中,有8项得到了显著的改善,这是在训练后的即时量度和4个月后的量度都得到的相同结论。

当然,微格教学毕竟只是一种模拟教学,本身有局限性。对教学中的各种变素,由于它只是简化了的教学,或说是实验室中的教学,因此不能提供足够的应对措施。况且,近十年来,由于科技发展使教学手段日益丰富,人已经不是唯一的教学媒介了。但从国内的情况来看,由于种种因素的影响,教学还是以教师为主要媒介,其他现代化的科技手段目前还只起次要的辅助作用。因此,教师对教学技巧的掌握仍是取得好的教学效果的决定性因素,微格教学的方法还是非常值得我们借鉴的。

(二) 国内对外汉语教学的几种教师培训方式

几十年来,我国对外汉语教学事业发展非常迅速,许多院校和机构都根据自己的条件和优势,开展了不同形式的对外汉语教学业务,教师队伍也得到了快速的发展。但由于对外汉语教学事业是新兴的事业,以往在学科性质方面有过不同的认识,因此，教师队伍中也存在专业不一、素质不齐等问题。从我们对国内10所大学的调查来看，过半数的对外汉语教学单位进行了教师业务培训，但因各地开展业务的对象、目的、形式不同，教师业务培训在内容上、方法上也不统一。大致说来，在考虑了理论上应遵循的原则和实际情况中的可行性的基础上，培训主要有以下三种方式：

1. 举办全国性培训班。

采用脱产方式，集中介绍汉语作为第二语言的教学理论、内容和方法，系统性较强，水准较高。不足的是这种办法费时较多，大范围实施比较难。比如从1987年至1995年6月底，北京语言学院的41期师训班共培训了27个国家和地区的600多名汉语教师，包括来自国内50多所院校的200多名教师，为教师队伍的培养作出了贡献。但与实际需要相比，培训的人数仍远远不够。从方法上看，由于时间等因素的制约，这类培训中的受训者被动接受为多，缺乏较深入的思考，对基本的或典型的技能也没有机会实习、改进、再实习、再改进。

2. 相关学校联合。

采用半脱产方式，根据具体情况定期分专题举行。由发展较好、培训历史长、经验丰富的学校牵头，与其他部门合作，举办课程设计、辅导方法、课堂管理、教学研究法、模拟与角色扮演、教育科技等实用课程，以短期为主，通过举办讲座、教学演示、小型研讨会等活动，互相观摩，交流经验，提出意见，改进技巧。

3. 单位培训。

在学院或学校的支持和帮助下，由系或教研室制定计划，具体操作。比如办班、讲座、观摩、传帮带等。由于规模比较小，因此方法更为灵活，使用得比较多，调查中凡有业务培训的单位都采用过这种方法。不足的是相对缺乏系统性，培训的标准性和规范性也难以保证。

从以上的讨论中我们可以看出，对外汉语教学的教师培训工作从实际需要出发，规范性和弹性原则相结合，已经形成了一定的规模和几种行之有效的方法。当然，我们的师训工作在广度上和深度上还存在着很多不足。这里面有时间、经费等客观条件的影响，但通过努力，这些不利条件是可以在一定程度上减少或得到克服的。

关于全国性的培训，可以考虑有针对性地培训一些骨干，使他们成为培训的“种子”，通过他们向各地大力推广培训经验。比如，在培训教学法方面，利用专家和受训者比较集中的优势，使用微格训练法，针对教学中最基本、最有代表性的技巧和情况，对骨干进行高标准的专业培训。然后，对他们提出推广培训的计划和要求，定期检查推广的效果和同行的反映，以根据需要随时改进。

关于相关学校的联合，利用分专题的优势，系列性地把有关理论介绍给受训者，也把典型的教学行为和方法提出来供受训者分析和实践，这样理论上使教师的知识更新，实用上帮助教师解决日常教学中发生的问题。需要培训的教师可视自己的需要和条件轮流参加，这样教学工作不致受到太大影响。这种方法比集中办班灵活，可充分发挥培训骨干的作用，且需要的资金和时间都不太多。

在各单位进行的培训虽然“传统工艺”的成分较多，标准性和系统性都不高，但培训内容可以针对本单位的实际情况，所以培训会更直接地解决教学需要，时间上也更容易控制，可定期进行，也可根据需要随时进行，因此作为全国性培训和学校联合培训的重要补充方式也是必不可少的。另外，还可以利用“同事视导”的方法，即受训者展示一个教学环节，由资深教师或同事来描述这个教学过程，教师可从旁观者的描述看到自己的教学是否与心目中预想的效果相符。培训者还可帮助受训者分析教学策略和技巧，受训者可提出教学中困难的地方，双方共同研究如何解决。这种方法对于具有较强的内在控制力的教师有很好的效果。同事比外来的人对学校更了解，对教师的工作、个性、长期表现等也相对清楚，故对长短处的评价更有效率。同事视导对双方付出的时间、以同等身份竭诚合作的态度要求较高，在一定程度上会影响广泛推广。但这会鼓励学校中教师间的互相学习和互相关心，增加合作的机会。同事交往的结果是使经验交流、使改进专业的热忱大大增长。

上述几种主要的方法各有不同的优势和不足，如果能将这几种方法科学有效地结合使用，效果会更好，既能充分利用专家、骨干、基层教师各自的优势和条件，也能有效地利用时间和资金，使培训在系统和灵活相结合的情况下有序、实用地进行，以培养更多、更符合职业要求的对外汉语教师。

（三）培训内容

针对教学而设的培训内容，当然要以教学任务对教师的要求为依据。第二语言教师作为语言技能教学的实施者，在交际教学方面，要担任演示者、组织者、指导者和检查者的角色；在信息传播方面，是一种信息的提供者和诠释者；在学生的学习动机刺激方面，又是一种观察者、实验者、解释者和评价者；另外，教师还要善于操作有关的教学设备、编纂教学大纲和教材等。[①] 面对如此复杂繁重的任务，教师培训的内容该如何制定呢？我们认为，尽管教师培训与教育理想、文化传统、社会背景有密切的关系，而且不同地域有不同的内容，但当进行本质内涵的分析时，训练的内容都趋向于一个相似的基本模式。关于对外汉语教师培训的目标、类型、课程设置和原则，学界已有人进行了充分的论述[②]，这里结合对教师的问卷调查结果再强调和补充几点：

1. 理论内容。

理论是教师训练的基础，教师具备了一个良好的理论基础，才能发展专业技能。否则只有表面的教学技巧，没有理论的支持，只能算是技巧训练。在一个多变的社会里，理论学习是极其重要的，因为事物表面千变万化，人有比以前更多的机会遇到新事物，而这些事物的应付方法是不可能都学习过的。有理论基础的人，虽然没有现成的处理措施，但可以借理论发展新方法，成功的可能大大高于没有理论基础的人。理论是行动的指南，是产生方法的根源。在我们收到的调查问卷中，85％的教师把对汉语语言学、对外汉语教学等理论方面的培训需要列为第一选择。尤其是教学法理论，由于可直接用于教学，因此是教师迫切需要的培训内容。调查中把进行教学法方面的培训列为第一选择的教师占 68％，如了解课程涉及的知识和技巧、不同课型的组织与操作、

① 参见贝文力《外语教师的职业角色》，《国外外语教学》1997 年第 4 期。

② 参见邓恩明《谈教师培训的课程设置》，载《第三届国际汉语教学讨论会论文选》，北京语言学院出版社 1991 年版；刘珣《教师培训——汉语教学事业发展的根本保证》，载《中国对外汉语教学学会第五次学术讨论会论文选》，北京语言学院出版社 1996 年版。

如何运用教学媒介以配合教学方法、如何对学生作评价等。这些培训内容有助于受训者理解:把汉语作为第二语言进行教学与教授中国人汉语言文学和教授中国人外国语言文学是有区别的,对外汉语教学有其自身的特点和规律,也有相应的原则和技巧。

2. 教学实习。

教学技术的学习在实际的课堂教学中才能彻底领悟。必须经历了实地的教学试验,才能有机会把学习到的教学方法和技巧演示出来,从而知道是否掌握了专业的技术。教学技巧的掌握十分复杂,靠短期培训全部解决既不现实也没有必要。应由资深专家或受训者提出需要解决的典型的技巧,通过实习去体会、掌握。一种实习是在假设或真实的环境中进行教学的演习,另一种是到学校吸取别人的经验,比如观摩教学及其相关活动、与教师接触、了解各种教学和组织方面的问题。学校经验是教学实习前的准备,对教学先作观摩及了解,这样可以预见一些将来真正教学时可能遭遇到的问题。在计划上有些实习是采取理论与实践并进的方式,有些是先有理论学习再进行实践。

3. 研究方法。

对外汉语教师是具体教学的实施者,同时也应该是一个教学的研究者。通过研究,发现和分析教学中出现的问题,对教学无疑是巨大的促进。教师在进行研究时,应该了解如何选择课题、设计研究方案,如何收集资料,如何进行结果的整理、分析和呈现,如何运用如统计分析法、观察法、比较法、历史文献法、经验总结法等等的科学方法。以统计分析法为例,它可以为我们的教学研究提供清晰的、形式化的描述,通过对数据的整理、分析,寻找各变量之间的关系或规律,确定变量之间关系的类型等，寻求对教学中出现的现象的解释。运用统计方法处理资料，形成学术规范，易被学术界接受，也易于进行国际交流。不懂统计分析，不仅难以理解他人的研究进展，妨碍个人汲取他人的先进经验和研究成果，也会限制个人的科研水平，有可能使自己成为现代教学研究的半文盲。但运用了统计分析并不等于一定可以得出科学的结论，因为还有运用是否正确的问题。实际上统计方法的运用是有条件的，正确恰当的运用有赖于使用者对各种统计技术的要求、条件、用途及与之相关的特定公式的了解、掌握和适当选择，否则便是无效的，可能造成表面上的数量化、科学化，而实质导致结论失真。

在进行科学研究时，能够根据需要熟练运用现代科技手段，无疑可以使研究的速度和质量得到提高，比如声像器材、必要的检测仪器和计算机等。尤其是计算机的广泛运用，无论在汉语的本体方面，还是在教学技能方面，都使研究的多语料、大样本、多变量、多层次成为可能。像计算机专用统计软件包的开发使用，就使教学研究的多因素分析更为常用。①

教师培训是一种短期的非学历教育，有些内容不宜或不应包含在教师培训中，可以由教师通过其他自修途径达到目标，比如学术性学科，即教师准备好的要教的专业知识。一般教师必须有一个或两个主修科目，即假设为将来任教的科目，在主修科目中应达到相当的水平，以便有足够的该科知识教给学生，像汉字、语法、某个文化专题等。除了主修科目以外，还要有一个或几个副修科目。另外，对外汉语教师应在社会、历史等文化方面

① 参见杨丽珠《教育科学研究方法》，辽宁大学出版社 1996 年版。

具有一定的知识，对学生提出的与中国有关的问题给予迅速、正确的回答。但这是个长期的修养性工作，不能靠一段时间的培训来解决。调查中还有的教师希望进行外语方面的培训，这样的途径很多，教师可以根据自己的需要和条件自行安排。

（四）评估办法

不管是刚从事对外汉语教学工作的新教师，还是已经工作过一段时间后仍需要培训的教师，经过培训后都要对他们的培训结果进行评估，看看受训教师是否达到了培训的阶段性目标或更高的职业要求。评估方法通常有以下几种：

1. 职业审核。

具有一定的教学技巧及学问，才能成为一个可以胜任工作的教师。因此，国家要经过考核程序发给教师资格证书，借此来控制素质。

2. 学生评课。

学生和教师的接触是最直接的，他们从教师的指导中获取知识和技能，应该可以从学习的效果方面衡量教师的教学能力。当然由于学生的成熟度、知识量会影响理性评估，且评课工具未必完善，所以利用学生来对教学进行评估在执行方面会产生问题，比如由什么人请学生、什么人监督等，而教师的教学“受欢迎”并不一定意味着与优良教学相符。但我们的教学是以学生为中心的，学生的反馈应该可以作一个方面的重要参考。

3. 合约评估。

有时聘用学校和教师之间有合约，可以按照合约对教师的规定来评估教师是否达到了从事本项工作的要求。

4. 同事互评。

同事对环境有深刻了解，有较广阔的基础和资料作评估。与同事共事，互相接触机会大大高于高级行政人员。接触中以平等身份相待，本性较易无掩饰地表现，同事也可能有颇大的机会接触被评教师所教的学生，间接从学生方面获得对该教师的意见。除课堂教学外，其他教学活动由于常和同事共同计划负责，所以能力或表现如何共事者也比较清楚。

根据不同的培训目标和方式，可以采取不同的评估办法或将其中的几种办法结合起来对教师进行考察。

本文讨论了进行对外汉语教师培训的方法、内容以及评估办法。表 2—2 试列出以学校为受训基地的教师专业成长所涉及的内容：①

表 2—2 教师专业成长所涉及的内容

活动 专业阶段	指导来源	训练重点	评估方式	评估标准
开始新工作	● 工作手册 ● 资深同事 ● 导师	● 了解学校环境和个人工作责任，为教学的进行做准备	● 同事观察 ● 学生反映 ● 自我检查	● 阶段目标达到 ● 教研室主任评估
知识和技巧的更新	● 听课 ● 互换工作 ● 培训中心 ● 观摩教学	● 教学新技巧的掌握 ● 增加不同工作的经验（如各种课型教学、编写教材等等）	● 同事观察 ● 课堂行为分析 ● 培训课成绩	● 胜任教学
实现个人专业更高目标	● 大学进修 ● 单位负责人 ● 教育专家	● 学历提高 ● 知识增加 ● 提高专业水平	● 考核或考试	● 专家评估（如一定级别的证书或教学奖）

① 参见郑肇桢《教师教育》，香港中文大学出版社 1987 年版。

(五)国内对外汉语教师队伍存在的问题和培训的障碍

加强对外汉语师资培训的呼声一直存在,其重要性毋庸多言。到1998年底,全国从事对外汉语教学的专职教师近3000人,兼职教师近4000人,取得资格证书的教师有1462人,不足从事教学人员的1/4,比例并不令人乐观。从教师队伍方面分析,对外汉语教学还存在以下这些问题:

1. 教师受训不足。

国内从80年代开始了为培养汉语教师队伍所进行的学历教育,有了一套从本科生、第二学士学位生到硕士生培养"科班出身"的对外汉语师资的途径,但几年来通过这一途径培养出来的毕业生为数很有限,而且由于种种原因,这一专业的绝大多数本科毕业生后来并没有从事对外汉语教学工作。我们教师队伍每年所补充的新鲜血液主要还是从其他专业转来的。[①] 有的单位进行了培训,但方式以模拟操练规定技巧和观摩教学为主,系统性、标准性不够。还有相当数量的单位没有任何形式的培训。因此,长期以来对外汉语教师没有受过系统、标准的专门训练的状况至今并没有根本性的改变。不掌握对外汉语教学的目的和基本原则,不具备对外汉语教学的基本技能,这种情况无法适应对外汉语教学蓬勃发展的形势。

2. 课程改革还不理想。

目前,全国开办各种形式的学历和非学历对外汉语教学

---

① 参见刘珣《教师培训——汉语教学事业发展的根本保证》,载《中国对外汉语教学学会第五次学术讨论会论文选》,北京语言学院出版社1996年版。

的学校、单位有300多个，教学的目的、形式，学生的来源、要求都有差异，因此课程混乱，留学生的学业水平也参差不齐。其中一部分原因出自教师队伍方面：教师没有全面贯彻执行教学原则，没有把新的内容和方法带进课堂。因为新教材是要以新的教学法来配合的，有赖于教师的努力与合作。教师的继续培训使之有机会接触新的教材内容和新的教学方法，有助于课程改革。

3. 知识的进步和发展向教师提出了更高的职业要求。

过去的30年间，知识积累的速度很快，在汉语本体、学习理论、文化等方面，都增加了丰富的科研新成果；教育科学本身也出现了知识爆炸的情形，教育科学研究向生态化、现场化、跨文化化和综合化、现代化、数学化方向发展。新的教育科技提供的有利条件使新的教学法层出不穷。有些教师或没有培训的机会，或对培训不够重视，知识得不到更新和充实，优质有效的教学也就做不到。

虽然教师培训是如此重要，对基层教学人员的调查结果也证明他们迫切需要业务方面的培训，但在实际情况中，对外汉语教师的在职培训仍然非常缺乏。那么，产生这种情况的原因有哪些呢？

(1) 现时讲解式教学仍是教学主流，因此有相当数量的人认为教学技能可以凭经验改进，不需要专业学习就可以获得，似乎与别的低技术性行业一样可以排除学习。

(2) 现时的教育管理下，课程选择、教学内容、考试时间等不由教师决定。

(3) 通常以研究结果改进业务。目前，我们对教学的研究不少，但影响到课堂教学的还不够多。[①]

(4) 学生学习的个别化较其他专业为强。学生学习的目的、时间、重点不同，学习的手段、规模也有所不同。因此，培训很难集中，方法也难确定。

(5) 由于上述情况的存在，有些教学主管人员对教师职业培训不重视，甚至认为没有必要，因此不愿意把时间"浪费"在培训上。或仅注意一些表面的形式，不讲求实效，更不进行系统的研究和总结。

(6) 由于种种原因，与其他专业的高校教师的工作量相比，对外汉语教师的周学时偏高，相当数量的单位忙于教学。加上教师个人有时间不等的科研、辅导、教学活动等等，用于进修提高的时间非常有限。

(1)(3)(4)(5)方面的原因都出自对对外汉语教学和教师培训的认识还存在问题，这些问题的解决取决于主观上的重视和采取积极的措施，解决办法我们在上文也讨论了一些。只有第(2)(6)方面的原因是客观存在的，如何从根本上解决这方面的问题，还有待各方面的研究和实践。

(六) 结语

对外汉语教学是新兴的学科，许多问题有待改善。但尽管存在各种各样主客观的原因，作为教育目标的实施者的培养是不容忽视和延缓的，否则事业发展成问题，甚至不久的将来生存也成问题，这是许多专家和普通教师都已经意识到并

---

① 参见崔永华《关于对外汉语教学学科的方法论问题》，《语言教学与研究》1998 年第 2 期；吴勇毅《关于研究成果的借鉴与吸引》，《世界汉语教学》1998 年第 2 期。

多次呼吁过的。几十年来,国内对外汉语教学事业在开展业务的院校和机构数量、招收学生人数、出版教材和专著、发表研究论文、HSK测试、教师队伍人数等方面都有了长足的进步和提高。在教师队伍建设方面,我们也要倡议大家都行动起来,加快步伐,“一方面我们要继续加强对外汉语教育专业,特别是发展硕士、博士学位课程,培养新一代科班出身的汉语教师,但就目前的急需来看,这种办法只是杯水车薪,远水解不了近渴。最切实有效的办法是举办在职业务培训班”。[①] 本文希望通过对教师培训的分析和讨论,引起更多的人对教师培训工作的重视,更重要的是采取相应的措施,使这方面的发展与本行业其他方面的发展相适应。

三 汉语教师培训网络平台构想[②]

(一) 谁是汉语教师培训的“俞敏洪”

国内谈到语言培训,人们都会想到“新东方”。短短不到十年,新东方学员由几十人迅速扩大到几十万人。新东方成功的重要因素之一就是拥有一支高水平的教师队伍。他们用通俗、幽默、知识广博、触类旁通的讲解和创新多样的教学模式,创造了一个富有激情、双向交流、与传统课堂教学氛围迥异的教学课堂,教学效率明显提高。拥有这样的教师团队不只是因为新东方在招聘教师之初网罗的是优秀人才,更重要的原因来自于它

① 参见刘珣《教师培训——汉语教学事业发展的根本保证》,载《中国对外汉语教学学会第五次学术讨论会论文选》,北京语言学院出版社1996年版,第491页。

② 本节选自周婉梅《汉语教师培训网络平台构想》,载《数字化对外汉语教学理论与方法研究》,清华大学出版社2004年版。

的教师培训管理——对教师的知识培训和制度化的培训。新东方新招聘教师需经过3个月到半年的“麦当劳”式培训，在统一高标准要求的同时，培训者会开掘每一位教师的教学技巧和个人魅力，最大限度地调动和影响学员与世界有效沟通的能力，保持教师高尚的形象和人格魅力。

语言教学的原理是相通的。同是作为第二语言教学，对外汉语教学应从新东方的成功英语教学中生发很多思考。单是从教师培训一方面来说，新东方对教师之于教学的重要性的认识以及对合格教师尤其是优秀教师培训的方式很值得对外汉语教学界借鉴。

审视一下对外汉语教师队伍的现实：

1. 教师严重短缺；

2. 专业化程度不够；

3. 知识结构普遍单一；

4. 教学理论、方法、效率有待进一步探索和提高。

而世界范围内汉语学习的现实是，随着中国综合国力的提高，世界上越来越多的人学习汉语，而且汉语学习不仅仅是以前单纯的汉语单科学习，而是呈现经济、政治、文化、历史等多元需求的特征。教师数量和质量上的不足与这种“汉语热”不相称，在一定程度上制约了“汉语热”的升温，阻碍了学科的发展。对比一下新东方的英语教学，我们不禁思考：谁是汉语教师培训的“俞敏洪”？怎样才能培训出大批合格甚至优秀的对外汉语教师，以满足现实和事业发展的需求？

（二）打造汉语教师培训网络平台

随着网络教育在中国的兴起和实施，越来越多的人认识到网络教育有可以打破时空限制、灵活方便、多媒体与网络兼备、低成本大批量、资源海量可以共享的优势。汉语教师培训方式多种多样，我们认为，打造一个汉语教师培训的网络平台，利用网络教育的方式在世界范围内培训合格的汉语教师乃至优秀的汉语教师是成本低且有效的方式。

汉语教师网络培训的目标与面授培训的内容和目标是相同的：

1. 第二语言教学理论知识培训；

2. 汉语作为第二语言教学的教学法培训；

3. 汉语和中国文化知识培训；

4. 跨文化交际能力培训；

5. 科研能力培训；

6. 相关的现代教育技术培训；

7. 专业所需外语培训。

经过这些方面内容的培训，力争使教师成为在科学的教学理论指导下，掌握有效的教学方法、有意识地应用现代教育技术、具有较强的跨文化交际能力和一定科研能力、掌握了坚实的汉语基础和广博的中国文化知识的专业型汉语教学人才。

为实现这样一个培训目标，汉语教师网络平台应具有学习功能、学习管理功能、考试功能、资源数据库管理功能、资源自动上传和下载功能、实时和非实时互动交流功能。

1. 学习功能。

汉语教师培训平台应有科学、完备、高质量的培训课程体系，以便对学员进行高效的单科或系统的网上培训。这是平台的主体。

2. 学习管理功能。

作为一个直接实施培训、直接用来学习的平台应是智能型的，应具有管理学员学习的功能，能记录学习进程、学习时间、能提交练习作业，甚至能网上考试。

3. 资源数据库管理功能。

汉语教师培训平台应是汉语教师可利用的庞大的资源中心。现代信息社会，资源已不再是单纯的几本教科书、几种杂志和理论著作，它应是立体的，甚至是有形的，可以直接在教学中使用的。庞大的多媒体汉语教学资源库应该成为世界汉语教师的学科信息中心、研究成果中心、教学资源中心和百科知识中心。

4. 实时和非实时互动交流功能。

汉语教师培训网上平台应是汉语教师的交流中心，汉语教师的网上家园。网络社会里信息交流方便快捷，世界范围内的汉语教师经验交流不必等待专业期刊杂志的下一期、学术著作的艰难出版、一年甚至两年一度的学术会议。网上交流可以随时随地，不受地域限制，而且可以直接接受领域内最顶尖专家的文字和耳提面命似地语音指导，今天就可以在教学中吸收使用同行昨天摸索出来的教学技巧和研究成果，当然也可以发表自己的观点和体会，在互动式讨论交流中迅速成长。

（三）汉语教师培训网络平台构造

为实现以上平台功能，设置了平台的四个模块：培训中心、资源中心、交流中心、服务中心。

1. 培训中心。

培训中心应包括教师网上培训课程体系和汉语教师资格考

试辅导，并根据实际需要不断增加新的课程。

培训课程体系是主体，它的设置应考虑科学性、实用性，能为汉语教师教学和研究提供理论和实践上的培训和指导。具体课程应包括：

（1）第二语言教学与对外汉语教学和研究基本原理系列课程（包括教学基本理论、教学设计论、教学策略论、教学方法论、学习理论、学习策略论、教学评价、测试理论、教材分析与设计、教案编写、第二语言教学研究方法等）；

（2）分技能的汉语教学法系列课程（包括听力教学法、说话教学法、阅读教学法、写作教学法、汉字教学法）；

（3）分方向的汉语教学法系列课程（包括基础汉语、商务汉语、成人汉语、儿童汉语、远程汉语等）；

（4）教学案例观摩点评系列课程；

（5）中国文化和跨文化交际对比课程；

（6）汉语技能提高系列课程（包括普通话语音纠正、高级口语表达、高级汉语读写、汉语水平考试专题等）；

（7）现代教育技术培训课程；

（8）专业应用外语课程。

各门课程应制定教学大纲、教学计划、课程导学、参考文献，并有实用性的练习和测试，通过考试，可以获得培训结业证书。

培训体系和网络教育学院的学历课程可以对接。一些重要的培训课程应成为学历课程的学分课程，获得网络教育学院的承认，达到规定学分，可以获得学历和学位证书。

教师资格考试辅导可以带动教师培训。考试辅导课程按考试科目划分，提供基本原理、基本知识和基本技能的辅导，不能以押题、传授考试技巧为培训内容。

对于网络课程的设计和制作，应结合远程教育的特点来考虑：

(1) 聘请全国甚至世界范围内对外汉语教学的名师名家网上授课和写脚本，反映学科一流的教学理论和教学水准；

(2) 充分利用网络多媒体优势，采用视频授课和文字授课相结合方式；

(3) 给学员创造模拟教学环境，专家同时在网上作案例点评；

(4) 利用网络优势，提供互联网上可供查询的资源和网址。

2. 资源中心。

资源中心指教学和研究可利用的资料中心和教学人力资源中心。具体应包括：

(1) 学科信息中心：学科标准大纲、最新动态、会议信息、研究课题、教师资源库用人信息等；

(2) 研究成果中心：论文库、图书杂志摘要库、优秀软件和网络课程库；

(3) 教学资源中心：教学可选用的文字素材、声音素材、动画素材以及补充课上教学所需的课外读物、听力材料、各种相关语料库；

(4) 百科知识中心：汉语和中国语言文化常识，相当于百科全书，设置多种查阅功能，供查找资料使用。

3. 交流中心。

交流中心是一个互动学习的社区。设置为几个栏目：

(1) 专家主持专栏：特约专家就本体论（教什么）、方法论（怎么教）、认识论（怎么学）、工具论（怎么教可以提升教学效果）几个方面定期发表观点，学员可以发电子邮件提问；

(2) 教学心得：教师可以广泛发表自己的教学心得，直接上传到网上供大家借鉴；

(3) BBS：在BBS讨论区自由提出问题，大家（不限于专家）共同研究；

(4) 学习小组：网上自由结成学习小组，如某一个国家、某一个地区、某一个学校或几个志趣相同的成员，在网上建立单独的区域，协作学习，在讨论交流中共同提高。

4. 服务中心。

“网络教育细看就是服务”观点虽然有些偏颇，但把服务在网络教育中的重要性提到了相当的高度。服务中心应该做好以下工作：

(1) 学习服务：制定吸引学员学习的各项措施，如制定会员制度和优惠政策、发放学习卡、开课、跟踪学员学习进度、定期访问学员、回答或请专业教师回答学习及相关问题、聘请专家定期进行网上辅导、考试实施和发证等等；

(2) 技术服务：网站更新和维护，保证信息的及时性、准确性和网站运行的稳定；

(3) 市场服务：推广宣传网络平台，定期调查学习反馈和需求，以改进平台质量、课件质量和服务质量。

打造一个成功的汉语教师培训网络平台需要一定的资金和人力资源投入，需要在课程建设和资源建设方面做扎扎实实的工作。国家汉办应主持调动业界优秀的教学资源和人力资源，有实力的院校如北京语言大学(教师进修学院、网络教育学院、教育技术培训中心等院系)应积极参与其中,为培训今日和明日合格和优秀的汉语教师作出贡献。

第三节 对外汉语教师资格认定制度

壹 对外汉语教师资格审定制度概说①

一 实施对外汉语教师资格审定的政策依据、组织机构、目的和背景

1990 年 6 月 23 日,国家教委主任李铁映签署了中华人民共和国国家教育委员会第 12 号令,发布了《对外汉语教师资格审定办法》。为实施该《办法》,国家教委成立了对外汉语教师资格审查委员会(简称"审委会"),负责领导对外汉语教师资格审查和资格证书的颁发工作。审委会成立后起草了《〈对外汉语教师资格审定办法〉实施细则》和《国家教委对外汉语教师资格审查委员会组织章程》等文件,开展了有关资格审定的先期准备工作。1991 年 5 月 28 日,国家教委批准了《实施细则》和《组织章程》,发出了《关于实施〈对外汉语教师资格审定办法〉的通知》。

1991 年 7 月 5 日至 7 日,国家教委对外汉语教师资格审定

① 本节选自王魁京《国家对外汉语教师资格审定制度的实施》,载程裕祯主编《新中国对外汉语教学发展史》,北京大学出版社 2005 年版。

工作会议在哈尔滨黑龙江大学召开。审委会领导及成员，全国16所高等院校主管对外汉语教学工作的负责人和人事部门的负责人参加了会议。会议的中心议题是，研究讨论实施《对外汉语教师资格审定办法》的具体问题，部署当年的审定试点工作。这次会议的召开，标志着对外汉语教师资格审定工作正式开始。

资格认定、持证上岗，是从90年代开始在全国诸多行业逐步实行起来的一种人事制度。对外汉语教学界是这一制度的率先实行者。《对外汉语教师资格审定办法》符合《教师法》(草案)第三章关于"国家实行教师资格审定制度"的规定，而且走到了其他行业的前头。

对外汉语教师资格审定的目的是：加强对外汉语教学师资队伍建设，提高教师的教学质量和中国对外汉语教学的声誉，更好地做好中外文化交流工作。对外汉语教师资格审定也标志着中国的对外汉语教学学科基本建设进入了一个新的阶段。

实行对外汉语教师资格审定制度，是在中国对外汉语教学事业发展到特定的历史阶段才开始的。中国的对外汉语教学虽然有悠久的历史，但作为国家的一项意义深远的事业，却是伴随着国家的改革开放才大规模地蓬勃发展起来。自20世纪70年代末80年代初开始，来华学习汉语的外国留学生人数逐年增多。除了以培养外国留学生为主要任务的北京语言学院之外，其他高等学校也陆续成立了对外汉语教学机构，接收学习汉语的外国留学生。到1990年，开展对外汉语教学工作的院校已达120多所。当时，在我国各高等院校就读的外国留学生中，由我国政府提供奖学金的长期生4 000余人，自费生4 000余人，短期汉语进修生8 000余人，对外汉语教学已形成了一定的规模。

面对蓬勃发展的对外汉语教学形势,许多主办单位都把"对外汉语教学"当作一项正规的教育事业对待,当作一门新兴学科去建设,积极选派素质高的教师承担汉语教学工作,逐步造就了一支具有较高思想文化素质和专业水平的专职对外汉语教师队伍。不过,也有一些单位对这项工作的深远意义认识不够,对对外汉语教学的特性缺乏了解,甚至把对外汉语教学当作一种创收的渠道,在条件不具备的情况下勉强办学,没有合格的教师就找其他人员替代,甚至错误地认为"只要会讲中国话就可以教外国人学汉语"。这虽然是对外汉语教学事业快速发展中出现的非主流现象,但它在一定程度上影响到对外汉语教学的声誉和质量,影响到对外汉语教师队伍的形象,影响到对外汉语教学学科的建设,影响到汉语的对外传播,不利于应对激烈的国际汉语教学竞争的局面,有害于对外汉语教学事业的健康发展。鉴于上述情况,国家教委审时度势,决定要实施对外汉语教师资格审定制度。

二 实施对外汉语教师资格审定制度的意义

实施对外汉语教师资格审定制度意义重大,主要表现在以下四个方面:第一,对外汉语教师资格审定是国家的一项政策。实行这项政策,体现了国家对对外汉语教学事业的重视,有利于提高中国对外汉语教学的声誉。通过资格审定,教师取得了国家的认可方能从事对外汉语教学工作,这体现了对外汉语教学的严肃性和对外汉语教师肩负的责任之重大。国家对对外汉语教师有严格的标准要求,说明对外汉语教师需要相当高的业务素质和业务水平。第二,对外汉语教师资格审定,有利于建设一支高素质的对外汉语教学师资队伍。没有一支高素质的教师队伍，教学工作不可能搞好。在一段时间内，资格审定的实质是对教师队伍的整顿，没有整顿，对外汉语教学事业就不可能顺利发展。由于历史的原因，对外汉语教师队伍中曾出现过人员思想、业务素质参差不齐，教学效果优劣不同等现象。通过资格审定工作，整顿对外汉语教学师资队伍，提高对外汉语教师的素质，才能适应对外汉语教学蓬勃发展的需要，才能使对外汉语教学事业沿着正确的道路不断前进。第三，对外汉语教师资格审定，有利于应对国际竞争，有利于加快汉语人才的培养。当今世界是激烈竞争的世界，在汉语教学领域也存在着竞争。国际交往需要精通汉语的人才，世界各国希望掌握汉语的人士越来越多。在汉语教学与汉语人才培养的竞争中，我国责无旁贷地应当处于领先地位。为此，必须建设一支高素质、高水平的汉语教师队伍。教师资格审定就是培养高素质教师队伍的保证。第四，对外汉语教师资格审定，有利于进一步提高对外汉语教师的教学水平。教师的教学水平，是由教师的思想水平、专业知识水平以及教学技能水平等多种因素决定的。资格审定包括政治思想考核、专业知识与技能考试、外语能力考试等内容，这就给能否成为合格的对外汉语教师确立了一定的标准。教师有了严格的水平标准，教师的教学水平也会相应地得到提高。

三　对外汉语教师资格审定的内容和有关政策

对外汉语教师资格审定的内容包括：思想品德、专业知识、教学经验、工作能力、外语水平五个方面。具体操作分为“考核”与“考试”两部分。教师的思想品德、教学经验、工作能力属于

“考核”部分;教师的专业知识、外语水平属于“考试”部分。

“考核”部分的标准要求是:(1)热爱祖国,有坚定的政治方向、明确的政治态度,坚持四项基本原则;(2)热爱对外汉语教学事业,热心弘扬中国优秀文化,有比较明确的专业思想;(3)有良好的职业道德,能为人师表,积极承担教学工作,遵守对外交往的纪律;(4)有组织教学、完成好所承担的教学任务的工作能力。达到上述标准才算是合格的对外汉语教师。“考核”的具体步骤是:先由教师个人做总结,然后由教师所在单位评审组审核,再报上级评审组审查。

“考试”部分的标准要求是:(1)懂得语言教学的理论与方法;(2)熟练掌握汉语的规则和知识,有比较广博的中国社会文化知识和其他相关的知识;(3)口齿清楚,汉语普通话达到一定的水平;(4)有一定的外语水平。达到上述标准才算是合格的对外汉语教师。“考试”以卷面形式为主。

“对外汉语教师”指专门从事对外国人进行汉语教学的教师。资格审定的程序是,先从专职教师开始。准予参加资格考核或考试的条件是:须具有大学本科毕业学历,或具有同等学力,并具有一学年(320 学时)以上对外汉语教学经历的在职教师。

根据《〈对外汉语教师资格审定办法〉实施细则》的规定,在审慎地考虑对外汉语教师队伍现状的情况下,“审委会”提出了标准一样,对不同人员区别对待的具体政策。比如:(1)已取得正、副教授等高级职称的在职教师,1966 年以前大学本科毕业的在职教师,免考专业知识和外语,只进行自我鉴定、领导审核;(2)已取得讲师等中级职称,并具有中文本科以上(含本科)学历或具有同等学力的在职教师，免考专业知识，只考外语；(3) 非中文本科毕业，具有五年以上对外汉语教学经验，已取得中级职称的在职教师，免考专业知识，其中非外语本科毕业的教师须考外语。

四 对外汉语教师资格审定工作的进程

(一) 对外汉语教师资格审定工作在京、津、沪部分高等院校试点

对外汉语教师资格审定工作于1991年首先在京、津、沪部分高等院校开始试点。有关院校对此项工作十分重视，分别成立了由学校主管校长、人事部门和具体负责对外汉语教学工作的负责人组成的评审领导小组，具体开展评审工作。评审与考试的程序是：(1) 先由教师总结自己的思想，回顾自己的教学工作，填写资格申请表，进行自我鉴定；(2) 由教师所在单位群众及评审组对申请人进行评议；参加专业或外语考试；(3) 在教师所在单位评审通过并在取得考试成绩的基础上，由国家教委对外汉语教师资格审查委员会组织的考评组对教师的情况和考试成绩一起审查。经审查合格者，由国家教委发给“对外汉语教师资格证书”。

试点考试分专业考试和外语考试两类。专业考试由“审委会”统一命题，于12月26日统一进行。试题内容包括了能够反映对外汉语教学特点的现代汉语、古代汉语、中国文学与文化知识、语言学与语言教学理论方面的知识或技能。外语考试根据应考教师的呈报，分英语、日语、俄语三种。首次参加考试的教师有108名，参加专业考试的26名，参加外语考试的97名。

1992年1月16日至18日,对外汉语教师资格考评工作会议在上海复旦大学举行。审委会主任夏自强,副主任赵永魁、程棠,以及由二十多名专家学者组成的考评组成员出席了会议。会议完成了试点考试试卷的阅卷和考试评估工作,对申请对外汉语教师资格的部分教师的情况进行了初审,商定了1992年的资格审定工作和资格考试的命题任务。会议也对1991年资格审定试点工作进行了总结分析,在对307位教师的资格审查中发现,不合格者大约占15%,说明当时的对外汉语教师队伍确实存在一定的问题。1991年的试点工作为进一步做好资格审定积累了经验。

(二)对外汉语教师资格审定工作在十省市展开

为继续落实国家教委《对外汉语教师资格审定办法》,1992年4月14日至15日在南京召开了十省市对外汉语教师资格审定工作会议。出席会议的有"审委会"主任夏自强、副主任程棠,国家教委国际合作司以及北京、天津、上海、山东、江苏等十省市的教委或高教局主管对外汉语教学的有关负责同志,以及地区业务考评组组长等。会议在总结1991年资格审定试点经验的基础上,重申了国家有关对外汉语教师资格审定的政策规定,进一步明确了"严肃、公正、客观"的考评原则,布置了本年内要在十省市开展资格审定工作;同年11月13日至14日,对外汉语教师资格考试在十省市进行。有304位教师参加考试,其中95人参加了专业考试,286人参加了外语考试。试题的规范化程度比试点时有所提高,所考外语的语种也比试点时有所增加。

同年12月12日至16日,对外汉语教师资格考评工作会议在广东汕头举行。审委会主任、副主任,国家教委国际合作司、国家汉办的负责人，以及十省市的一些专家学者共28人出席了会议。会议所做的工作是：完成了专业考试、部分外语考试的阅卷工作和考试评估工作；对资格证书的申请者进行了全面的审查；讨论了以后资格审查的任务；确定了1993年资格审定的任务和范围，决定在22个省、市、自治区开展对外汉语教师资格审定工作。

（三）对外汉语教师资格审定工作在22个省、市、自治区进行

1993年4月8日至10日，22个省、市、自治区对外汉语教师资格审定工作会议在西安召开。出席会议的有审委会主任、副主任，北京、黑龙江、内蒙古、新疆、云南、贵州等14个省、市、自治区的教委、高教局、教育厅的负责人，以及有关院校的领导。会议的主要内容是：审委会负责人向与会者报告前两年资格审定工作的成绩和经验；重申了资格审定的政策和原则；强调了对外汉语教师资格考试是国家的考试，要严肃认真对待，保证顺利进行；指出"对外汉语教师资格证书"是对外汉语教师的岗位认定，从事对外汉语教学工作的教师必须有资格证书。以后，国家将实行培训、考试、挑选、派出（即出国任教）一条龙制度，使对外汉语教学朝标准化、规范化、科学化的方向发展。会议还要求各省、市、自治区主管部门要加强对外汉语教学工作，提高教学质量，建设好教师队伍，注意培养对外汉语教学学科方面的学术带头人；大力开展学术活动，加强学术交流，提高科研水平；搞好硬件建设；扩大对外汉语教学的影响。

1993年对外汉语教师资格考评工作会议于12月10日至15日在郑州召开。会议完成了本年度的对外汉语教师资格专业考试阅卷和考试评估工作；对申请对外汉语教师资格证书的教师进行了严肃、客观、公正的考评；讨论了《〈对外汉语教师资格审定办法〉实施细则》的修改意见；落实了1994年资格审定工作的任务。审委会提议，1994年资格审定工作的重点应放在《实施细则》的修改和搞好对外汉语教师队伍的调查研究上，为资格审定工作的进一步完善作更充分的准备。

1994年对外汉语教师资格考试暂停。

（四）对外汉语教师资格审定工作在全国范围内展开

1995年6月14日至16日，全国对外汉语教师资格审定工作会议在云南昆明举行。北京、天津、上海、黑龙江、吉林、云南等20个省、市、自治区教委主管对外汉语教学工作的负责人出席了会议。国家教委有关司局负责人出席会议并讲话，阐述了国家发展对外汉语教学的主要任务和具体措施，强调了师资队伍建设对发展对外汉语教学的重要意义，要在严格坚持标准的前提下做好本年度的资格审定工作，肯定了对外汉语教师资格审定工作的必要性。"审委会"总结了三年（1991、1992、1993）资格审定工作所取得的成绩：通过资格审定，对全国对外汉语教师队伍现状有了比较清楚的了解；大大促进了对外汉语教师师资队伍建设；为选派合格的出国任教的汉语教师创造了良好条件；激发了广大对外汉语教师钻研业务、提高教学水平的上进心。截至1995年，全国已有1 056名教师获得了"对外汉语教师资格证书"，他们在对外汉语教学第一线发挥了中坚和骨干作用。

本年内，资格审定政策规定与往年相同，资格审定的范围为全国所有有对外汉语教学任务的省、自治区、直辖市。专业和外语考试于11月中旬举行。从这一年开始，凡由国家教委派往国外任教的汉语教师，必须先获得"对外汉语教师资格证书"。

1995 年对外汉语教师资格考评工作会议于 1996 年 1 月 9 日至 12 日在广西大学召开。1995 年全国有 423 位申请对外汉语教师资格，除符合免考条件不参加考试和自动放弃考试者外，有 222 人参加了 11 月 18 日、19 日举行的资格考试。审委会将考试及格者和其他符合条件者 256 人的申报材料提交考评组评审。由 14 位专家组成的考评组本着严肃、客观、公正的原则，对申报者的思想品德、专业知识、工作能力、教学经验、外语水平进行了全面的考评，结果有 205 人通过。经审委会审核后，可获得对外汉语教师资格证书。考评会议上，专家们还对资格申请的条件和范围、命题原则、学科建设、教师培训等问题进行了讨论，提出了建设性的意见和建议。

1996 年，全国有 585 人申请对外汉语教师资格证书，并参加了全国统一考试。至此，全国共有 1 272 人获得对外汉语教师资格证书。

（五）新一届对外汉语教师资格审查委员会第一次会议

1997 年 5 月，国家教委新一届对外汉语教师资格审定委员会组成。审委会主任由国家教委副主任柳斌担任，审委会委员吸纳了北京语言文化大学、北京师范大学、华东师范大学、北京外国语大学的负责人。新一届审委会于 5 月 20 日在北京召开了第一次工作会议。国家汉办领导对新一届审委会组建经过作了说明。审委会向会议报告了 1990 年以来对外汉语教师资格审查工作情况；通过资格审查，摸清了对外汉语教师队伍的现状。目前，全国有专职对外汉语教师2 200人左右，兼职教师3 000人左右，已获得对外汉语教师资格证书的1 272人。资格审定制度的实行，对教师有了比较明确的要求标准，增强了教师在政治、业务方面的上进心，提高了教师的教学和科研水平，促进了师资队伍的建设。资格审定制度的实行，使国家教委派往国外从事汉语教学工作的教师的思想和业务素质水平有了保证，也使教师在国外的汉语教学质量有了保证，从而维护了汉语教学在国外的声誉。在五年来的资格审查工作中也发现，个别地方和单位对评审工作把关不严，有地方保护主义的倾向，给资格审定工作造成了一定的困难。审委会副主任李海绩就《国家教育委员会对外汉语教师资格审查委员会组织章程》的修改意见作了说明：原来具体执行考评工作的专业考评组、外语考评组合并为一个专家考评组，专家组成员根据需要进行了调整。审委会办公室设在国家汉办，在汉办领导下负责执行审委会的决定和处理日常工作。

会议听取了审委会办公室关于 1997 年资格审查工作的计划、建议和工作汇报，同意 1997 年暂停资格考试，于 1998 年再行考试。审委会办公室利用一年暂停考试时间，做好调查研究，制定教师培养与培训计划，尽快研制出培训大纲，采取切实可行的办法对尚未获得对外汉语教师资格证书并正在申请证书的教师进行专业知识培训，完善他们的知识结构，提高他们的业务素质，使他们真正成为合格的对外汉语教师。已获资格证书的在岗教师也需要继续提高业务素质，以适应学科发展的需要。今后，教师培训要形成制度，要定期或不定期地进行。资格考试命题要逐步建立题库，使考试进一步科学化、标准化，使通过审核与专业考试合格所获得的对外汉语教师资格证书具有真正的权威性。

最后，审委会主任柳斌就对外汉语教师队伍建设、教材建设和科学研究方面的问题作了讲话。新一届审委会的这次会议，是总结过去开拓未来的会议，对资格审查和教师队伍建设进一步科学化、规范化起到了重要的推动作用。

（六）对外汉语教师资格审定和培训工作进入新阶段

全国对外汉语教师资格审定和培训工作会议 1997 年 7 月 19 日至 23 日在福建召开。出席会议的有北京、上海、黑龙江、吉林、辽宁、福建、四川、海南等省、市、自治区教委（厅、局）主管对外汉语教师资格审查工作的负责人，北京大学、北京师范大学、中国人民大学、北京语言文化大学、北京外国语大学、复旦大学、华东师范大学、上海外国语大学、南开大学、大连外国语学院、中山大学、暨南大学、武汉大学、福建师范大学、北京外交人员服务局、北京外企服务总公司等有对外汉语教学业务的单位负责人。对外汉语教师资格审定委员会总结了 1991 年以来的对外汉语教师资格审定工作所取得的成绩和存在的问题，传达了审委会 1997 年第一次会议精神。国家汉办师资处负责人就 1997 年对外汉语教师资格审定和教师培训方面的工作计划和以后的工作设想向大会作了说明。与会代表在肯定了《对外汉语教师资格审定办法》颁布以来资格审定工作所取得的成绩的同时，也对资格审定工作中存在的问题和解决问题的办法进行了探讨。代表们提出的建议有：《对外汉语教师资格审定办法》是 1990 年颁布的，时过七年，有些条款已不适合对外汉语教学发展的新形势，需要修改；需要处理好教师培训与资格审定的关系，将两者统一起来；要求审委会考评组制订出符合对外汉语教学特点的培训和考试大纲，使资格考试命题更加科学化、规范化；要建立国家汉办与地方教育部门相联系的畅通渠道，使地方教育部门了解对外汉语教学，做好对外汉语教学方面的工作，包括对外汉语教师资格审查工作。

这次会议起到了具体落实1997年审委会第一次工作会议精神的作用，推动了对外汉语教师资格审定工作进一步趋于规范化、科学化。

根据审委会1997年第一次工作会议精神，依据修改后的《国家教委对外汉语教师资格审查委员会组织章程》，将原有的业务考评组和外语考评组合并为专家考评组。专家考评组于1997年7月8日至9日在北京召开工作会议，经过讨论，专家们一致认为：对外汉语教师必须具有一定的外语水平，水平标准待具体论证；《对外汉语教师资格考试及培训大纲》必须体现对外汉语教学学科的特点，要与教学实践相结合，真正体现对外汉语教师的知识结构和能力素质。会后，专家们分别对《对外汉语教师资格考试及培训大纲》的初稿进行了修改。

（七）全国对外汉语教师资格审查和培训工作会议

1998年3月16日至20日，全国对外汉语教师资格审查和培训工作会议在武汉大学召开。北京、上海、天津、江苏、云南、四川、湖北等省市教委主管对外汉语教师资格审查工作的负责人，复旦大学、南开大学、东北师范大学、南京师范大学、武汉大学、北京外企服务总公司等单位的对外汉语教学部门的负责人出席了会议。会议的中心议题是：落实1998年对外汉语教师资格审查工作和资格考试的考务工作；确定1998年对外汉语教师培训工作的原则。国家汉办领导在讲话中，分析了对外汉语教师队伍的现状和面临的形势，指出：由于学科在发展，留学生的汉语水平层次在变化，必须加紧培养具有扎实的专业基础知识、熟练的教学技巧、广博的文化知识的高素质的对外汉语教师。因此，需要在做好对外汉语教师资格审查工作的同时，加快教师培训工作，处理好资格审定与业务培训的关系。培训的目的是提高教师素质，提高教学质量，这与资格审定的目的是一致的。

与会人员就 1998 年资格审查和组织培训等具体问题展开了讨论，取得了共识：对外汉语教师资格审查工作要坚持标准，严格要求；培训要以提高教师素质为原则，培训不是单纯为应试，不能把培训作为创收的手段；要鼓励、支持专职以及兼职教师参加培训，为教师取得资格证书“持证上岗”积极创造条件；培训科目由设培训点的省、市教委和有关院校自定，国家汉办予以支持和协助，并负责监督检查；培训要遵从教师自愿的原则。

此次会议的精神表明，对外汉语教师资格审定工作的重点已不只是通过审查与考试衡量某人是否具备了对外汉语教师的资格，而且是从适应对外汉语教学形势发展的需要出发，加强教师培训，创造条件，尽快提高教师素质，使教师尽快达到资格标准的要求，取得对外汉语教师资格。对外汉语教师业务培训，对建设高素质的对外汉语教师队伍，扩大对外汉语教学在社会上的影响，起到了积极的推动作用。

五　结语

对外汉语教师资格审定，是国家的一项制度，是对外汉语教师队伍建设的基础工程。实施对外汉语教师资格审定制度，符合中国教师法的有关规定，对提高对外汉语教师队伍的思想和业务素质，提高教学质量，进一步发展对外汉语教学事业具有重大而且深远的意义。资格审定是在国家教委(教育部)“对外汉语教师资格审查委员会”的直接领导下进行的,政策依据是1990年6月国家教委颁布的《对外汉语教师资格审定办法》。资格审定工作的进行,有组织、有计划、先试点、后推广,随着对外汉语教学事业的发展和对外汉语教师队伍状况的变化,审定的内容和具体做法也有灵活的调整。

1991、1992、1993三年的资格审定,审定范围在专职对外汉语教师,审定所取得的成绩是:整顿了对外汉语教师队伍,确定了对外汉语教师队伍建设的方向,为专职从事对外汉语教学工作的教师确定了奋斗目标,为对外汉语教师队伍的进一步建设和对外汉语教学事业的进一步发展奠定了基础。1997年以后的对外汉语教师资格审定,审定范围由专职对外汉语教师扩展到兼职对外汉语教师,不仅注意业务考试也注重业务培训,使培训与考试相结合,对尽快提高对外汉语教师业务素质,壮大对外汉语教师队伍,扩大对外汉语教学的影响,起到了重要的推动作用。

贰　从“资格认定”到“能力认定”

一　对外汉语教师资格审定办法[①]

第一条　为了做好从事对外国人进行汉语教学的教师资格

① 本文系国家教委主任李铁映1990年6月23日签署的中华人民共和国国家教育委员会第12号令。

的审定工作，提高对外汉语教师队伍的政治业务素质，保证教学质量，特制订本办法。

第二条　对外汉语教师必须坚持四项基本原则，反对资产阶级自由化，热爱祖国，热心弘扬中华文化，热爱对外汉语教学事业，具有良好的职业道德，为人师表，积极承担工作任务并具有一定的对外交往经验，遵守外事纪律。

第三条　对外汉语教师必须具有大学本科以上学历或同等学力，并具有一学年（累计学时为320小时）以上的对外汉语教学经历，取得了一定的教学经验，知识结构应达到下列要求：

（一）教学理论和教学方法方面

1. 了解对外汉语教学的性质和特点；

2. 了解主要的语言教学法流派的基本理论和基本方法；

3. 掌握教育学基本知识。

（二）语言学和文字学知识方面

1. 比较全面地掌握现代汉语理论知识，包括语音、词汇、语法、修辞、文字等方面的基本理论知识，并能对现代汉语的语言观象进行科学分析；

2. 掌握古代汉语的基础知识，具有阅读一般古文的能力；

3. 系统掌握普通语言学知识，并掌握应用语言学的基本知识。

（三）文学知识方面

1. 了解中国文学发展概况，熟悉我国主要作家及其代表作品；

2. 对世界著名的作家和作品有所了解。

（四）其他文化知识方面

1. 熟悉中国的历史和地理，了解主要的名胜古迹，有一定的社会、民俗知识；

2. 具有一般的世界历史、地理知识。

第四条 对外汉语教师能力结构应达到下列要求：

（一）语言文字能力方面

1. 能讲普通话，口齿清楚，熟练掌握《汉语拼音方案》，能辨别和纠正错误的语音语调；

2. 能分析学生常犯的汉字、词汇、语法错误，并掌握科学的纠正方法；

3. 熟悉简繁两种汉字字体，掌握汉字笔顺规则，书写正确、工整；

4. 有较强的汉语口语和书面表达能力；

5. 有一定的外语水平，熟悉教学用语，能进行日常生活会话，能借助工具书阅读专业书刊。

（二）工作能力方面

能有效地组织课堂教学，正确贯彻和运用课堂教学的原则和方法。

第五条 对外汉语教师符合第二、三、四条规定者，可申请对外汉语教师资格证书。出国从事汉语教学工作的教师，必须具有对外汉语教师资格证书。

第六条 国家教育委员会设“对外汉语教师资格审查委员会”，负责领导对外汉语教师资格审查和证书颁发工作。

第七条 申请对外汉语教师资格证书，必须经“对外汉语教师资格审查委员会”考评、审核。

第八条 本办法自公布之日起施行。

二 汉语作为外语教学能力认定办法①

第一条 为了提高汉语作为外语教学的水平，做好汉语作为外语教学能力认定工作，加强汉语作为外语教学师资队伍的建设，促进对外汉语教学事业的发展，依据《教育法》和《教师法》制定本办法。

第二条 本办法适用于对从事汉语作为外语教学工作的中国公民和外国公民所具备的相应专业知识水平和技能的认定。对经认定达到相应标准的，颁发《汉语作为外语教学能力证书》（以下简称《能力证书》）。

第三条 汉语作为外语教学能力认定工作由汉语作为外语教学能力认定工作委员会（以下简称“认定委员会”）根据本办法进行组织。认定委员会成员由教育部任命。认定委员会的职责是制订能力认定的考试标准，规范能力证书课程，组织考试和认定工作，颁发《能力证书》。

第四条 《能力证书》申请者应热爱汉语教学工作、热心介绍中国文化、遵守法律法规、具有良好的职业素养，须具有大专（含）以上学历和必要的普通话水平。其中的中国公民应具有相当于大学英语四级以上或全国外语水平考试（WSK）合格水平。

第五条 《能力证书》分为初级、中级、高级三类。

取得初级证书者应当具备汉语作为外语教学的基本知识，能够对母语为非汉语学习者进行基础性的汉语教学工作。

取得中级证书者应当具备汉语作为外语教学的较完备的知

① 本文系教育部长周济 2004 年 8 月 23 日签署的中华人民共和国教育部第 19 号令。

识，能够对母语为非汉语学习者进行较为系统的汉语教学工作。

取得高级证书者应当具备汉语作为外语教学的完备的知识，能够对母语为非汉语学习者进行系统性、专业性的汉语教学和相关的科学研究。

第六条　申请《能力证书》须通过下列考试：

初级证书的考试科目为：现代汉语基本知识、中国文化基础常识、普通话水平；

中级证书的考试科目为：现代汉语、汉语作为外语教学理论、中国文化基本知识；

高级证书的考试科目为：现代汉语及古代汉语、语言学及汉语作为外语教学理论、中国文化。

第七条　申请中级、高级证书者普通话水平须达到中国国家语言文字工作委员会规定的二级甲等以上。

第八条　对外汉语专业毕业的本科生可免试申请《能力证书（中级）》；

对外汉语专业方向毕业的研究生可免试申请《能力证书（高级）》。

中国语言文学专业毕业的本科生和研究生，可免试汉语类科目。

第九条　汉语作为外语教学能力认定工作每年定期进行。申请证书者须先通过能力考试，凭考试合格成绩申请证书。申报考试和申请证书的具体时间及承办机构由认定委员会决定。

第十条　《能力证书》申请者须向申请受理机构提交以下材料：

（一）《汉语作为外语教学能力证书申请表》（一式两份）；

（二）身份证明原件及复印件；

(三)学历证书原件及复印件;

(四)考试成绩证明原件及复印件(符合免考试科目者须提交所要求的证书原件及复印件);

(五)普通话水平测试等级证书原件及复印件;

(六)外语水平证明原件及复印件。

第十一条　《能力证书》由认定委员会监制。

第十二条　申请证书过程中弄虚作假的,经认定委员会核实,不予认定;已经获得《汉语作为外语教学能力证书》者,由认定委员会予以注销。

第十三条　为了提高汉语作为外语教师的专业能力,认定委员会规定《能力证书》的标准化课程和大纲。

第十四条　本办法自 2004 年 10 月 1 日起施行,1990 年 6 月 23 日发布的《对外汉语教师资格审定办法》(中华人民共和国国家教育委员会令第 12 号)同时废止,《对外汉语教师资格证书》同时失效,须更换《能力证书(高级)》。

第四节　对外汉语教学评估

壹　教学评估是检查教师培训的重要手段[①]

对外汉语教学评估是一种外语或第二语言的教学评估。关

① 本节选自陈光磊《对外汉语教学评估问题探讨》,载《第七届国际汉语教学讨论会论文选》,北京大学出版社 2004 年版。

于第二语言教学评估，盛炎在所著《语言教学原理》中作过这样的说明："评估是决定一件事情或一个人的价值。第二语言教学评估是决定整个第二语言教学设计方案的价值。评估不是测试的同义词，它是一个系统而复杂的过程。评估的内容包括教学过程中的所有因素，如教学目标和目的、教学内容、教学环境、教学设施、教学方法、教材、教师、学生、教学效果等。"[1]后来，他又指出："第二语言教学评估是根据系统收集的数据资料对整个第二语言教学质量的鉴定。……评估有一套理论和方法。"[2]可以说，这些论述也就基本上点明了第二语言教学评估的性质和内容。

科德(S. R. Corder)在所著《应用语言学导论》中明确指出，应用语言学(即指语言学应用于语言教学特别是第二语言教学的这门学科)对于语言教学不仅具有"描写性"，而且具有"指示性"。所谓"指示性"，就是它对于语言教学"能以系统而合乎逻辑的方式"来"控制和指导这一过程，以尽可能提高其效率"。[3] 也就是要能够控导语言教学的过程，提高语言教学的效率。为此，就要对语言教学工作不断地加以检查和评价，以求推进。他说："我们对语言学习过程的理解，在目前还远远不够完善……这样就更有理由要试行调查研究，并且对教学过程的各种有关因素，包括教材，进行评价。"并且"无论改进现有的课程或设计新的课程，我们都必须有一种手段来评价我们的各种计

① 参见盛炎《语言教学原理》，重庆出版社 1990 年版，第 362 页。

② 参见《对外汉语教学论文选评》第 1 集(1949—1990)，北京语言学院出版社 1993 年版，第 330 页。

③ 参见 S. R. 科德《应用语言学导论》中译本，上海外语教育出版社 1983 年版，第 350、351 页。

划及其执行情况，也就是有一种检查我们活动的方法。换句话说，我们需要关于我们工作成绩的源源不绝的信息或反馈”。[①]的确，诚如皮连生主编的《学与教的心理学》所说：“在学校里，如果教师缺乏测量，得不到及时、可靠的教学反馈，就免不了盲目行事；如果没有评价，或评价不客观、不恰当，那么教学决策就会失去方向。……因此，没有评价，就没有教学的依据。”[②]这里所说对教学工作作评价，就是进行教学评估。可以说，这些论述也就着重点明了第二语言教学评估的目的和功用。

这样，我们可以说，对外汉语教学评估就是对汉语作为外语或第二语言教学工作的水平、质量、效果，依据一定的标准和要求，运用一定的方法和手段来加以衡量，并作出相应的评价。也就是对对外汉语教学活动适时地进行检查和接受反馈，使教学活动得以健全地持续运行，并不断提高教和学的效率；从而也就推动整个对外汉语教学建设与时俱进，不断有所创新。

韩孝平《试论对外汉语教学工作的评估》和赵金铭《论对外汉语教材评估》对于对外汉语教学评估的研究和施行很有开拓意义。韩文一发表，吕必松就作了热情的评价：“这篇论文不仅提出了教学质量的标准，而且提出了对外汉语教师的业务水平和教学能力的标准。虽然评估标准和等级划分方面的个别问题还可以进一步推敲，但这个课题本身是非常重要的，论文的思想是好的，基本方法也是可行的。如果我们基本上按照这个办法

---

① 参见 S.R.科德《应用语言学导论》中译本，上海外语教育出版社 1983 年版，第 350、351 页。

② 参见皮连生主编《学与教的心理学》，华东师范大学出版社 1997 年版，第 345 页。

进行评估，对提高我们的教学水平会起到促进作用。”[①]同样，赵文对对外汉语教材的评估提出了相当全面而系统的标准，若予施行，对外汉语教材建设将会被推向一个新的台阶，而且赵文所提出的一些评估原则也丰富和充实了整个对外汉语教学评估工作的内容。但是，至今我们这样的研究做得还很不够。尽管我们在实际上也这样或那样地做了不少教学评估工作，但是对教学评估还缺乏充分的自觉性，并且也没有形成应有的规模和系统。在总体上看，从严格意义上说，教学评估还是对外汉语教学建设中相对滞后的一个方面，亟须加强。

建立一套完整的、科学的、规范的、可操作的对外汉语教学评估系统和实施制度，是对外汉语教学的一项基本建设。所谓完整的，即应当具有任何一种系统得以成立的完备性，也就是对对外汉语教学所应该进行评估的环节、方面或项目都有相应的评估规定；对于某一环节、方面或项目所应该评估的内容没有缺漏。像赵金铭对对外汉语教材评估所拟制的 9 个方面 55 个项目[②]，对于教材评估来说具备完整性。所谓科学的，就是对所要评估的项目内容及其标准的拟制是具有一定的语言学、心理学、教育学等方面的理论依据的，而且也具有相应的测量手段和方法来保证评估的客观性和可能的量化呈现。如韩孝平所拟制的对教师的主体和客体的评估表所列的项目内容及等级标准就相当具有科学性。所谓规范的，是指进行教学评估要有尽量明确的规则性，也就是对评估的实施和执行都是有章可循的，有统一

① 参见《对外汉语教学研究会第二次学术讨论会论文选》，北京语言学院出版社 1987 年版，第 5 页。

② 参见赵金铭《论对外汉语教材评估》，《语言教学与研究》1998 年第 3 期。

的做法。这样，评估同样的项目不会因人（评估者或被评估者）而异，保证评估的公平性和公正性。所谓可操作的，实际上包括可操作性和可接受性两方面，就是教学评估项目及其标准的掌握，对于评估者来说可以按一定程序或若干规定来执行；对于被评估一方来说也是能够甚至乐意接受的，不会感到超出了实际可能或客观条件之外的要求。当然，要确定这样的一套教学评估系统，需要通过逐步深入的探讨研究、科学论证和不断地进行教学评估的试验和实践来实现，不可能一步完成。

对外汉语教学作为第二语言教学，其教学的全过程和全部教学活动通常概括为总体设计、教材编写、课堂教学和成绩测试四大环节。那么，对外汉语教学评估也就可以而且应当落实在这些环节上来进行。这样，就需要制订对教学过程中各个环节进行评估的项目及其标准，确定相应的评估方法和手段，构建一个对外汉语教学的评估系统。可以说，对外汉语教学评估是一项系统工程。建设这一系统工程，我们认为可以把课堂教学的评估作为重点和中心。这是因为课堂教学在对外汉语教学的全部活动中是最富有实践性和效应性的一个环节，“在第二语言教学的四大环节中，课堂教学是中心环节”。它“在全部教学中处于中心地位，其他环节必须为它服务”。由于课堂教学“是帮助学生学习和掌握目的语的主要场所，所以所有其他教学环节上的工作都要从课堂教学的需要出发，以满足和适应课堂教学的需要为宗旨”。[①] 因而，课堂教学对于其他教学环节在设计上和

---

① 参见吕必松《对外汉语教学概论》，国家汉办编印内部资料 1996 年，第 106、107、109 页。

执行上的得失也是一种很实在的检验。

说起课堂教学的评估，不能认为它就是听课，只对教师作评估。这种看法不免有点儿表面和片面。诚如吕必松所说："课堂教学是一个综合概念，实际上有多种含义。在四大环节中的课堂教学是课堂教学的总称，是指整个教学过程中的课堂教学；教学过程是可以划分阶段的，每一阶段中的课堂教学是阶段性的课堂教学，是教学全过程中的课堂教学的一部分；课堂教学是一堂课一堂课地进行的，一堂课就是一次具体的课堂教学。"[①]所以，课堂教学评估也就有全程性的教学评估，阶段性（或单元性）的教学评估，单堂课的教学评估。全程性课堂教学评估，那就是要依据教学全过程所规定的课堂教学内容和教学目标，考查其全过程的执行情况，衡量有关指标，作出评估；阶段性课堂教学评估，那就是要依据该阶段所规定的教学内容和教学目标，考查和衡量这一阶段的执行情况和有关指标，作出评估；单堂课的教学评估，也就是根据这一堂课的教学内容和教学目标对执行情况进行考查衡量，作出评估。这三者是相互关联的。如果说全程性课堂教学评估是一种宏观的、总体的教学评估，那么单堂课教学评估就是一种微观的、具体的教学评估；而阶段性课堂教学评估则既带有某种宏观性、总体性，也带有某种微观性、具体性。具体的微观性课堂教学评估的进行应当以总体的宏观性课堂教学评估的要求为背景、为指导；而总体的宏观性课堂教学评估的完成则要以具体的微观性课堂教学评估即单堂课教学评估的积

---

① 参见吕必松《对外汉语教学概论》，国家汉办编印内部资料 1996 年，第 106、107、109 页。

累为依据、为基础。完整的、健全的、成功的课堂教学评估就是这两方面的结合和统一。这是我们对外汉语课堂教学评估应当追求和达到的目标。

课堂教学是进行目的语教学活动的具体展开形态，具有灵活多变的特点，涉及的因素也相当多，最直接相关的就有教师、学生、教材和教学设施等几方面。根据需要，可以对其中某一方面进行单项评估，譬如说在教师、教材和教学设施等条件都相同的情况下，可以对同一级次的不同学生群体的课堂教学的接受效果和学习效率作测量，从而把这些不同班级群体加以比较作出评估，决定其各自的后续教学措施：或者加快教学进度，或者放慢教学进度，或者保持原来教学进度，或者在某一方面要特别加强教学力度，等等。当然这种评估的对象也可以是学生个体。学生是教学计划的实施对象，也是课堂教学的主体，所以，课堂教学评估中一个不可或缺的重要内容就是对学生在课堂中的接受效果和学习效率进行评估。

当然，相对于学生，教师是实施教学计划的执行者和操作者，课堂教学是以教师为主导的，课堂教学“舞台”上活动的展开是由教师所“导演”的。所以，课堂教学评估的重心往往也就不可避免地落在教师身上，甚至成为对教师教学水平、教学质量、教学效果所作的一种鉴定或考核。这样，就有可能对教师造成某种压力，以致使一些教师对课堂教学评估产生误解和抵触。这是需要消除的，也是不难消除的。其实，只要教师明确了课堂教学评估的意义在于促使教学活动得以良性地持续运转，并有助于自己教学的改进和提高，而不是为难自己，他们就会觉得教师接受某种教学评估也就像学生接受成绩测试一样是应该的和必要的,就会欢迎和主动参与课堂教学评估的。同时,这种教学评估也要形成为一种制度,经常地、适时地予以进行,使之具有公开性、群众性和实效性。

如果我们的课堂教学评估以教师的教学水平、教学质量和教学效果作为一个主导性内容,那么这样的教学评估主要将由三方面综合形成:(1)教师自我评估;(2)同行专家评估;(3)教学对象评估即学生群体评估。相对而言,其中(1)方面是主观性评估,而(2)(3)两方面是客观性的评估。这三方面的评估又含有以下内容:一是教学对象(学生)成绩测试的结果;二是学生所提出的口头的或书面的意见;三是同行专家对教学效果的一定考查。而在一定程度上,教学对象即学生所作的评估是对课堂教学的水平、质量和效果最实在甚至是具有决定意义的鉴定。

对上述这些方面的教学评估,都要确定评估的项目内容及其等级标准。韩孝平所拟制的"客体评估课堂教学"表应当说是相当全面细致地列出了评估项目内容及其等级标准,这对于同行专家对教师进行课堂教学评估很有应用价值。这个表拟制了"教学要求""教学任务""教学内容编排""教学安排""课堂教学技能"等五个方面的评估。其中"教学内容编排"列有"复习旧课""引进新课""课堂讲解""课堂操练"等四个项目,"教学安排"列有"教学小结""教案设计与实施""教学环节""教学时间安排"等四个项目,"课堂教学技能"列有"课堂管理""教学语言""媒介语言使用""文化背景介绍""板书技巧""教辅手段""教态"等七项。每项都列出 ABCD 四个等级的判别标准。如"教学要求:A.目的明确,重点突出;B.目的明确,重点较突出;C.目的较明确，重点不太突出；D. 目的不明确，难以分辨主次”。又如“课堂讲解：A. 精讲多练，画龙点睛；B. 讲解较清楚，讲练关系合理；C. 讲多于练；D. 讲解不太清楚或有疏漏”。[①] 当然，诚如吕必松所说，有些问题还是可以再加推敲。课堂教学评估项目内容及评判等级的拟制正是需要深入研究和不断完善的。

这里想对此做些探讨。我们觉得教学内容本身应当是课堂教学评估中一个很重要的方面，它可以包括语言知识的讲解、言语技能的操练、交际能力的培养、文化背景的说明、教学内容的组合等项。韩文所制订的评估表把“文化背景介绍”放在“课堂教学技能”之中，似不甚确切。吕必松指出：“第二语言教学实际上它包括五项内容，即语言要素与言语技能、言语交际技能、语用规则和有关的文化背景知识。这五项内容都要在课堂上进行，所以它们都是课堂教学的内容。”[②]所以，课堂教学评估应当对这些教学内容传授的水平作出评估：语言要素知识的讲解是否正确、是否明晰、是否精到；言语技能的操练方式是否恰当、数量是否足够、效果是否良好、交际能力的培养是否设置有效情境、是否注重语用功能教学、是否组织交际实践活动；文化背景的说明是否注意中外对比、文化导入是否适时适量、介绍是否正确妥帖；这些教学内容的组合是否做到精讲多练、交际实用和必要的文化导入。——这里我们把吕必松所列五项内容中的“言语技能”和“语用规则”结合为“交际能力”。——同时，根据吕必

① 参见韩孝平《试论对外汉语教学工作的评估》，《语言教学与研究》1986 年第 4 期。

② 参见吕必松《对外汉语教学概论》，国家汉办编印内部资料 1996 年，第 106、107、109 页。

松提出的课堂教学有总的目标(即根据教学大纲的要求和教学内容,全面完成教学任务)、最高目标(即使学生能够正确地运用目的语进行交际)和具体目标(即为了达到总目标和最高目标所必须完成的教学任务的具体规定)的教学目标论,“课堂教学的总目标、最高目标和具体目标,都要靠完成每一堂课的教学任务来实现,所以任课教师要计划好每一堂的教学任务,努力实现每一堂课的教学目标”。[①] 所以,我们认为“教学目标的实现”应当是课堂教学评估的一项必要内容。不过,在名称上似乎用“总体目标”“根本目标”“具体目标”更好些。再者也有必要把“作业布置与评改”作为一项评估内容,因为它是课堂教学的某种继续和延伸,而且有些作业的评改也是需要在课堂上进行的。至于对教学效果的评估主要是来自教学对象(学生)的学习效果和成绩测试以及他们的评估意见。这样,我们设想课堂教学评估内容就可以有:教学目标的实现、教学内容的传授、教学方法的运用、教学环节的安排、课堂教学的组织、教学技能的掌握、作业布置与评改、教学效果的反映等8个方面,每个方面再列若干项目。同时,对每项内容都列出应该达到的若干要求,也就是评估的参考标准,这里作为最高标准度提出,所以,评估的等第也就是其达到某种标准度(达标度)的反映。兹分项说述并列表如下。

表2—3所分8个方面34项内容可以作为课堂教学评估的依据和标准,主要供同行或专家进行客观评估;当然,教师也可据以进行自我评估。

---

① 参见吕必松《对外汉语教学概论》,国家汉办编印内部资料1996年,第106、107、109页。

表 2—3 课堂教学评估表

评估项目		标准和要求	评 分
教学目标的实现	1. 对总体目标	充分理解,切实贯彻,全面完成教学任务	
	2. 对根本目标	要求明确,努力达到,注重提高交际能力	
	3. 对具体目标	全面落实,认真执行,完满完成教学任务	
教学内容的传授	1. 语言知识的讲解	内容正确,说解简明,指点精要	
	2. 言语技能的操练	方式恰当,数量足够,切实有效	
	3. 交际能力的培养	设置有效语境,运用语用规约,进行交际实践	
	4. 文化背景的说明	介绍适时适量,运用中外对比,说解正确贴切	
	5. 教学内容的组合	精讲多练,交际实用,文化导入	
教学方法的运用	1. 教学法与课型的匹配	适应课型的特点和要求	
	2. 教学法与学生的对应	适合学生的水平和要求	
	3. 教学法所具有的成效	具有启发性、生动性和趣味性	
	4. 教学设施的使用	合理,熟练,有效	
教学环节的安排	1. 教案的设计	合理,精确,可变通	
	2. 教学的过程	起始——展开——结束的顺序完整、明确	
	3. 旧课的复习	及时,注意承前启后	
	4. 新课的引入	自然,力求方式新颖	
	5. 生词和语法的教学、技能训练等环节的组合	组配合理,层次分明,节奏紧凑	
	6. 教学小结	进行适时,讲练精要	
	7. 进度安排	时间分配合理,进度恰到好处	

续表

评估项目		标准和要求	评　分
课堂教学的组织	1. 课堂秩序	学生安定，精力集中	
	2. 调动学生的学习情绪	发挥学生的学习积极性、主动性、创造性，对程度不同的学生既区别又平等地对待、因材施教	
	3. 组织交际性练习	把课堂作为交际场所，提供语境和话题，展开不同形式的交际实践	
	4. 课堂气氛	调节适度，既认真紧张又活泼愉快	
教学技能的掌握	1. 教学语言	普通话标准、规范；教学用语简练，语速适当；声音洪亮，话语清晰；媒介语使用正确、恰当	
	2. 板书运用	整体布局合理，整齐美观；书写规范，字迹端正	
	3. 辅助手段	准备充分，使用合理，具有实效	
	4. 教师形象	精神饱满，仪表端庄，态度和蔼；举止优雅，善于以姿态助说话	
作业布置与评改	1. 题型设计	类别多样，内容新颖，分布合理	
	2. 程度把握	难易适度，循序渐进	
	3. 练习量度	数量足够，不过多或过少	
	4. 作业评改	进行及时，态度认真，评析精确	
教学效果的反映	1. 学生对应知应会内容的掌握	能理解，会模仿，能记忆，会使用	
	2. 学生考试成绩	考题合理，优、良、中、差成绩的分布合比例	
	3. 学生对课堂教学的意见	（可拟制学生对课堂教学评估意见表以收集有关信息）	

至于学生对课堂教学的评估，当然在内容上项目上不能像上面所论述的那么复杂，而要用简明易懂的语句（初始阶段甚至可用其母语）提出评估的项目和要求 。表 2—4 就是我们拟制的学生用的课堂教学评估表，这里列出的评估项目，仅供

讨论参考。

表 2—4 课堂教学评估表(学生用)

评 估 项 目	很好 7	好 6	较好 5	中等 4	较差 3	差 2	很差 1
1. 这门课的内容是不是有意思							
2. 这门课对提高汉语水平是不是有帮助							
3. 老师讲得是不是明白易懂							
4. 老师讲得是不是生动有趣							
5. 老师讲话的速度是不是适当							
6. 老师的板书是不是清楚整齐							
7. 课堂模仿练习做得怎么样							
8. 课堂交际练习做得怎么样							
9. 课后作业的内容、数量是不是适当							
10. 老师批改作业是不是及时							
11. 老师是不是热心这门课的教学							
12. 老师对同学是不是亲切、热情							
13. 老师对同学提出的问题是不是很好回答							
14. 总体上说你对这门课的内容是不是感兴趣							
15. 总体上说你对这门课的内容是不是学会了							
16. 总体上说你对这门课的老师是不是满意							

关于评估的等第,也是可以讨论的。如前所说,评估的等第也就是对评估项目的达标度的刻画。韩文所拟评估类别(即等

第）为A、B、C、D四类，大体就是优、良、中、差四种达标度。如果要评判计分，可能用五分制较为便利，同时这也有利于一定程度上评估的量化（如计算平均分）。甚至还可以采用七分制来评判计分，也即分作七等达标度，那就是：优秀（或很好）、良好（或好）、较好、一般（或中等）、尚可（或较差）、差、很差（或劣），当然，某些场合也有采用百分制的。我们所拟制的学生对课堂教学评估表用的是七分制，因为我们觉得这样的等级坡度比较适合学生对教师的课堂教学水平作评估，以免评估中起落较大，可以更加切合实际，譬如在"良好"和"中等"之间有"较好"，就比较符合实际。而且不同等第之间的差别界限特别是相邻的两个等第之间的差别界限总带有一定的模糊性，同时作评估的人也总带有一定的主观性，所以等第分得细一些，由多个评估人取得的达标度平均值会更可靠一些。

现在，我们应当大力加强对对外汉语教学评估问题的研究，从理论上和方法上作广泛、深入的探讨，这实际上也是学科理论建设的一个重要方面。拟制对外汉语教学评估的项目内容和评估标准，既要从教学实际出发，又要有学术上的依据。确立一套完整的、科学的、规范的、可操作的对外汉语教学评估系统，对于学科建设和师资建设都有极其重要的意义，对于提高整个对外汉语教学的水平、质量、效率有着直接的应用价值。要开展这项工作，还要确立一定的制度和组织一定的队伍，这样才能使教学评估经常化，使它真正成为整个教学活动螺旋式上升的推动力。最后，我们还想在这里呼吁一下，整个对外汉语教学界应当加强教学评估意识，让广大的教师积极地自觉地参与教学评估，把研究和实施教学评估作为我们自己的一项基本工作和经常工作。

贰　教学评估并非评价教师的唯一标准①

教学评估作为现代教育管理的重要手段与环节，已在高等教育领域发挥了重大作用。近百年来，有关教学评估的理论与实践在教育测量的基础上逐步发展起来。多年的实践经验表明，具有严密组织性、科学性、计划性、合理性的教学评估确能发挥促进教师自我调节、及时发现课堂教学中的问题、改进教学工作、加强教学管理、推动教育改革、提高教学水平的作用。教学评估已经成为目前高等学校教育评估最主要、经常的形式。

在对外汉语教学领域，有系统的教学评估是近年来才开展起来的。目前大多仅限于学生对所学课程的评估。一门课程的成功建设，是由教师、教材、学时、教学环节和学生等各部分相互联系的有机整体共同完成的，其中学生是教学过程中认识的主体，在一定程度上最能反映客观情况，对教学效果也最有发言权。因此，以学生对所学课程进行评估为对外汉语教学评估的主导形式具有一定的合理性。

北京大学对外汉语教育学院有系统的教学评估是自 2000 年 12 月开始的。评估在每个学期结束前一个月进行。评估问卷由各教研室主任组织有经验的教师共同制订，由办公室

① 本节选自刘德联、李海燕《对外汉语教学评估偏差分析及纠偏对策》，《语言教学与研究》2004 年第 5 期。

职员负责实施。在课堂上把评估问卷发放给学生，然后当场收回。最后，由各教研室评估组织者统计出每个班的评估结果，交给任课教师本人，并在公告栏内将各班评估结果匿名公布，以便教师将自己的教学情况与其他班级进行对比。到2002年12月共进行了五次教学评估。客观地讲，这五次评估对了解各班的教学情况、规范和改进教学起到了一定的促进作用。

为了使评估更加真实有效地反映教学实际情况，每次评估前，评估组织者都根据前一次评估的实际情况以及教师和学生的反馈意见，在指标项目、权重、问题数量、提问方式以及发放问卷的操作程序等方面做一定的调整。在最近的一次评估中，为使评估更适应留学生答题特点，各类课程除了个别针对本课程教学特殊要求的几个项目外，基本上统一了评估问卷的内容，简化了问卷，并将问卷全文配上了英语译文。

尽管评估的组织者每次评估之前都对教学评估的内容和方法不断进行改进，希望评估者主观的反映尽可能接近客观事实，把测量的误差减少到最低程度，但由于我们的学生是来自世界各地的外国人，他们在接受知识、待人接物的思维方法上与中国人有一定差异，语言上的隔膜也有可能影响对外汉语教学评估的准确度。在进行评估时，不可避免会出现偏差。每次评估之后，都会有教师对评估内容、评估方法等提出质疑，如认为一些项目不能真实反映实际教学水平、学生在填写问卷时有一定的主观性和随意性、评分方法不够公正等等。因此，如何根据留学生的特点，制定相应的教学评估指标，也是摆在我们面前的一个新课题。

正确反映客观事实的评估结果，对被评对象具有一定的参照作用、定向作用和激励作用。但“如果评估的偏差过大，其效果甚至有可能是负的，其消极影响涉及的范围又是相当大的”。[①] 因此，本文根据后四次（2000 年 12 月第一次的评估资料因电脑问题遗失）的评估资料和本文作者 2002 年 12 月向部分学生发放的针对教学评估所做的调查问卷材料，从主客观两方面对以往的教学评估进行了统计分析和研究，目的是看这四次评估存在哪些偏差，并试图寻找偏差的原因，提出纠正偏差的策略和评估的新思路，使评估偏差降到最低。

一　从客观角度分析可能造成教学评估偏差的原因

（一）评估指标的客观性、可测性

由学生对所学课程及任课教师进行评估，不是用“学生反映很好”或“学生不满意”等一两句话能够概括的。要使评估具有一定的客观性，评估指标的制定极其重要。“评估是根据一定的目标，通过系统收集信息，对教育客体做出价值判断的过程。其目的在于推动人们去完成预定目标”。评估指标应是“一种具体的、可测的评估项目，因此，抓住被评客体的本质属性并把它分解为可测项目，就是指标体系设计的根本方法”。[②] 指标体系（包括权重）是评估的核心问题。指标体系的选择是否得当直接关系到评估的成败。这里将从两个方面分析可能造成评估偏差的

①② 参见许建钺《高等学校教育鉴定与水平评估》，中国科学技术出版社 1992 年版。

客观原因。(1)评估指标体系是否恰当;(2)评估可以说是一种对教师教学的测验,既然是测验就应该可以通过信度、效度检验其可靠性。

我们将从纵向上比较四个学期的口语课评估情况,从横向上比较 2002 年 12 月各门课程的评估情况,通过对历次评估数据进行统计分析,寻找评估偏差及其原因。

(二) 具体分析方法与分析结果

1. 从评估指标的制定与实施检验其合理性。

教育评估就是衡量实际活动达到教育目标的程度,因此,首先要考察评估的各个指标项目在多大程度上反映了教学质量。我们以 2001 年 6 月至 2002 年 12 月连续四个学期进行的四次口语课教学评估为例,分析了四个学期各班口语课评估的指标项目之间以及各项目与总分的相关系数,得到了四个相关矩阵。为了便于考察和比较四次评估的指标项目情况,我们把四个相关矩阵表中各指标项目与总分的相关系数集中在一起,制成表 2—5。某个指标项目如果直接反映教学水平,那么在该项目上得分的高低与总分高低应该是直接相关的,他们之间的相关系数也应该较高,否则就与我们的既定目标有所偏离。

从表 2—5 可以看到,各指标与总分的相关性在四次评估中有一定的一致性。相关程度比较高的有:对课程和教师的总体评价、教师的教学方法、教师解答说明问题是否清楚、教师的教学态度等。相关程度比较低的有:教师上课下课是否准时、上课时能听懂多少、上课时是不是常用母语聊天儿以及考试的难度等。

相关程度较高的项目都与教学质量的好坏关系密切,如教师

表 2—5　四次口语课评估的各指标项目与总分的相关系数

2001.6		2001.11		2002.6		2002.12	
总体评价	0.89	教学方法	0.94	总体评价	0.95	愿推荐该教师给别的学生	0.98
说明问题清楚否	0.85	总体评价	0.93	教学方法	0.89	总体评价教师	0.94
说话机会多少	0.83	教学态度	0.87	教师教学态度	0.86	教师回答问题很耐心	0.93
教学方法	0.74	讲解生词时间	0.81	教师的说明	0.81	上课方法	0.92
教师教学态度	0.73	教师的说明	0.80	讲解练习时间	0.78	教师讲解清楚否	0.91
教师上课声音大否	0.68	讲解课文时间	0.72	说话机会多少	0.76	教师改错的方法和态度	0.89
教师说话时间	0.64	口语考试的形式	0.70	口语考试形式	0.72	教师上课前准备很充分	0.88
教师说话速度	0.59	说话机会均等否	0.63	说话机会均等否	0.69	教师注意活跃课堂气氛	0.88
讲解生词时间	0.42	教师说话速度	0.46	教师说话时间	0.68	教师注意学生是否听懂	0.88
学生能听懂多少	0.40	教师发音清楚否	0.44	讲解生词时间	0.62	作业量	0.83
说话机会均等否	0.34	说话机会多少	0.37	作业	0.53	练习机会均等	0.82
教师发音清楚否	0.29	讲解练习时间	0.33	用母语聊天否	0.53	教师说话速度	0.81
讲解练习时间	0.14	作业	0.32	讲解课文时间	0.52	教师鼓励学生多说话	0.80
作业多少	0.11	教师上课迟到否	0.17	按时下课否	0.47	学生的说话机会很多	0.75
课堂是否说母语	0.01	上课用母语聊天否	0.08	教师上课迟到	0.41	教师迟到否	0.31
讲解课文时间	0	教师下课准时否	0.06	教师发音清楚	0.29		
教师上课准时否	-0.1	教师说话多否	0.05	口语考试难度	0.27		
教师下课准时否	-0.1	口语考试的难度	-0.1	教师说话速度	0.03		
		学生能听懂多少	-0.5	学生能听懂多少	-0.3		

的教学方法、态度等，也与学生的期望值相接近；而教师是否迟到早退、测试题的难度、是否常用学生的母语与学生交谈等因素与其教学水平高低并无直接关系，也是学生并不特别看重的，甚至是学生认为可以谅解的。当时之所以作为评估指标，也有考查教师课堂行为及考试情况等行政角度的目的，现在看来将其作为教学评估指标是不适宜的。这也说明教学评估目标应当尽量单一，不能把不同目的的指标放在一起。从四次评估的发展也可以看出：当评估组织者注意到这个问题并对评估项目逐步改进的时候，评估指标与总分的相关程度也就越来越高。可以说四次评估过程中的改进措施是有成效的。特别值得提出的是，2002 年 12 月评估前，为了增强评估的客观性和有效性，评估组织者在全学院范围内发放教师问卷，请所有教师按照重要程度依次列出他们认为最能反映教学水平的评估项目及在评估问卷中对评估项目的表述方式。在统计问卷的基础上，评估组织者减少合并了一些指标项目，使评估表更加简化，指标的叙述语言尽量通俗化并配上英语译文。这样做的良好效果直接反映在了统计结果中。

我们也对 2002 年 12 月汉语精读课的教学评估结果进行了统计分析，分析结果与口语课大同小异。值得注意的是“上课方法”一项与总分的相关程度没口语课那么高，反映出学生对精读课教学方法的要求没有口语课那么高。

2. 从教师角度分析可能使评估产生偏差的原因。

(1)教师的教龄是否会影响教学评估的得分？森特拉[①]有

---

① 参见森特拉《大学教师工作评估》，许建钺译，北京航天航空大学出版社 1992 年版。

这样的统计：在美国，有人对 8 000 多名不同教龄教师的总体教学效果分析说明，只教过一年的教师一般得分最低（按五级分制平均 3.54 分），具有一年或两年和具有 12 年以上教龄的教师得分相似（平均为 3.75 分），但 3 年至 12 年教龄的教师平均得分略高些（平均 3.83 分）。而据森特拉本人进行的一项取样分析说明，具有 20 年以上教龄的教师甚至平均得分最低。

在我们这里，也曾出现教学多年、有丰富经验的老教师评估得分不尽如人意的情况。教师的教龄是否会影响评估结果呢？我们按照任教时间长短把接受评估的教师分为 3 年以下、3—10 年、10 年以上三组进行方差分析。

表 2—6　三组不同教龄的教师评估结果的差异分析

SUMMARY					方差分析						
组	计数	求和	平均	方差	差异源	SS	df	MS	F	P-value	Fcrit
3 年以下	14	70.56	5.04	4.09	组间	6.78	2	3.39	0.65	0.53	3.24
3—10 年	14	84.21	6.01	5.97	组内	202.98	39	5.20			
10 年以上	14	79.00	5.64	5.54	总计	209.76	41				

表 2—6 中 F 值＝0.65＜F(2，39，0.05)＝3.24，因此这三组的评估结果没有显著性差异，教师的教龄对评估结果并无直接影响。我们认为有以下原因：首先，我们的新教师起点高，近年来加入到师资队伍中的基本上都是专攻语言学或对外汉语教学的硕士、博士毕业生，工作之前大多有一定的教学经验。其次，新老教师之间的教学交流活动促进了学院整体教学水平的提高。此外，我们认为，留学生更注重的还是教学质量，而不在乎教师的年龄。

(2)有研究表明，学生们对女教师的评分比男教师高，但他们认为男教师的教学更能激发兴趣。[①] 那么，教师的性别是否也会影响评估结果呢？我们把参加评估的教师分为男、女两组进行方差分析，结果见表2—7。

表2—7　不同性别的教师评估结果的差异分析

SUMMARY					方差分析						
组	计数	求和	平均	方差	差异源	SS	df	MS	F	P-value	Fcrit
女教师	16	163.4	10.2	367.9	组间	0.04	1	0.04	0.000112	0.99	4.17
男教师	16	162.2	10.1	362.6	组内	10 957.6	30	365.3			
					总计	10 957.6	31				

根据表2—7，F值＝0.000112＜F(1,30,0.05)＝4.17，所以男、女两组的评估结果没有显著性差异，教师的性别对评估结果没有影响。

(3)一位教师在相近的几年中教学水平应该是相对稳定的。当然教师也会努力使自己的教学质量有所提高。为了验证这一点，我们对8位教师连续4个学期的评估结果进行了分析。

表2—8　连续参加四次口语课评估的8位教师的评估结果

	评估1得分	评估2得分	评估3得分	评估4得分
教师A	81.00	91.4	93.7	87.41
教师B	85.44	96.0	91.9	94.86
教师C	89.60	87.0	89.5	81.83

① 参见森特拉《大学教师工作评估》，许建钺译，北京航天航空大学出版社1992年版。

续表

	评估1得分	评估2得分	评估3得分	评估4得分
教师D	81.50	89.1	88.9	85.59
教师E	89.39	89.7	96.9	82.23
教师F	86.90	91.1	83.3	72.54
教师G	93.13	89.5	91.8	93.43
教师H	92.26	90.7	90.7	84.10

表2—9　以上8位教师评估结果的方差分析

方差分析						
差异源	SS	df	MS	F	P-value	Fcrit
组间	171.94	3	57.31	2.47	0.08	2.95
组内	649.50	28	23.2			
总计	821.44	31				

根据表2—8、表2—9，F值＝2.47，查F值分布表，0.05显著水平的临界值为2.95；0.01显著水平的临界值为4.57，F(3,28,0.01)＜F值＜F(3,28,0.05)，所以这8位教师在连续4次的评估中得分在0.05显著水平上没有显著差异，但在0.01显著水平上有差异。我们的解释是8位教师在4次评估中的结果是基本稳定的，评估的结果是相对可信的。

(4)同一教师在同一学期所担任的两门同类型课程的评估结果应该是一致的。我们对8位同时担任两门口语课的老师在评估中的得分进行相关分析，结果两门课的评估结果相关系数全部都在0.99以上，说明对同一教师担任的两门课程的评估结果高度一致，评估是稳定的。

3. 从学生角度分析可能使评估产生偏差的客观原因。

对外汉语教学评估不同于一般评估的一个特点就是评估者为掌握汉语并不熟练甚至为初学汉语的外国人，他们具有不同的汉语水平、不同的文化背景、不同的思维方式，让他们给所学课程和任课教师进行评估，会不会造成评估的偏差呢？我们从两个方面做了比较：

(1)按汉语水平分组比较。我们把 2002 年 12 月口语课的评估结果分为初、中、高级班三个组进行方差分析，目的是看不同水平等级的班级在不同的项目上评估是否存在差异。

表 2—10　2002 年 12 月初、中、高级班在口语课评估结果上的双向方差分析

方差分析（以 0.01 的显著水平）						
差异源	SS	df	MS	F	P-value	Fcrit
项目间	16396.04	15	1093.07	1364.94	2.91E-38	2.70
水平间	7.11	2	3.55	4.44	0.020501	5.39
残差	24.02	30	0.80			
总计	16427.17	47				

根据表 2—10 的结果，对于初、中、高不同水平之间的差异，因为 $F(2,30,0.05)=3.32<F=4.44<F(2,30,0.01)=5.39$，所以初、中、高级水平在 0.01 的显著性水平上对各项目的评估结果没有影响，但是在 0.05 的显著性水平上水平高低对评估结果产生了不同的影响。对于不同指标项目之间的差异，$F=1364.94>F(15,30,0.01)=2.70$，不同的评估项目对评估结果有显著性影响。这说明水平不同的学生会对评估中的项目要求有一定程度的侧重和差异，但这种差异并没有那么显著。

(2)比较同班的各位学生对该班教师的评估分。一般来说，同一班的学生同时听某教师的课，对该教师教学水平的评价应该是相对一致的，但在实际评估中，有些班级学生的评估出现较大差异，一部分学生对教师评价非常高，而另外一些学生则对教师表现出极大的不满意，意见很不一致，以致一些教师半开玩笑地建议，应该像歌手比赛那样，在计算评估分数时，去掉最高分和最低分。这样的差异到底有多大？是否存在普遍意义呢？我们对2002年12月的预科班口语课和部分长期班口语课评估结果进行了差异分析。预科共8个班，学生几乎全部是韩国人，文化背景比较单纯，担任预科这8个班口语课的教师也同时担任了长期班的口语课，长期班是混合班，文化背景比较复杂。预科班和长期班口语课使用的是相同的评估问卷。评估结果见表2—11。

表2—11 同一位教员担任的预科班和长期班口语课的评估结果

教员1		教员2		教员3		教员4		教员5		教员6		教员7		教员8	
预	长	预	长	预	长	预	长	预	长	预	长	预	长	预	长
89.9	73.7	70.6	81.5	96.9	93.1	82.6	89.8	90	84.1	96.1	84.5	86.5	81.8	91.9	93.4
—	—	—	—	—	—	+	+	—	+	—	+	—	—	—	—

表2—11中的第三行是某教员担任该班级的口语课的最终的评估成绩，这个成绩是班里每个学生所给的评估分数的平均分。表2—11的第四行中，“—”表示该班学生所给的评估分数之间没有显著差异，评分是一致的；“+”表示该班学生所给的评估分数之间有显著差异，所给分数不一致。学生之间对同一位教师评分有显著差异的班级共有4个。这四个班级与其他班级

相比没有特别明显的特征，不过我们还是根据这个结果进行了观察，发现有以下两个特点：一是这四个班级中长期班占 3 个，只有一个预科班，我们可以推测文化背景的差异对评估结果有一定的影响；二是评估得分较高的教师，学生之间的评估基本没有差异，评估得分相对较低的班级，相对差异较大。

同一班级学生对同一位教师的评估存在差异，这种现象的存在应属于正常范畴之内。除了学生因学习目的不同而对教师的要求不同以外，文化背景的不同对师生情感交流的影响、学生不同的学习态度等等，都会对评估的得分产生影响。我们在下面会专门论述。

（三）结论与对策

通过上面的统计分析，我们可以得到下面的结论并据此提出相应的提高评估质量的对策。

1. 目前以学生为评估者进行教学评估的方式基本上应该肯定，其中大部分评估项目能够反映出教师的教学水平及课堂教学质量。一些相关系数较低的项目，如教师是否迟到早退等与教学水平不直接相关，应采取其他措施考查。

2. 以学生为评估者所作的教学评估从整体上看是相对稳定的、有一定的可信度，教师的教龄、性别等因素对评估没有影响。评估得分较低的教师还需多从教学方法等方面寻找原因。

3. 水平不同的学生对某些指标项目有所侧重而产生差异，不同文化背景的学生对同一课程的评价可能存在差异，这是评估中会产生的必然现象。当出现这种差异而影响评估得分时，教师不应将评估分数看得过重。森特拉指出：“如果一名教师为第六十百分位,另一位教师为第六十五百分位,这两名教师间并没有实际差别。"[①]我们的教师常常拿自己的得分去与其他教师的得分相比,自己给自己排位,这往往是自寻烦恼。有些评估组织者取消评估得分,采取分项百分比的形式,使教师从分数的束缚中解脱,更注重自己在某一单项上的得失,这不失为一种好的办法。

二 从评估者的主观角度分析可能造成教学评估偏差的原因

(一)客观、辩证地看待评估者——来自世界各地的留学生

许建钺指出:"对于教育这一……现象进行评估,所面临的最大难度在于如何使主观的反映尽可能逼近客观的现实。……认识评估过程的心理机制,把握评估参与者的心理特征,调控评估作业的心理状态,是提高评估质量,优化评估结果,增进评估效应的重要保证。"[②]

我们现在所作的教学评估,还只限于学生对所学课程及任课教师的评估。不可否认,学生是教师教学效果的直接感受者,在评估教师的教学时,理应重视他们的意见。学生人数众多,对教学有直接的、深刻的体验,他们对教师的教学态度、教学水平积累了许许多多具体信息,综合这些信息,并反馈于对教师的教学评估之中,具有较大的客观性和可信度。高等学校的学生,已

---

① 参见森特拉《大学教师工作评估》,许建钺译,北京航天航空大学出版社 1992 年版。

② 参见许建钺《高等学校教育鉴定与水平评估》,中国科学技术出版社 1992 年版。

具有相当的辨别是非、优劣的能力和水平，从总体上他们能够做到公正、客观评价，能够承担起对教师教学进行评估的任务。但是，受某些心理因素的影响，一些主观原因也会影响学生对教师或课堂教学活动的正确判断，使他们中的一些人作出的评估结果与事实出入较大。

此外，由于文化背景不同，学生学习动机、目的不同，对课程及教师的要求也就有所不同，教师对此如果不能掌握，往往会在教学中与学生发生某种冲突。

不能排除的还有态度上的原因。构成态度的因素，除认知因素外，还有情感因素、意向因素等等。“情感是很重要的，有时甚至是决定性的要素”。①

（二）通过调查问卷对评估者进行心理分析

2002 年 12 月，我们向北京大学长期班和预科班的部分留学生发放了有关评估反馈的调查问卷，收回有效问卷 111 份。其中，高级班学生 35 人，中级班学生 53 人，初级班学生 23 人；东方学生 95 人，西方学生 16 人；男生 45 人，女生 66 人。

通过问卷调查得出的数据，我们可以对留学生参加评估时的心理因素、态度有一个大致的了解，也从留学生——作为评估者的主观方面找出评估偏差的部分原因。

1. 印象的偏差造成评估时的心理倾斜。

许建钺指出：“教育评估是离不开印象的发生与作用的。从而，印象的偏差影响评估过程和结果的可靠性。所谓印象偏差，

---

① 参见许建钺《高等学校教育鉴定与水平评估》，中国科学技术出版社 1992 年版。

是指由于某些心理作用而导致的在认知主体大脑中形成的客体印象不同于真实客体的现象。”①在教学评估中，评估者对被评者的印象有时会起一个定向作用。在社会心理学中，首因效应（即我们通常说的第一印象）的形成所导致的总体印象要比后来获得的信息有更大的影响。可以说，学生对教师的第一印象尤为重要。当然，学生在学习期间与教师发生某种不愉快，改变学生对教师的最初印象的事情也会发生。印象有时会影响师生之间的情感。我们对此作了调查。在111名被调查的学生中，“喜欢老师，所以给他高分”的学生竟高达35人，占被调查人数的32%。而因对教师印象不好，在评估中给教师低分的有21人，占被调查人数的19%。此外，因为与教师有矛盾给教师低分的有9人，占8%。在同一班级中，也曾发生学生对教师的评价两极分化的现象，喜欢这名教师的学生，给老师满分；相反，有的学生给这名教师不及格。

凭印象对教师进行评估，除了会在“对老师的总体评价”等带有主观性的指标上出现偏差外，也有学生在“老师上课是否迟到”等客观项目上给从未迟到过的教师打低分。

2. 特定文化背景带来的评估偏差。

表2—12 文化背景差异造成的评估偏差

项目	东方学生	百分比	西方学生	百分比
我担心说老师不好会给老师带来麻烦，所以我给老师A	11	12%	0	0%
虽然老师的方法不太好，但是老师很辛苦，所以我给老师A	18	19%	0	0%

① 参见许建钺《高等学校教育鉴定与水平评估》，中国科学技术出版社1992年版。

从表 2—12 的数据对比中我们可以看出：东西方学生在对待评估问题上有不同的价值观。自古以来，“师道尊严”在东方一些国家是学校里必须遵循的一条准则。对教师的尊重，使得这些国家的学生在评估时有所顾忌。

另外，儒家的中庸思想在评估中也有体现。评估项目中有一条：“我不愿说老师最好或者最不好，所以一般选择 B、C。”选择这一条的东方学生有 29 人，占 31%，远远高于西方学生 19% 的比例。

3. 个人主义造成的偏见。

我们的学生来自世界各地，他们从小受的是不同的教育。一些学生个人主义观念很强。其表现有如下几点：

一是自己觉得水平没有提高，不从自身找原因，却归咎于教师，占被调查人数的 17%；

二是认为教师太严格，给的作业太多，所以给教师低分，占被调查人数的 8%；

三是借机报复，认为考试时教师给自己的分数过低，评估时也给教师低分，占被调查人数的 5%。

4. 对评估不重视、不认真、随意填写造成的偏差。

主要有三种情况：

第一，对评估不感兴趣。一些学生在这里学习已经一两年，多次参加评估，以致对评估感到厌烦，在评估时随意填写，漏填项目时有发生。调查中有 5% 的学生直言对评估不感兴趣。

第二，对填写过多的评估问卷没有耐心。我们的学生一般每学期上五至六门课，而我们的评估要在一节课上完成，这就意味着学生要在50分钟之内，连续填写内容大致相同的五六份评估问卷。森特拉指出："评估表不应过长，大部分学生愿意用10分钟的时间填一张表。"[①]实际上，一些学生也确实只用10分钟左右的时间就把所有的问卷填写完了，其随意性可想而知。在调查中，有10%的学生说自己没有耐心把那么多的问卷填完。

第三，因看不懂一些题目而随意填写。尽管我们的评估问卷语言浅显易懂且配有英文译文，并有评估实施者现场指导，可仍有学生说自己是没有看懂题目而随意填写的。值得一提的是，这些学生并不一定是初级班的，可见是在重视程度上还不够。

（三）结论与对策

通过调查与分析，我们可以说，由于种种原因，少数学生在评估中有意或无意造成的评估偏差，在一定程度上影响了评估的准确度。而且这一现象是不可能在短时期内避免的。针对上述现象，我们认为，应该实施以下对策：

1. 防止评估的单一性，采取多种办法征求学生对教学、教师的意见和建议，如师生面谈、定期召开学生代表座谈会、建立班长汇报制度等各种形式。

2. 评估不易过滥，森特拉建议对长期聘任的教师，每门课每年评一次。[②]也可以对各类课型实行轮流评估或者抽查式评估。对新教师、代课教师以及新开课要进行定期评估。

3. 在评估表上增加"希望"一栏，可事先设计几条，也可由

①② 参见森特拉《大学教师工作评估》，许建钺译，北京航天航空大学出版社1992年版。

学生自由填写，提出希望教师在授课时应注意的问题。我们现在的评估方法给到教师手里的只是一些分数，教师知道自己在某一方面有些问题，却不知道如何去做。如果由学生提出自己的希望，这些希望可能对教师改进教学工作产生很大的帮助。

4. 在自愿的前提下，学生可以在问卷上写上自己的背景材料，如姓名、国籍等，特别是对教师以及课堂教学有较大意见的学生。这有助于我们及时发现问题，解决问题，改进工作。

三 拓宽思路，多渠道进行教学评估，改进课堂教学

（一）评价最重要的目的不是证明，而是改进

美国著名的教育评估研究专家、CIPP 模式的创始人斯塔弗尔比姆（L. D. Stufflebeam）曾经说过："评价最重要的目的不是证明（prove），而是改进（improve）。"[①]而我们现在的评估，似乎还停留在"证明"阶段。当一位教师拿到学生给的评分比如 90 分时，也许就松了一口气，觉得自己这学期的心血没有白费，学生的评价"还行"。其实我们的教学需要"改进"的地方还很多。尽管"证明"有时候是必要的，但是"改进"应当更加看重。

据森特拉介绍，"帕伦特和其他人曾介绍明尼苏达大学采用过的一种方法，教师根据课程开始时听到的学生意见、以前的备课情况以及个人情况计划课程内容和教学方法。期中时由学生填写课程和教学评估表，启发学生对课程内容和组织、所用教学方法的适当程度、教材和作业的价值等等发表意见。此外，6 至

---

① 参见许建钺《高等学校教育鉴定与水平评估》，中国科学技术出版社 1992 年版。

10名学生负责搜集意见，将它们汇总给老师。据帕伦特等人的意见，这一做法的好处是吸收学生直接参与改进教学，向教师提供信息以便使教学内容适应学生的情况；它还能促进师生间的良好关系；这样也就增强了学生的学习动力，丰富了他们的学习经验”。①

吸收学生直接参与改进教学，是一个有效的方法。我们曾在课程进行到一定的阶段时，设计了几组讨论题，与学生一起对前一段的教学内容及教学方法从口头到书面加以总结。比如，我们总结了这一阶段课堂学习生词的N种方法，请学生说出自己最喜欢的一种，也希望学生说出其他教师(包括本国的母语教师)教授生词的好方法。通过信息反馈，教师对照检查自己的教学方法，能够发现自己在前面教学中使用的方法哪些受到学生的肯定，哪些不受学生的欢迎，总结出学生对自己生词教学的满意度，及时调整改进生词教学的方法。组织这样的讨论，教师是不会有任何心理负担的。

(二) 建立一套完整的评估体系

目前，我们的教学评估还仅限于向学生发放问卷，由学生对课堂教学和任课教师进行评定。其实，这只是教学评估的一种形式。仅以这一种形式对教师的教学活动进行评价，得到的结论有时并不一定可靠。特别是我们的一些班级学生人数较少，一两个学生的评估偏差有时会影响对某一教师的整体评价。我们的学生评估表都是让学生以评分和量化的形式表示意见的，

① 参见森特拉《大学教师工作评估》，许建钺译，北京航天航空大学出版社1992年版。

这就容易使这些意见带上了它们本不具备的精确性。在聘任、晋升、评奖时，往往由于没有其他评估材料，学生的教学评估意见也就成为唯一过硬的标准。要避免这一现象，我们认为，应当建立一套完整的评估体系，将领导评估、同行评估、自我评估与学生评估有机地结合起来。

1. 领导评估。

目前，我们的学院领导要求教研室主任每学期听若干教师的课，这实际上是一种最有效的评估形式。作为教研室主任，在这一领域有着丰富的教学经验。教研室主任听课，最能发现问题，并且能够提出解决问题的方法。我们应当将这一措施完善，使之制度化。学院可以设定表格，要求每次听课后，以评估形式填写，提出自己的意见和建议，并作为评估资料保存。

2. 同行评估。

森特拉指出："研究结果仍然支持这样的观点——由同行来评价教师的学术水平比学生评价更恰当。"①同行评估，是带有研究性的。可以采取集体听课或看教学录像的方式进行。在课堂教学中，应该使用什么样的教学方法，是值得探讨的问题。有些教学方法，在某一位教师对某一些学生进行教学时适用，有些情况下却并不一定适用。作为教师，应该掌握多种教学方法。同行之间的评估，可以看做是一种交流。

3. 自我评估。

我们现在每学期结束时都要求教师作教学总结。其实自我

① 参见森特拉《大学教师工作评估》，许建钺译，北京航天航空大学出版社1992年版。

评估比教学总结更有用，更贴近教学实际，更能使教师发现问题并及时解决问题。教师自我评估与学生评估的最大不同是：学生评估的问题一般比较简单化、表面化，而教师自我评估可以从深层次的理论方面来评价自己的教学。学生评估内容不宜过多，而教师自我评估则可以对自己的教学从理论与实践各个方面加以总结。学院应当根据教学实践，制定出一份教师自我评估表。

第三章

对外汉语教学专业人才的培养研究

第一节 对外汉语教学专业人才培养概说[①]

一 加强对外汉语教学专业本科教育

自1983年以来，全国先后有四所院校设立了对外汉语教学专业，即北京语言学院、北京外国语学院、上海外国语学院、华东师范大学。1987年以后，相继有这个专业的毕业生充实到对外汉语教学工作岗位，专门的对外汉语教学人才的加入，给学科带来了活力。为了更进一步规范专业建设，推动该专业教学管理工作的科学化、规范化，为培养高层次对外汉语教学人才做准备，这期间国家汉办召开了由四所院校参加的三次对外汉语教学专业工作会议。

1. 1989年10月29日至11月3日，在苏州召开了对外汉语教学专业会议。

会议的主要任务是交流工作经验，讨论、制定对外汉语教学

① 本节选自李禄兴《对外汉语教学专业的人才培养》，载程裕祯主编《新中国对外汉语教学发展史》，北京大学出版社2005年版。

专业的教学计划、课程设置和教学大纲。参加会议的有开设对外汉语教学专业的北京语言学院、北京外国语学院、上海外国语学院、华东师范大学等四所院校的有关负责同志。

会议在如下方面取得了一致的意见:(1)关于培养目标。对外汉语教学本科专业以培养对外汉语教师为主要目标,学生毕业后必须具备《对外汉语教师任职资格办法》所规定的知识结构和能力结构,具有一定的实际工作能力和初步的科研能力。根据社会需要,对外汉语教学本科专业的培养目标可以适当拓宽,培养一些从事其他涉外工作的人才。(2)关于课程设置和教学大纲。大家一致同意,专业课程分为三类,即外语类、语言类和文学文化类。除必修课外,各校可根据具体条件,开设一些选修课,以拓宽知识领域,适应将来工作需要。

会议决定在吸收各校课程建设长处的基础上,分工编写各主干课的教学大纲,并于 1990 年 3 月前,交给国家汉办,然后再组织专家修改、审定。

2. 1994 年 12 月 15 日至 17 日,在北京召开了对外汉语教学专业工作座谈会。

会议回顾了 1983 年、1985 年四所院校先后设立对外汉语教学专业所走过的历程,从课程设置、专业方向、培养目标、队伍建设、招生分配等几个方面总结了专业的发展情况,针对亟待解决的高层次对外汉语教师培养问题展开了热烈的讨论。

3. 1997 年 7 月 10 日、11 日,在北京召开了深化对外汉语教学专业建设座谈会。

会议认为,经过 12 年的建设,该专业已经具有相当的规模,形成了一个目标比较明确、学术实力比较雄厚、课程设置具有特色、教学计划富有成效、教学质量比较优秀的新专业，在社会上产生了积极的影响。四所学校12年来为对外汉语教学界和中外文化交流部门输送了大量人才。

与会者认为，这个专业培养的是一种复合型、外向型的人才，既要求具有汉语和外语的知识，又要求有中国文化的底蕴；既要求懂得外事政策和外交礼仪，又要求懂得教育规律和教学技巧。这一切都不是能由相邻的专业，如中文专业或外文专业来单独完成的，只有靠新专业独特的课程体系和教学方法来完成。

会议也就需要解决的问题和以后要做的工作进行了讨论。会议提出，各高校要在所设课程的内在联系上认真探索，使之更加科学、更加完整。各高校在统一的培养目标的前提下，应根据自身的条件和优势，办出自己的特色，使专业建设更上一层楼。会议还就近年来对外汉语专业毕业生流失的问题提出了建议。

此外，在1994年的对外汉语教学的定性、定量、定位问题座谈会上，也讨论过如何办好对外汉语专业的问题。与会者强烈呼吁，上级领导和主管部门应积极采取措施加强对外汉语教学的学科建设，提高对外汉语教学的学科地位。当前的任务之一是积极创造条件建立对外汉语教学的博士点，并把硕士点从现代汉语专业中独立出来，培养更多的对外汉语教学的硕士研究生和准备培养这方面的博士研究生，提高对外汉语教学的专业层次和学科的学术层次，使我国对外汉语教学在国际上发挥更大的作用。

二 规范对外汉语教学硕士培养

早在1986年北京语言学院、北京大学,1987年南开大学就开始招收对外汉语教学研究方向的硕士研究生。后来,很多大学如中国人民大学、北京师范大学、北京外国语大学、复旦大学、南京大学等也陆续招收对外汉语教学硕士研究生。为进一步加强对外汉语教学学科建设,深入探讨对外汉语教学硕士学位的培养目标、课程设置等有关问题,使其更趋科学化、规范化,国家对外汉语教学领导小组办公室于1996年11月29日至30日,在北京师范大学召开了"对外汉语教学硕士学位问题讨论会"。

这次会议是在酝酿对外汉语教学博士点的时候召开的。国家语委主任许嘉璐同志到会发表了重要意见。他认为,对对外汉语教学硕士学位的培养工作进行规范统一是很重要的。对外汉语之所以不能成为二级学科,一是因为硕士点太少,二是差异太大,缺少规范。

关于如何规范对外汉语教学硕士研究生培养工作,设计具有指导意义的培养方案,代表们在经过认真讨论后,认为应从以下几个方面加以考虑:第一,硕士点建设和规范应与对外汉语专业本科和博士点建设协调起来,作为一个系统统筹考虑。在培养目标上,三者应该是衔接的,并形成梯度。在课程设置上要有层次。本科、硕士、博士不能重复设课。第二,要与对外汉语教学学科建设结合起来,要保持学科特色,体现为本学科服务的大方向。与会者认为,我们的特点就在于是"对外"汉语教学,是从第二语言教学的角度来研究语言学理论、语言教学理论,就是汉语本体研究,其研究角度、研究方法、研究重点也与把汉语作为母语进行教学和研究有着显著区别，因而具有不可替代性。我们要建立起具有对外汉语教学特色的研究体系。第三，要充分考虑所培养人才的能力结构和需求。对外汉语教学硕士生应具备的知识和能力大体应包括如下四个方面：(1)汉语的知识和能力。(2)中外文化知识。(3)语言理论、语言教学理论、语言教学法知识和实际进行语言教学的能力。(4)一定的外语能力。第四，规范主要针对总体设计和大的原则，不能面面俱到。各校在总体规划下可发挥自己的特点和优势。第五，指导方案必须既能反映语言学及应用语言学二级学科的特点，又能反映出作为二级学科下的一个方向的对外汉语教学自身的特色。

会后，根据与会代表达成的共识，国家汉办邀集北京大学、中国人民大学、北京语言文化大学、北京师范大学等四所学校的有关学者对对外汉语教学硕士培养目标和课程设置等进行了具体的文字表述。

三 筹备对外汉语教学博士的招生工作

20 世纪 80 年代以来，对外汉语作为一门新兴学科，先后在一些大学招收本科生，1986 年以后，又设立了对外汉语方向硕士点，招收硕士研究生。但对外汉语作为一门新兴学科，在学科建设方面还不十分成熟，在理论建设方面还不及把母语作为第二语言教学的西方国家，我们必须培养高层次人才，以加强这方面的建设，因此，设立对外汉语博士学位就显得迫在眉睫。

1996 年 10 月 22 日至 23 日，国家对外汉语教学领导小组办公室在北京召开了设立对外汉语教学博士学位研讨会。出席会议的有国家语言文字工作委员会，国务院学位办公室，国家教委外事司、高教司，汉办领导和一些大学的专家学者。与会专家经过认真讨论，取得了以下几个方面的共识：

1. 设立对外汉语教学博士学位，是发展对外汉语教学事业的需要。我国的对外汉语教学是多层次和多种类型的教学，对外汉语教师也应该是多层次的。近年来，我国的对外汉语教学事业急剧发展，来华的高层次学生迅速增加，如 1995 年，来华学生中本科生达 6 746 人，硕士研究生 1 077 人，博士研究生达 341 人。学生层次的提高，要求教师层次的提高。为满足教学的种种需要，我们必须尽快设立对外汉语教学的博士学位，培养本学科的博士生。现实情况是，在国外没有博士学位的教师，不能在高等学校正式任教，几乎成了惯例。为了使汉语更快地走向世界，占领汉语和中国文化的教学阵地，我们也必须培养出一批博士生。

关于设立博士学位的几点建议：(1)对外汉语教学是第二语言教学。第二语言教学理论是应用语言学的一个分支。建议国务院学位委员会将应用语言学列入中国语言文学学科，对外汉语教学作为应用语言学的一个专业方向。(2)建议在北京语言文化大学设立对外汉语教学博士点。(3)为了争取设立对外汉语教学博士点，首先要规范硕士研究生的培养。建议近期内召开对外汉语硕士研究生培养座谈会，对培养目标、课程设置、教学大纲与教学计划进行研讨，统一思想，使之更加科学化和规范化，为设立博士学位打下良好的基础。

1998 年，北京语言文化大学开始招收对外汉语方向的博士研究生，对外汉语方向隶属于语言学和应用语言学专业。对外汉语教学博士生的培养，是对外汉语教学学科发展、深化的又一重大举措。

从开设对外汉语教学专业到对外汉语博士招生，对外汉语教学的学历层次逐步完整，人才培养体制也基本完善起来。这对推动对外汉语教学学科发展，提高对外汉语专门人才的水平和层次，都具有开创性的意义。

四 结语

对外汉语教学定性、定位、定量座谈会澄清了语言教学和文化教学、语言教学和语言教学中文化教学的关系，因此也就更加明确了学科的性质、特点和内涵。这次座谈会的召开，对引导我国对外汉语教学事业和对外汉语教学的学科建设无疑起到了重要作用；而几次对外汉语教学大纲研讨会的召开，则对深化对外汉语教学学科起到了具体的推动作用。在对外汉语教学具备了一定规模的时候，无论是非学历教育还是汉语言专业教育，都需要向更规范的方向发展，通过研讨会以及对外汉语教学大纲的拟定过程，对外汉语教学的目标更加明确了，实施教学的目的更加清楚了，教学行为更加规范和科学了。国家对外汉语教学领导小组办公室在这方面起到了重要作用。

对外汉语教学人才尤其是高级人才的培养是深化学科的又一重大举措，对外汉语教学博士学位研讨会的召开以及博士研究生的招生，标志着对外汉语教学取得了应有的学科地位，开始培养专门的对外汉语教学高级人才。

第二节　对外汉语教学专业本科生培养

壹　有关对外汉语教学专业的建设[①]

对外汉语教师所需要的特殊知识结构，为对外汉语专业的建设提出了特殊的任务。结合前一时期的实践，我们觉得要搞好对外汉语专业，需要抓好下面几项工作：

一　*健全班子，组建一支专门化的师资队伍*

对外汉语教学是一门科学，需要一批有志于这项事业的同志来集中精力，进行这一专业特殊规律的探讨与实践。我们已经成立了一个对外汉语教研室，也有一批基本的骨干力量。但这一教研室的编制还是机动的，人员是从其他教研室抽调的，教师兼职的多，专职的少。为了有利于教改和科研的深入，我们打算使这一教研室的人员逐步稳定，使教师有更多的精力从事本专业课程教材和教法的研究，并加强彼此间的交流及与兄弟院校的联系。

对外汉语专业的师资队伍一方面要抓稳定性，另一方面要抓结构的合理性。有几个问题需要逐步解决：第一，这一专业要配备自己的外语教师。如同中文系的课程在这个专业有

① 本节选自潘文国《对外汉语教师的知识结构与对外汉语专业的建设》，载《面向世界的汉语教学》，复旦大学出版社 1992 年版。

特殊规律一样，外语课在这个专业也应该有与外语系不同的特色。目前，外语课事实上占了这个专业低年级课程的半边天，在高年级也占相当比重，外语课的改革至关重要。但只有热心于此并比较稳定的教师才能适应这一需要。第二，要逐步配齐本专业需要的汉语、外语以外的教师。“中文 60＋外语 60＝对外汉语 120”其实只是一个简单的比方。事实上，对外汉语教师所需要的知识结构有些是这两个系不能包括的，例如对比语言学、第二语言教学法等，这方面的师资也必须逐渐配备起来；暂时找不到，也要抓紧培养。第三，还要抓紧本专业师资队伍的梯队建设，对外汉语专业是一门年轻的学科，有巨大的发展前途。我们不但要培养基础阶段的对外汉语教师，还要准备培养高水平的对外汉语教师以及对外汉语研究人才；不但要开好大学本科的课程，还要准备开设研究生阶段的课程。这种汉外结合、点面结合、初高结合的师资队伍应该从一开始就注意起来。

二 从培养目标出发，安排和调整课程设置

由于我们的培养目标不是简单的“中文加外语”的人才，因此在课程的设置上就不能简单地移植这两个系各自的课程，而需要作一番选择和调整。更重要的是，必须增设或加强与这一专业有关的特殊课程，如中国文化、各国概况与文化背景、对比语言学、比较文学、第二语言教学法、对外汉语教学法。为了向国家和世界输送合格的人才，我们觉得，还应该逐步建立自己的实验基地，让师生都能经受到实践的锻炼。

三　改革教材与教学方法

这主要是指与中文专业或外语专业共有的课程。这两类课程的知识在学生的头脑里不应该是简单的黏合，而应该是有机的融合。要解决这个问题，在教学中就要有意识地考虑到这个专业的需要，加强各门课程间的彼此渗透。

例如中文课程要考虑到为"对外汉语"而教，着重研究和探讨"对外"方面的需要，并采取相应措施；例如语言课程要考虑教材内容各方面的比例，增强实用性，举例中加强汉外比较或对比，等等。文学课程则要研究在课时减少的情况下不使内容成为压缩饼干。

外语课程也要考虑到这个专业的需要，努力上出自己的特色。本来，学习外语的目的是为了加强国际交流，它的内容包含两个方面：一是将本国的文化介绍给外国，二是将外国的文化介绍到国内。由于种种原因，我国的外语教学，往往只重视后者，而对前者注意不够，以至不少外语专业的毕业生对本国的情况以及文化传统反而知之甚少，更不懂如何用外语去表达。对外汉语专业应该弥补起这个缺陷，在"对外汉语"的"汉"字上下功夫，从而将来既能胜任语言教师，又能承担起中国文化使者的使命。外语课程的改革要围绕这个目标去进行。

此外，在具体的教学方法上，针对本专业学生将来的需要，要加强实用性与实践性，特别要在可能的条件下，增加对中国文化的感性的认识，例如参观博物馆、了解民风民俗等，当然也要熟悉外事方面的一些活动及纪律等，以扩大他们的视野。

培养对外汉语师资是一门崭新的专业，我们在摸索中有了一些认识，进行了一些试验，但由于至今还没有一届学生毕业，要总结这方面的试验还为时过早。我们希望通过交流，学习兄弟院校在这方面的经验，特别是听取在对外汉语教学第一线的教师们对我们这个专业的希望和要求，和大家一起，共同把这个专业办好。

贰 有关专业名称的论争[①]

我们提出“对外汉语学”这个概念，并不是为标新立异去建立一个新的学科。这个学科实际上早已存在，只是尚未被充分认识罢了。赵金铭提出的“对外汉语研究”实际上已经把对外汉语教学研究向前大大地推进了一步。[②] 现在把对外汉语学正式作为一个学科名称提出的目的是要为自20世纪70年代开始的至今尚未平息的争论提供一个新的解决方案，同时也是为解除对外汉语教学界的苦恼作出一种新的尝试。

从20世纪70年代起，我国的对外汉语教学事业步入了一个新的阶段。不少学校相继开办了“对外汉语专业”，并相继开始招收对外汉语教学方向的硕士和博士研究生。“对外汉语教学”这个名称出现以后，学术界围绕它的争论从未停止过。问题集中在两个方面：一是对外汉语教学作为学科的性质和地位，二是“对外汉语”这个名称的合理性。

---

① 本节选自郭熙《“对外汉语学”说略》，《汉语学习》2004年第3期。

② 参见赵金铭《对外汉语研究的基本框架》，《世界汉语教学》2001年第3期。

毫无疑问，“对外汉语教学”这个名称功不可没。它作为一个名称把从事汉语作为外语教学的力量紧紧地凝聚在一起，为汉语的传播作出了巨大的贡献。这个名称是历史形成的，我们应该尊重历史，不应该再在名称上纠缠。对此，学术界原则上已经达成共识：对外汉语教学作为学科是不可替代的，必须强调它的学科地位；而且，随着中国经济快速发展和中国国际地位的日益提高，对外汉语教学事业必须加快发展，科学研究要迅速跟上。

另一方面，尽管名实之间的确是约定俗成的，应该避免无谓的争论；但名不正毕竟言不顺。随着对外汉语教学事业的发展和科学研究的深入，我们现在认识到，现在所说的“对外汉语教学”已经不再是当年所说的“对外汉语教学”了。原来的对外汉语教学关注的只是一种教学过程，而现在的对外汉语教学既是事业，又是专业，同时还是学科。并非所有的事业都必须在大学里开设专业，例如，促使两岸统一是一项伟大的事业，但它不需要在大学设立专业；一个专业也不一定必然是一个学科，例如高校中的自动化专业未必就是一个学科；一个专业内可能有许多学科，例如汉语言文学专业就包括文学、语言学两大学科，也可能正好是一个学科，例如历史学专业就既是专业，也是学科（其分支学科又当别论）。

就实践来说，“对外汉语教学”这个三位一体的名称也带来不少困难：(1)正如不少人谈到的那样，“教学”并不能涵盖整个“对外汉语教学”涉及的问题，而且它作为一个学科来说显得有些松散；(2)影响了对“对外汉语教学”学科归属的认识，如把对外汉语教学看成是教育学的分支，我们对此已经发表过不同的意见[①]；(3)影响社会对它和它的学科地位的认识。尽管我们可以约定俗成地赋予“对外汉语教学”特定的内容，但我们不可能向社会一一作出解释，无法改变社会的看法，比如学生的就业就受其影响。另外，一些刊物公开表示不发表“教学”的文章，使对外汉语教学领域的科研成果的发表受到了影响，进而也就影响了学科本身的建设。

有鉴于此，我们认为的确应该把三个不同层面的“对外汉语教学”区分开。

1. 作为一个事业(或领域)。对外汉语教学是国家和民族的伟大事业，从教学、科研、管理等角度来看，它是一个工作领域。这个领域的工作靠许多方面来支撑。它涉及政府、学校、管理人员、教师，等等。它主要靠以下几个方面的支撑：(1)教学；(2)科研；(3)管理；(4)宣传和文化产品推广等等。这个领域(不是学科)有不同于其他领域的许多特点，这些前贤已多有论述，毋庸再论。对于这个方面，可以仍然用“对外汉语教学”这一名称。

2. 作为一个本科专业。这里说的专业，指的是培养对外汉语教学师资的大学本科专业。它不是学科，犹如大学中文系的汉语言文学专业(是专业，但不是汉语言文学学科)。潘文国教授在报告中正确地指出专业不等于学科，但我们不同意他用“对外汉语＋学”来命名这个专业的主张。为了支持他的命名，潘教授仔细论证了“对外汉语”的合理性。[②] 我们认为，本质上仍然

① 参见郭熙《理论语法与教学语法的衔接问题——以汉语作为第二语言教学为例》，《汉语学习》2002 年第 4 期；郭熙《语言教育问题之管见》，《语言教学与研究》2003 年第 3 期。

② 参见潘文国《论“对外汉语”的学科性》，《世界汉语教学》2004 年第 1 期。

不存在所谓“对内汉语”和“对外汉语”，鲁健骥的论证是充分的。[①] 事实上，即使我们可以从社会语言学的角度认可汉语在世界范围内存在地域变异形式[②]，认可外国人学汉语过程中出现的变异现象，但仍然不能说有对外和对内的不同的汉语。显然，外国人学汉语中的变异形式，如所谓的中介语，并不是学生学习的目的语。他们学习的目的语只有一个。那么，潘先生为什么会觉得汉语有“对内”和“对外”的区别呢？可能是他把汉语和汉语学看成同一个东西了。当然，从一般意义上说，潘先生并没有错，因为一些大学里的以母语为汉语的学生为教学对象的汉语专业实际上就是汉语学专业。为了把外国人学汉语的“汉语专业”和汉语为母语的学生的“汉语专业”区别开，我们认为前者可以维持现名——“汉语专业”，后者则应改为“汉语学专业”。这样一来，以培养汉语作为外语教学的师资和科研后备人才为目标的专业自然也就是“对外汉语学”了。换句话说，如果我们把“对外汉语”中的“汉语”理解为汉语学，这个名称也就合理了。正如我们如果把“对外汉语教学”中的“外”理解为“外族”而不是“外国”，遇到的问题可能就少得多一样。从这个意义上，名称不重要，关键是对内涵的揭示。

赵金铭也使用了“对外汉语”这个提法，但他特意加了引号，这一点很值得注意。[③]

对外汉语学作为一个专业，主要应该由以下几个部分组成：

---

① 参见鲁健骥《“对外汉语”之说不科学》，《语言文字应用》2000年第4期。

② 参见郭熙《理论语法与教学语法的衔接问题——以汉语作为第二语言教学为例》，《汉语学习》2002年第4期。

③ 参见赵金铭《对外汉语研究的基本框架》，《世界汉语教学》2001年第3期。

(1)语言学;(2)文学;(3)文化;(4)教育学;(5)心理学。这里暂时不论。

3. 作为一个学科。作为一个学科的对外汉语学,有自己的研究目标、对象和任务。它的根本任务是为我国的对外汉语教学事业、为汉语的传播和汉语国际化开展科学研究和教学工作,培养教学和研究人才。对外汉语学处于初始阶段,它目前的主要任务是,进一步明确其目标和对象,积极开展相关的研究工作。就目前的理解,我们认为,对外汉语学的目标是揭示外族人学习汉语的规律,探讨取得最佳教学效果的途径,其研究对象是作为外语的汉语、汉语学习、汉语学习者以及它们之间的关系等。赵金铭系统地提出了"对外汉语研究"的课题[①],按照我们现在的框架,赵先生所列出的这些课题都是对外汉语学的重要课题。把赵先生列举的课题放到对外汉语学的框架下后,就不必加引号使用"对外汉语"这个概念了。

如果对外汉语学这个学科能得到认可,其学科定性似乎就不成问题:横向看,它与本体汉语学相对;纵向看,它是应用语言学的一个分支。(见图 3—1)

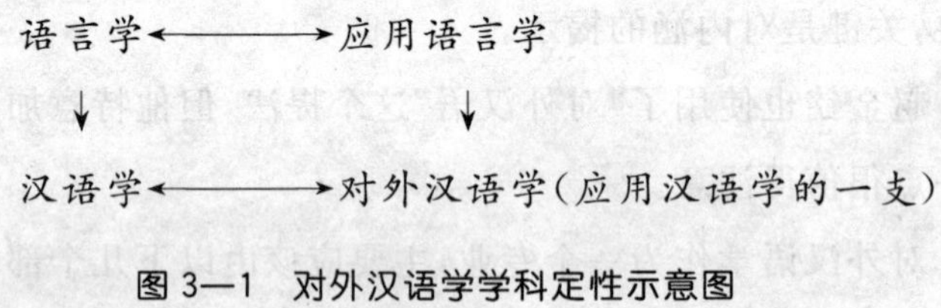

图 3—1　对外汉语学学科定性示意图

这既符合国际上学科分类的惯例,又有利于学科的建设和

① 参见赵金铭《对外汉语研究的基本框架》,《世界汉语教学》2001 年第 3 期。

发展。当然，按照现行的学科体系，可以作为一个二级学科处理，和汉语言文字学、语言学及应用语言学并列。正如应用语言学本来是语言学的一个分支但现在和语言学并列一样，如果将来语言学及应用语言学列为一级学科，它仍然可以保持二级学科的地位不变。

作为学科的对外汉语学和作为专业的对外汉语学的差别体现在内部组成上。作为学科的对外汉语学专业的组成上面已经提及；作为学科的对外汉语学也有自己的研究方向，例如对外汉语语音学、对外汉语词汇学、对外汉语语法学等。目前北京大学海外教育学院硕士生的课程就是按照这一模式进行的。有两点需要说明：(1)这里的“对外汉语语音学”之类的结构不应该是“对外汉语＋语音学”，而是“对外＋汉语语音学”；(2)上面说到的方向只是举例，远不是对外汉语学的全部，事实上，像汉语作为外语的教学和学习理论、汉语教材的编写和课程设置理论、具体的对外汉语教学活动等，当然也是对外汉语学的重要组成部分。比较起来，这方面的研究还比较少，需要进一步加强，只有这样才能更加体现出这个学科的特点。在对外汉语学研究中，涉及多学科的知识，例如心理学、教育学，但就学科主体来说还是广义的语言学（包括语言学的基础理论、语言习得理论、语言教学理论等）。因此，在学科队伍的培养中，必须强调语言学尤其是现代汉语的基本功训练和分析能力的开发。说到这里，应该强调要把学科的研究方向与学科教学和研究人员应具备的素质区别开来。就研究对象来说，对外汉语学的研究方向不是专门去研究汉语，否则就成了汉语学。但是，从事对外汉语研究的人应该具备汉语言文字学的知识，也应该具备语言学的功底。否则，连语言是什么，如何观察语言的能力都没有，就无法去研究语言习得的过程，也无从去研究语言学习的规律。当然，除了汉语学的基本功底以外，对外汉语学的研究者还要熟悉教育学、心理学、外语等。只有这样，对外汉语学才能建立自己的理论，真正地站立起来。至于说是否要为这些不同的方面划出比例，可能需要进一步研究。关于学科建设的问题我们将另文讨论。

从“对外汉语教学”到“对外汉语学”的改变绝对不只是名称的改变，也不是要让对外汉语教学研究回到本体研究。长期以来，“对外汉语教学”界最关心的问题是“教什么、怎么教、怎么学”，但“教学”这个名称使人觉得“怎样教”是最重要的。当以学生为中心的观念产生以后，“怎样学”似乎又成了最重要的。就总体而言，教学内容、教学方法和学习方法都是重要的，但内容毫无疑问是教学的前提。在安排教学内容的时候，实际上就应该考虑教师如何教和学生如何学的问题，不能把它们截然分开。如果分开，就是过去的“本体＋教学”，成了两张皮。

总的来说，使用对外汉语学这个名称，有利于学科内涵的揭示，有利于凸显它的工作重心，这就使现有的“对外汉语教学”的研究真正从以往的本体研究中跳出来，同时也会逐步获得自己应有的学术地位。当然，对外汉语学要在自己的探索中逐步地形成自己的系统理论和操作程序，可能还需要一个漫长的过程。这需要对外汉语学的研究者坚持不懈的努力。

叁 有关对外汉语教学专业学生知识结构的几个问题[①]

对外汉语专业培养的学生应该具备怎样的知识结构，是由培养目标决定的，我们拟定的培养目标有三：(1)留学生的汉语言文化的师资；(2)在国外任教的汉语言文化师资；(3)中外文化交流工作者。学生毕业后，应该能胜任上述培养目标规定的诸项工作中的任何一项。为了达到上述培养目标，使学生在知识结构上有不同于中文系抑或外文系的特点，在教学上要考虑几组关系问题。现不揣鄙陋，就这些问题，谈一些个人的看法。

一 *中文教学与外文教学的关系*

对外汉语师资以教授外国人学习汉语言文化为任务，对外汉语专业的学生必须学好中文课程，这是毋庸置疑的事。问题是把外文教学放在什么地位。有的同志认为，对外汉语专业的课程设置，中文课程是主干课程，外文课程是非主干课程，因为，将来学生走上工作岗位，外文充其量不过是根“拐棍儿”。我们是把中文和外文看成是对外汉语专业课程中的两条腿的，主张中外文并重。如果一定要分主干课和非主干课的话，那么，无论是中文课程还是外文课程自身，都有主干课与非主干课之分。不能将外文课程一概降到非主干的地位。目前，我们系一年级

---

① 本节选自何寅《关于对外汉语专业学生知识结构的几个问题》，《面向世界的汉语教学》，复旦大学出版社 1992 年版。

学生的专业外语（英语）课为13周学时，二年级为12周学时，三、四年级为8周学时，到了三、四年级每周还有4学时的第二外语课。一、二年级英语课程教材乃至试卷都与英语系相同，学生必须参加全院的外语水平测试，不及格者不得升级。这样做的目的是为了确保这些学生熟练掌握一门外语并初步掌握一门第二外语。我们如此重视外语教学，是基于这样的认识：(1)对外汉语这个学科在很大的程度上是建立在比较的基础上的：语言的比较，文化背景的比较，社会习俗的比较，民族心理的比较。只有在比较中才能寻求到汉语作为第二语言教学的规律，也只有在比较中才能寻求到中外文化交流的正确途径。(2)不少外国人想要了解中国、认识中国，但要他们走过漫长的学习汉语的道路，再去达到了解和认识中国的目的，对他们说来未免过于艰难。这种情况下，最便捷、有效的方法，就是用外语直接讲授。在国外教中国文化课程，除极少数国家外，几乎是只能如此；即便是在国内，教中国哲学、中国历史、中国文学，介绍中国学术界的论争，不用外语，也是有困难的。(3)国内高等院校专业划分过细，专业知识面框得过窄，学生毕业后工作的适应面也太小。对外汉语专业不能蹈此覆辙，这个专业毕业的学生除了会教书外，还必须会做中外文化交流工作，做比较文化、比较语言的研究工作，甚至做一般的外事翻译、外事秘书。不熟练地掌握一门外语，他们是无法胜任这些工作的。

我们想，今后对外汉语专业学生所学的第一外语，不仅要有英语，而且要有日语、德语、法语、阿拉伯语、西班牙语。困难当然有，但办法总也是会有的。

二　关于汉语言教学与文化教学的关系

对外汉语师资的工作任务，首先是教汉语，在国内教学，尤其是如此。这是现实。因此，学生必须扎扎实实学好现代汉语的语音、文字、词汇、语法、修辞，学好古代汉语。在此基础上，还必须学好语言学、现代汉语语法研究、现代汉语修辞研究等课程，以提高自己深入研究现代汉语的能力。在对外汉语专业的中文教学中，语言教学是第一位的，文化教学是第二位的。这一点不应动摇。但是，文化教学，包括中国哲学、历史、文学、习俗等的教学却是不可忽视的。这是因为：(1)对于一种语言的习得和教学，离不开对形成和使用这种语言的文化背景的了解，在进行汉语教学的同时，必须进行有关的文化背景知识的教育，否则，就不可能完善学生的汉语实践能力。这一点，已经得到了国内学术界越来越大的重视。(2)实际上，不少对外汉语教师从事的就是汉民族文化的教育工作。特别是在国外，教学对象往往首先想要了解的是中国的历史和现状、中国的文化传统如何影响了中国的社会现实，他们关心中国的文化更甚于关心语言。另外，不应忽视的是，国外很多汉学家研究的是中国文化而不是语言，从事对外汉语教学和科研的同志，不能束缚住自己的手脚，只和研究语言的外国学者打交道。语言毕竟是交际工具、交际手段，只有少数国外学者是以汉语本身作为自己的终极研究目的的。如果我们培养的学生只在语言上是内行而对民族文化知之甚少，又怎么能完成中外文化交流的重大任务呢？

三 关于文学教学与文化教学的关系

文学教学与文化教学的关系是部分与整体的关系。中文专业历来重文学教学,特别是古典文学教学。在对外汉语专业,文学教学在整个文化教学中应该占有什么地位,古典文学教学在整个文学教学中又应该占什么地位,是个值得研究的问题。国外的文学专业的概念实际上是文化专业,和我们并不一致。以日本为例,他们的中国文学学部是将中国的语言、哲学、历史、文学乃至美术、工艺都囊括在内的(虽然他们也有专业方向之分,但也无非是将语言和语言以外的课程粗略地加以划分,以明确不同的侧重方面,不像我们这样泾渭分明)。对外汉语专业的外向特点,决定了这个专业界限上必须和国外大体保持一致。因此,如果我们把文学放在十分突出的地位,而忽略了其他方面,显然是不明智的。国外学者重视的往往是中国文化的总体,是中国的哲学、历史、文学、艺术的相互渗透和融合。即便是研究中国文学,也常是从大的文化背景出发去评价中国某一历史时期文学的总貌或某一文学样式、某一作家的成就与不足,然后得出说明中国社会特点的结论。与其说他们在研究中国文学,倒不如说他们在研究中国社会。国外虽也有考据工作或阐发某一作品艺术成就的中国文学研究工作者,但人数是不多的。这种情况要求我们:(1)必须紧缩文学课的课时,让出时间来教哲学、历史、美术史、考古、习俗等课程;(2)教文学课不必也不可能像中文专业那样面面俱到、刻意求工,不必开设那么多的作家作品专论课程。重要的是使学生了解中国文学发展的脉络,了解文学和社会,特别是文学和社会思潮的关系,以期与国外研究的趋势大体上保持一致。至于对某一作家、作品如何作深入细致的剖析，尽可以让学生在毕业后自己去研究。

不能忘记的是，对外汉语专业的学生要的是对中国文化总体上的把握，而不仅仅是对中国文学的认识。

下面再说一说古典文学教学在整个文学教学中的地位。古典文学教学不应该在整个文学教学中占主要地位。占主要地位的应该是现当代文学，尤其是当代文学。因为比较起来，国外更关心的是中国文学的现状而不是中国文学的历史。随着国外老一代汉学家的消失，这种势头越来越明显。我们应该帮助学生了解中国当代文学的现状和它的发展趋势，帮助他们了解当代最有影响的作品和最有争议的作品以及有关的文学评论。这样做，是有不少困难，但我们却不能不这样做。

对外汉语专业是个外向型的专业，不认准了它的外向型特点，并按照这个特点去作专业设计，这个专业也就失去了它存在的依据。

第三节　对外汉语教学专业研究生培养

壹　研究生培养与学科建设①

从 1986 年起，北京大学、北京语言学院等院校首先开始招

① 本节选自李晓琪《研究生培养与对外汉语教学学科建设》，《北大海外教育》（第三辑），华语教学出版社 2000 年版。

收对外汉语教学方向的硕士研究生，之后，又有多所院校相继招生。据不完全统计，目前全国已有近 20 所院校的对外汉语教学单位在培养硕士生或开设以培养对外汉语教师为方向的硕士生课程，并且还有不少院校正在积极向有关部门申请，希望获得招收对外汉语教学方向研究生的资格。这表明，研究生的培养工作愈来愈受到关注，已逐渐成为对外汉语教学事业不可分割的一部分。可以预见，在今后的若干年内研究生的培养工作还将得到大力发展。

回顾十几年来的实践，我们欣喜地看到，在对外汉语教学方向的研究生培养工作中，我们已经积累了不少宝贵的经验，并且取得了一定的成绩。我们已向对外汉语教学单位输送了一批高学历人才，他们中的绝大部分成为了水平较高的合格的对外汉语教学师资。以北京大学为例，自 1986 年以来，我们共招收研究生 49 名（中国学生 35 名，外国学生 14 名），已毕业的研究生中有 16 名留在北大汉语中心任教，约占汉语中心在职教师的 1/3。他们是北大的一支生力军，已在教学和科研中崭露头角，显出勃勃生机，除了担任繁重的教学任务外，还发表了一批学术论文，其中有些人还多次出席全国性或国际性大型学术会议。这支生力军是北大的希望，从某种意义上说，也是对外汉语教学事业的希望。

对外汉语教学是一个年轻的学科，从确立到现在不过短短的 15 年时间。在 20 世纪 80 年代初期，吕必松教授提出了学科建设的三项任务：改革和完善教学体系；加强理论研究；加强教师队伍建设。加快培养对外汉语教学方向的硕士研究生是加强教师队伍建设的重要内容。12 年来，研究生的培养工作一直与学科建设同步前进,对外汉语教学学科研究生的培养历史从一个侧面反映出学科建设的轨迹,现在有必要回过头来,站在学科建设的高度,以今天的认识水平来总结研究生的培养工作。通过这种总结,回顾对外汉语教学学科的发展历程,进一步认识对外汉语教学在未来的发展方向,使我们的学科建设更健康、更快速地向前发展。

一 简要的回顾

对外汉语教学方向的研究生是在什么专业名称下招收学生,这关系到对对外汉语教学学科性质的认识。

1986 年,对外汉语教学首次招收的研究生是挂靠在现代汉语专业点上的,之后,多数学校仍是在现代汉语专业下招收学生。随着对外汉语教学学科的不断深入发展,又陆续出现了在其他专业下招收研究生的情况。我们对八所院校招收研究生的情况进行了调查,与对外汉语教学有关的招生专业有五个:现代汉语教学、对外汉语教学学科教学论、对外汉语教学、语言学与应用语言学、中国古代文学。在各个专业下,又有各自不同的研究方向,最多的是现代汉语专业,共有五个研究方向:对外汉语教学、中国文字学、汉语言文化研究、汉英对比与翻译和语法修辞(详见 305 页附表)。由于专业不同,研究方向不同,因此培养目标自然会不同,概括起来是以下四方面:

1. 从事对外汉语教学和研究的专门人才;
2. 汉外语言对比研究人才;
3. 跨文化交际研究人才;
4. 语言学研究方向的专门人才。

从学科建设的角度分析，这些不同的培养目标(主要是前三个)又是学科建设发展到不同阶段的反映，也就是说，研究生的培养与学科建设紧密联系在一起。

1983 年 6 月，参加筹备中国教育学会对外汉语教学研究会(中国对外汉语教学学会的前身)的专家、学者们正式提出了“对外汉语教学”的名称来表达对外国人进行的汉语教学这个概念，并且就在中国教育学会对外汉语教学研究会成立大会上，第一次提出了建立和发展对外汉语教学学科的思想。此后，许多著名语言学家为对外汉语教学学科地位的确立大声疾呼，多方努力。1984 年 12 月，国家主管教育工作的主要负责人在外国留学生工作会议的报告中明确指出：“多年的实践证明，对外汉语教学已发展为一门学科”，“这代表了教育行政领导部门对我国对外汉语教学学科地位的确认”。[①] 从此，对外汉语教学有了自己的独立地位。1985 年，在语言学院、华东师大、北外和上外四所院校设置了对外汉语专业，开始招收本科生，表明对外汉语的学术地位得到正式承认。但是，由于学科太年轻了，理论建设才刚刚起步，学科各领域的研究也还不是太深入，研究成果也不够丰厚，最重要的是对学科的本质认识还不那么明确、统一，所以还不具备设立专门硕士点的条件。1986 年，首批招收对外汉语教学方向研究生的院校不约而同地把对外汉语教学作为一个研究方向，与现代汉语语音、词汇、语法、修辞等一样，并列列在三级学科现代汉语专业之下，为对外汉语教学硕士学位点的生长

① 参见施光亨、赵永新《对外汉语教学是一门新兴的学科》，北京语言学院出版社 1994 年版。

开辟了一片肥沃的土地。事实证明,这是在当时的历史条件下的最好的决策。在现代汉语专业的支撑和帮助下,对外汉语教学的硕士生培养工作开展得极为顺利,这一方面是由于导师多数是中文专业出身,多年从事现代汉语方面的研究,更重要的是对外汉语教学教的是汉语,目的是培养外国学生的汉语能力和用汉语进行交际的能力。对语言事实的描写和研究,是进行教学活动所不可缺少的理论依据,任何一部语言教材都包含着编写者对所教语言的语言规律和规则的认识以及或详或略的描写,没有对语言规律和规则的描写,语言教学就寸步难行①。朱德熙先生曾谈到:"上课有许多东西说不清楚,是因为基础研究不够。所以我觉得应该强调汉语研究是对外汉语教学的基础,是后备力量。离开汉语研究,对外汉语教学就没法前进。"②明确指出现代汉语也是对外汉语教学学科的一个研究对象。纵观学科建设的成果,在 80 年代和 90 年代初期,汉语本体研究取得了大丰收,这些研究不但推动了对外汉语教学本身,而且对现代汉语研究也起到了极大的促进作用。研究生的培养工作正是从这里起步,从这里发展的。

随着对外汉语教学事业的不断发展、学科建设的不断深入,人们对对外汉语教学学科性质的认识也不断加深。同样是教汉语、研究汉语,但是对于外国人来说,只掌握一般的汉语规律是学不会汉语的,而且常常是一用就错,要充分认识汉语的特点必须与非汉语进行比较。王力先生说:"对外汉语教学,我认为最

① 参见吕必松《对外汉语教学研究》,北京语言学院出版社 1993 年版。
② 朱德熙先生在《语言教学与研究》创刊十周年座谈会上的发言。

有效的方法就是中外语言的比较教学。”[①]王还先生也说:“因为成年人学外语,自觉或不自觉地总不可避免地和自己的母语或另一种熟悉的外语比较,作为外语教学工作者若能正确地引导学习者进行对比,无疑对学习是有很大帮助的。”[②]把汉外对比作为对外汉语教学的有效方法和学科基础理论建设的重要内容之一,越来越成为人们的共识,并且在研究生的培养目标上显示了出来。一些院校明确把汉外语言对比作为一个研究方向与对外汉语教学方向并列,多数学校则是把汉外语言对比作为对外汉语教学的一个分支,与汉语的本体研究、教学理论研究、教材编写研究等并列。无论以何种形式处理,其结果都是汉外语言对比研究在学科建设和研究生培养工作中的地位得到了确认和巩固。

语言教学必须结合文化,早在上世纪四五十年代,西方语言学界就提出了这个问题。80年代以来,一方面由于中国的学术界广泛讨论和关注文化问题,有“文化热”的大背景;另一方面由于语言是文化的主要载体,作为语言教学的对外汉语教学在这一大背景之下自然会对它的文化内涵、文化形态和文化功能投入更多的关注;同时,也由于近年来我国改革开放的不断深入,涉外教育和对外汉语教学出现了一些新情况,大量不同职业身份、不同年龄的外国人,要求学习汉语,了解中国,了解中国文化,因此,对外汉语教学中的文化问题被提到了一个十分突出的地位。这一问题的提出直接影响到对外汉语教学的学科建设方

---

① 王力先生在第一届国际汉语教学讨论会上的讲话。

② 参见王还《汉英对比论文集(前言)》。

向。在80年代末期,国家教委的有关领导就表明了如下观点:"语言和文化是紧密联系在一起的,对外汉语教学应是一个文化系统工程","我们的黄河文化需要让世界人民知道。……对外汉语教学包括文化交流、科技交流和人民之间的思想交流"。[①]在对外汉语教学界内部也有人提出是否把"对外汉语教学"学科改为"对外汉语文化教学"学科;是否要扩大对外汉语教学的研究范围,即对外汉语教学不但要从事语言教学与研究,还要从事文化教学与研究。虽然人们在文化与对外汉语教学的关系问题上还存在着这样或那样的不同看法,对文化与对外汉语教学学科的关系还处于探索阶段,但事实上,对外汉语教学中的文化问题已经成为90年代以来对外汉语教学研究的主要热点之一。

1994年12月,在对外汉语教学学科定性、定位、定量座谈会《纪要》里,对语言教学与文化教学的关系作了清楚而明确的阐述和概括,明确了语言教学和文化教学在教学目的、教学内容、教学原则和教学方法等方面都有根本的区别,属于两个不同的学科。但同时指出,语言是文化信息的一种载体,语言教学本身不能脱离文化因素的教学。文化因素不等同于文化知识,前者为语言教学内容,属对外汉语教学范畴;后者为文化教学内容,属文化教学范畴。我国对外汉语教学界兴起的关于"交际文化"的研究和讨论,就是为了在对外汉语教学中更自觉地进行跟语言理解和语言表达密切相关的文化因素教学。在这种认识的影响之下,培养高层次的跨文化交际人才的构想在研究生的培

---

① 参见施光亨、赵永新《对外汉语教学是一门新兴的学科》,北京语言学院出版社1994年版,第17页。

养目标上也体现了出来。这一构想与国务院学位办关于拓宽学科培养目标,培养通才的精神相一致,为对外汉语研究生的培养开辟了一条新的道路。

《纪要》的发表,使对外汉语教学界在对外汉语教学的学科性质问题上,认识进一步深化、统一。“当我们衡量一门学科是否具有独立的资格时,首先要看它有无独特的研究对象,其次要看它有无独特的研究方法,其次要看它有无独特的科学体系,其次要看它有无独特的研究成果。”① 对外汉语教学作为一个学科,它的研究对象也就是作为第二语言的汉语学习和教学,即研究外国人学习汉语的规律和相应的教学规律,研究内容则是作为第二语言的汉语学习和教学的全过程,从“学”的角度,要研究学习者是如何学会和掌握汉语的,从“教”的角度要研究总体设计、教材编写、课堂教学和语言测试等全部教学活动,其研究目的是揭示汉语作为第二语言学习和教学的客观规律。(《纪要》,1995 年)对外汉语教学的学科建设在经过了十几年的探索之后,终于迎来了自己新的发展时期。1996 年,北京语言文化大学获准招收对外汉语教学学科教学论专业的硕士研究生,这是研究生培养史上的一个新发展,也是对外汉语教学学科建设史上一个大的变化,它标志着对外汉语研究生的培养工作和对外汉语教学的学科建设又进入了一个新的时期。

新时期的出现并非偶然,早在 1992 年,根据吕必松教授的倡议,《世界汉语教学》编辑部、《语言文字应用》编辑部和《语言教学与研究》编辑部联合发起举办了一个在对外汉语教学发展

---

① 参见何九盈《中国古代语言学史·前言》,河南人民出版社 1985 年版。

史上影响深远的“语言学习理论研究”座谈会。座谈会就语言学习理论的研究范围、研究的意义和作用、研究的基本方法、国内外研究的进展情况以及我国当前语言学习理论研究的方向、重点等基本问题展开了热烈的讨论，对今后的研究提出了具体的要求，指出了明确的方向。座谈会的召开标志着我国语言学习理论研究从此步入了新的历史阶段。（《语言学习理论座谈会纪要》，1992年）五年来，在座谈会的基础上，已有相当一批学者在这个领域里研究、探索，并且取得了可喜的研究成果。“语言学习理论研究”座谈会的召开和研究成果为学科建设新时期的到来作了前期舆论准备，奠定了坚实的理论基础。

1997年7月，北京语言文化大学出版了《对外汉语教学研究丛书》，共九本。这套丛书不仅仅是集中体现了北京语言文化大学的老师几十年来，特别是近十几年来在对外汉语教学学科建设方面所取得的科研成果，同时也是整个对外汉语教学学科建设成果的一个缩影。丛书以“对外汉语教学概论、第二语言习得研究、课程研究、测试研究、语音研究、语法研究、词汇文字研究、对外汉语教学与文化及汉外语言文化对比”为纲，对于几十年中发表的主要研究论文（包括部分专著）分门别类地进行了梳理、归纳，脉络十分清楚。既有关于学科建设的宏观（学科的性质、方向等）研究，也有涉及教学各个方面（教学体系的建立、教学活动的诸环节、不同课型的教学法、师资队伍的建设等）的具体研究，还有大量的关于汉语语言事实（语音、词汇、语法、汉字等）的微观研究。研究丛书所涉及的方面十分宽广，几乎遍及了对外汉语教学学科的各个领域。丛书的出版，为对外汉语教学学科的建设支撑起了一个广阔的空间，同时也拓宽了我们的视野,为研究生的培养开辟了更为宽广的航道。

二 几点建议

如上所述,对外汉语教学方向硕士生的培养是在现代汉语专业这块肥沃的土地上建立、生长起来的。在培养工作的前期,培养目标比较单纯,也比较笼统,随着学科建设的不断深入,培养目标逐渐明确、充实、具体起来。目前,我们正面临着学科建设和研究生培养工作的新时期,也面临着新的挑战。对外汉语教学学科要有更大的发展,真正为社会所承认,成为名副其实的独立的学科,必须有一支本学科的高质量的人才队伍,必须大力加强研究生的培养工作,在培养目标和研究方向上进一步统一认识,使之既能反映学科建设的最新成果,又符合学科建设的长远方向。

(一)关于培养目标和培养方向

1996年底,国家汉办组织召开了"对外汉语教学硕士学位问题讨论会",对对外汉语教学硕士学位培养目标、课程设置等有关问题进行了深入的讨论。根据与会代表的意见,在培养目标上达成以下共识:本专业旨在培养汉语作为第二语言教学及理论研究的、德智体全面发展的专门人才。要求掌握本学科坚实的基础理论和系统的专门知识:语言学及语言教学理论、汉语言文字学,掌握两门外语,并具有较广泛的中外文化知识。能胜任教学、科研和中外文化交流等工作。①

---

① 根据国家汉办《关于对外汉语教学硕士学位问题研讨会情况报告》,1997年1月。

这个培养目标符合对外汉语教学学科的基本要求，较好地体现出了本学科的特点。为使培养目标能更全面地涵盖学科的各个研究领域，使学科的各分支都进一步向纵深发展，我们建议在总目标下设立不同的研究方向，每一个研究方向下包含若干分支。如表 3—1 所示：

表 3—1　对外汉语教学硕士学位的研究方向和具体内容

<table>
<tr><th></th><th>研究方向</th><th>具体内容</th></tr>
<tr><td rowspan="6">对外汉语教学</td><td>1. 汉语研究（侧重对外汉语教学角度）</td><td>(1)语法
(2)词汇
(3)语音
(4)文字</td></tr>
<tr><td>2. 作为第二语言的汉语习得研究</td><td>(1)语言习得的一般理论
(2)偏误分析和中介语研究
(3)语言要素习得过程研究</td></tr>
<tr><td>3. 对外汉语教学过程研究</td><td>(1)课程设计（或总体设计）
(2)教材编写
(3)课堂教学活动
(4)教学法及语言实践</td></tr>
<tr><td>4. 教学评估与测试研究</td><td>(1)评估与测试理论
(2)水平测试研究
(3)课程测试研究</td></tr>
<tr><td>5. 汉外语言对比研究</td><td></td></tr>
<tr><td>6. 跨文化交际研究</td><td></td></tr>
</table>

以上我们对对外汉语研究生的培养目标和研究方向作了一个宏观的分层次的立体的规划和描述。从目前的实际情况看，研究生的培养工作已经在这个规划的框架内进行着不同程度上的实践和探索，并积累了一定的经验。经验需要上升为理论，一方面便于今后在理论的指导下更自觉地发展研究生工作，另一方面，经验也为学科建设提供了丰富的养料。研究生的培养与

学科建设互为依托，互相汲取养分，在两方面的相互作用中，对外汉语教学学科逐渐成熟起来了。

（二）关于课程设置

课程设置是培养目标得以实现的主要手段，值得认真研究。由于目前对研究生的培养工作还处于探索阶段，培养目标及研究方向呈多样化，因此各院校的课程设置很不相同。大致可以归为以下几类：

1. 语言课程（语法研究、词汇研究、语音研究、文字学、音位学、语用学、方言学、修辞学等）；

2. 语言学课程（普通语言学、应用语言学、现代语言学、社会语言学、心理语言学、对比语言学、现代语言学流派、语言学史等）；

3. 对外汉语教学课程（语言教学原理、对外汉语教学理论与实践、教材编写、偏误分析、测试研究、专著选读等）；

4. 方法论课程（社会科学研究概论、数理分析方法与技术、统计方法与技术、人文科学研究方法论等）；

5. 其他（第二外语、语言信息处理、中国思想文化、汉英语言对比、跨文化交际理论、语言学英文原著导读等）。

从以上归纳可以看出，课程涉及的领域比较宽广，每个领域内的课程也比较齐全，因此使人不能一下子抓住要领。换句话说，是以上的课程设置特点不鲜明，没能很好地体现出对外汉语教学学科与其他相关、相邻学科的区别性特征，按照这种课程设置培养研究生可能会与我们的培养目标有一定的差距。

当然，由于对外汉语教学学科下设不同的研究方向，因此课程设置会因研究方向的不同而有所不同，但是对不同方向研究生的基本要求是相同的，也就是说，他们的基本知识结构不因研究方向的不同而不同。有关对外汉语教学学科研究生的知识结构,目前还没有看到专门论述,根据上述对研究生培养目标和培养方向的讨论,我们认为对外汉语教学学科研究生的知识结构应包括:

1. 汉语理论;

2. 语言习得理论及汉语教学理论;

3. 外语;

4. 汉语文化背景知识;

5. 其他相关学科的一般性知识。

这五个方面的知识在研究生的知识结构中所占比重不是均等的,其中汉语理论和语言习得理论及汉语教学理论是基础和重点,其次是外语,然后是汉语文化背景知识和其他相关学科的知识。

我们对北大汉语中心已经毕业的和正在就读的研究生进行了问卷调查[①],调查结果与我们的意见基本一致。特别值得说明的是,问卷呈现出一个明显的倾向,要求增加对外汉语教学论方面的课程,并加大这方面课程的比重。至于各类课程在总课程设置中所占具体比例,人们的认识并不相同,比如,有人认为语言课应占30%,有人认为占40%,甚至有人提出占50%,不过,这并不妨碍我们从中得出一个带有导向性的结论,即:语言课,对外汉语教学论课,外语,其他相关课程的比例大致为3∶3∶2∶2比较合适。

---

① 发出问卷32份,收回29份。调查内容为:1.对现行的研究生课程发表意见(包括哪些为必修课,哪些为限选课,哪些为非限制性选修课及对本人帮助最大的课程);2.希望增加的课程;3.对研究生课程结构的意见:汉语理论课、对外汉语教学论课、语言学课程、外语及其他相关学科课程的比例。

三 关于学科定位的思考

讨论对外汉语教学学科研究生的培养工作，可以引导我们深入思考学科的定性、定位问题，因为这直接涉及对外汉语教学硕士点和博士点的设置。

目前，有关学科定位的问题有以下几种意见和倾向：

1. 维持现状，即仍把对外汉语教学作为现代汉语专业的一个分支，仍然把硕士点设在现代汉语专业中（1997 年并入二级学科“汉语言文字学”），待硕士生的培养工作成熟了、规范了，学科建设有了更进一步的发展，对外汉语教学可以作为一个独立的二级学科的时候再重新考虑从汉语言文字学科中分离出来。

2. 把对外汉语教学的硕士点从现代汉语专业中分立出来，把它作为二级学科教育学的一个分支，开设专门培养对外汉语教学与研究人才的专业，叫做“汉语教学”或“对外汉语教学学科教育论”专业，并在这一专业下招收博士生，以提高对外汉语教学学科的学术层次。①

3. 把对外汉语教学作为二级学科语言学和应用语言学的一个分支，招收研究生。这一想法已得到有关部门认可，1997 年国务院学位办公室同意对外汉语教学在“应用语言学”下开设博士点。硕士点也随之作相应调整。

名称的不同只是一个表面现象，它反映出的问题是，对外汉语教学作为一个专门的学科还比较年轻，它的学科特点还不够

---

① 吕必松先生 1994 年《在对外汉语教学定性、定位、定量座谈会上的发言》提出建立“汉语教学”学科的思想。北京语言文化大学 1996 年开始招收“对外汉语教学学科教育论”方向研究生。

鲜明，学科理论还不够成熟。从另一个角度讲，是人们对对外汉语教学学科的本质认识还不够深入，还没有建立起足以与其他有关学科相区别的、不能以其他学科理论替代的、独立的、系统的、科学的理论体系和学科框架，还没有充分认识对外汉语教学学科的性质，理顺它与其他相邻及相关学科之间的横向的和纵向的关系。对外汉语教学的学科建设要进一步深化，上一个新的台阶，必须在建立自己的学科理论这一问题上有较大的突破。只有理论研究向前推进了，我们的学科才有可能成熟起来，才有可能定位在最科学的位置上，这是我们今后长期的奋斗目标。

从目前的现实需要出发，我们认为，考虑学位点的设置还有几方面的因素应该注意到：一是要学习和借鉴外语教学学科的经验，包括国外的经验和国内的经验；二是要考虑国情，即考虑对外汉语教学学科内部的情况和外部的环境。

国外的外语教学学科的发展大致经历了三个阶段①：

1. 19 世纪末 20 世纪初的"改革运动阶段"。语言教学的改革者们主张用各民族实际使用的现代语言取代古典拉丁语，同时彻底改革以往以分析语法结构为主要教学手段的教学法，并开始有意识地探讨语言教学中影响教学质量的原因。"改革运动"开创了语言教学研究的先河，是语言教学学科的萌芽。

2. 第二次世界大战期间的"应用语言学"阶段。"应用语言学"发端于 1944 年成立的美国密执安大学的英语语言研究所。

该所是美国第一所语言教学研究所，著名语言学家弗里斯

---

① 参见孙德坤《国外外语教学学科发展的过去和现状》，载施光亨、赵永新《对外汉语教学是一门新兴的学科》，北京语言学院出版社 1994 年版。

和他的学生在这里开展了一系列语言教学研究，并于1948年创办了第一份语言教学杂志《语言学习》(*Language Learning*)，其副标题是《应用语言学》(*Journal of Applied Linguistics*)，第一次打出了“应用语言学”的旗帜。之后，在美国掀起了语言教学研究的热潮，出版了不少语言及语言教学方面的书籍。与此同时，在西欧的一些国家也出现了将应用语言学与外语教学联系在一起的情况，并激起了人们对教学法的探求。英国学者韩礼德等人的《语言科学和语言教学》，加拿大学者麦基的《语言教学分析》，都第一次把语言教学作为一门独立的学科进行研究，试图提出一个分析语言教学过程的理论框架。所有这一切都标志着语言教学这一学科的诞生。

3. “第二语言习得研究”阶段。以应用语言学为旗帜的语言教学研究，主要从语言学的角度来考察、研究语言教学。随着研究的不断深入，人们逐渐认识到，只从语言学的角度来研究语言教学是不够的，还应了解学习者学习语言的过程，应掌握语言学习的规律。因此，70年代以来，语言教学学科的研究重点逐渐转向了以学习者如何学为主要研究对象的第二语言习得研究。英国学者科德是第二语言习得研究的创始人，他于1967年发表了著名的论文《学习者言语错误的意义》，奠定了第二语言习得研究的基础。美国学者塞林克于1972年发表了题为“中介语”的论文，把第二语言习得研究推向纵深。

当前，第二语言习得研究试图从多侧面、多角度去描写、分析语言学习过程，努力去发现影响语言学习过程的诸因素。第二语言习得研究近年来已成为一门独立的学科，逐渐从应用语言学中分离出来。

国内的外语教学学科历史比对外汉语教学学科长得多，它的建立与发展一直受到国外外语教学学科的影响。长期以来，国内的外语教育一直定位在应用语言学学科。随着第二语言习得研究的兴起与发展，国内的外语教学界也把研究热点集中在对中国人学习外语（主要是英语）过程的研究，但同时又把注意力转向了学科的理论探讨与建设。最近有学者提出建立外语教育语言学①，这是我国外语教学学科在国外的 Educational Linguistics② 的启发下，试图建立的一门涉及语言学和外语教学的新兴学科。外语教育语言学提出以语言学及相关学科的理论为基础，从外语教学的各个方面来分析和描写外语教学的过程，作出有关外语教学的一些假设，并根据这些假设提出外语教学应遵循的各项原则，从而建立一个面向外语教学的语言模式。提出建立外语教育语言学的目的是为了促进外语教学理论研究的开展和外语教学理论体系的建立，促进外语教学早日成为一门独立的学科。

对外汉语教学学科建设，经过近半个世纪几代人的努力，取得了令人瞩目的成果，可以主要概括为以下几方面：

1. 初步形成了自己的学科理论体系；

2. 建立起了比较完善的教学体系；

3. 取得了丰硕的科研成果；

---

① 参见张国扬、朱亚夫《外语教育语言学》，广西教育出版社 1996 年版。

② Educational Linguistics 这一术语是由美国新墨西哥州立大学语言学教授兼研究生院院长贝纳德·斯波尔斯基 1972 年首先提出来的。Educational Linguistics 研究的主要是语言与教育之间的关系，而且是从语言学的角度来研究外语与教育之间的关系。1978 年贝纳德·斯波尔斯基又出版了《教育语言学导论》一书，对外语教育语言学所涉及的问题作了进一步的阐述。

4. 形成了一支稳定的师资队伍。

目前,全国专门从事对外汉语教学的教师共有 2 200 人左右,兼职教师 3 000 人左右,已获得国家级对外汉语教师资格证书的有近 2 000 人。这说明,对外汉语教学领域不但有了一支人数众多的教师队伍,而且这支队伍的整体水平在不断提高,他们是对外汉语教学事业的生命线。在这支队伍中出现了一批各有专长的专家、学者,他们代表了对外汉语教学学科的实力和水平。但是,不可回避的事实是,目前这支队伍中专家、学者的数量还很有限,而且除个别大学集中了一批本学科主要领域的教授外,其余的专家、学者分散于全国各个高等院校,力量不集中,并且往往是某一院校只具有某一方面的优势。因此,为了筹建博士点,需要各院校联合或请相关学科的教授伸出援手。

鉴于以上各种情况,我们认为目前对外汉语教学的学科建设面临的最重要、最紧迫的任务是加强理论建设和人才的培养,而不是急于给学科找到一个落脚点。理论是学科的灵魂,是学科发展的支柱,也是学科地位巩固和学科定位的必要前提条件;人才是学科得以发展的保证,是学科的建设者和支撑者。现在需要的是扎扎实实地开展学科的基础理论和教学理论研究,特别是加强语言学习理论的研究,使学科的理论建设在已有的基础上上一个大台阶。一旦学科的理论建设成熟了,学科的各个领域都将涌现出一大批有建树的专家、学者,到那时就自然解决了学科的定性、定位问题。在当前情况下,对外汉语教学学科的归属可以维持现状,各院校可以百花齐放,在各自招收硕士生的专业里充分发展,各自从不同的角度和侧面探索、积累经验,同时注意引进和学习外语教学学科的理论,从中吸取营养,扩大我们的理论视野。汉语的本体研究、语言学习规律的研究(即学生“怎么学”)和语言教学规律的研究(即教师“怎么教”)是对外汉语教学学科的三大支柱。其中汉语的本体研究在我国发展得最充分,成果最多,力量也最强;语言学习规律和语言教学规律的研究相对来说则薄弱得多,可以说还处于从引进、介绍国外相关理论向运用这些理论从事汉语学习规律和进行汉语教学研究的过渡阶段。实践告诉我们,现代汉语是目前对外汉语教学学科的最有力的依托者,现代汉语专业不会限制对外汉语教学学科的发展;相反,为它的发展提供了很好的环境。我们认为,在有关方向的关键问题上要特别慎重,因为一个错误的决策会导致整个学科建设走弯路。

附表:

招生专业	研究方向	招生学校	招生时间
现代汉语	(1)对外汉语教学	北大 北语 南京大学 华东师大 北师大 人大 南开	从1986年起陆续招生
	(2)语法修辞	北大 南京大学	1986年、1988年
	(3)中国文字学	南开	1991年
	(4)汉语言文化研究	南开	1991年
	(5)汉英对比与翻译	华东师大	1992年
对外汉语教学		上外	
对外汉语教学学科教学论	(1)语言习得和教学理论 (2)对外汉语教学设计 (3)教学评估与语言测试	北语	1996年
中国古代文学	国际汉学方向	华东师大	1995年
语言学与应用语言学	(1)现代语言学理论研究 (2)语言学应用研究	上外	

贰　对外汉语教学专业研究生的课程设置[①]

随着我国综合国力的增强，世界范围内学习汉语的人越来越多，因此，汉语教师的需求量也就大大增加了，尤其在东南亚一带。可以说，在对外汉语教学这个国家和民族的事业上，目前最欠缺的是教师。这就给我们对外汉语教学界提出了一个非常紧迫的任务：如何在最短的时间内，培养出大批的能够胜任对外汉语教学任务的人才，这成了我们当前亟须解决的问题。

一

我们认为，培养高层次的专业教师的最快、最有效的途径是招收对外汉语教学专业的硕士研究生，我们也正是这样做的。改革开放以来，随着对外汉语教学作为一个独立学科的地位的确立和不断提高，全国许多高等院校开始招收对外汉语教学专业的硕士、博士研究生，并且已经培养出了相当数量的毕业生，他们中的大多数目前正工作在对外汉语教学的第一线。

然而，不容讳言的是，目前我们虽然有很多院校招收了对外汉语教学的硕士生、博士生，也培养出了为数不少的"成品"，但就学生的状况和学科建设的情况来看，并不尽如人意。这里，我们仅就硕士研究生的培养状况谈谈自己的看法。

报考硕士研究生要有大学本科学历，要通过严格的口试、笔

---

① 本节选自陈绂《谈对外汉语教学硕士研究生的知识结构》，《语言文字应用》2005 年专刊。

试，其佼佼者才能取得入学资格。入学后要经过三年的时间才能最终完成学业。三年间，他们要学完十几门专为对外汉语教学专业开设的基础课程和专业课程，撰写完与对外汉语教学的种种理论问题、实践问题有关的硕士毕业论文并最后通过答辩，一切合格后方可得到硕士学位。看起来，从入学考试到毕业答辩，一切都有明确的要求，一切都很严格，而且，从一定角度看，这些都是围绕着对外汉语教学这个学科的要求进行的。似乎可以认为，我们的硕士培养工作已经有了良好的保障，我们完全可以培养出合乎要求的对外汉语教学人才了。也许正是基于这种考虑，新的"对外汉语教师资格认定标准"规定，对外汉语教学专业毕业的学生不用参加考试，都可以得到资格证书。这就意味着，大家认为从这个专业毕业的硕士都已经具备了一名对外汉语教师所应具备的条件，是一个合格的教学人才了。果真如此吗？我们应当毫不掩饰地承认：事实并非完全如此。首先，近年来硕士毕业生的水平正在逐步下降，我们经常可以听到这样的抱怨：学生们的学习热情不高、学习不刻苦、不专心撰写论文、论文水平很低……在实际工作中我们也可以感受到，不少硕士毕业生面对复杂的对外汉语教学工作感到力不从心：有的无法通过用人单位的面试、有的在课堂上面对学生的问题瞠目结舌、有的教学评估很差。在对出国师资进行考核时，我们也不只一次地碰到准备出国任教的老师回答不出常识性的文化知识问题、说不出最近时期的国内外大事，甚至也回答不出最简单的有关汉语本体知识的问题等令人尴尬的局面。面对这种情况，我们应该如何反思？症结到底在哪里？这真是一个值得认真思考的问题。

二

为了培养出合格的毕业生，即合格的对外汉语教学人才，我们应该首先明确：合格的对外汉语教师究竟是什么样的？他们应该有怎样的知识结构？这自然与对外汉语教学这一学科本身的特点密切相关。有关这一命题，近年来讨论多多，不须赘言。一个合格的对外汉语教师所应有的知识结构和自身修养似乎也已经非常明确，但我们认为，若从对硕士研究生这一群体的培养出发，还是很有必要重申这一问题的。

众所周知，对外汉语教学是一个交叉性很强的学科，它属于应用语言学范畴，是一个研究语言教学的理论与实践的学科。它的教学内容是汉语言，所以，它需要进行语言学、尤其是汉语的研究。然而，既然是"应用"，就说明，这种研究是从语言教学规律和语言习得的角度进行的语言研究，它较多地使用心理学的方法进行调查研究，也从教育学的角度研究教学规律。每一个从事对外汉语教学实践的教师都清楚，要想搞好对外汉语教学，只懂得汉语理论是远远不够的。我们除了要学习研究语言学理论，特别是汉语言本体理论之外，还要学习研究有关教育学、心理学、文化学、哲学、人类社会学等基础理论，并把这些理论应用到我们的对外汉语教学实践中去，共同构筑这一新兴学科。因为在我们把汉语这一与学生们的母语有着本质差异的语言作为外语教授给他们的时候，必须考虑如何用最有效的办法讲解语言要素与语用规则，如何培养他们的言语技能与言语交际技能。因此，在这一语言教学的背后，必须有多学科的理论作为支撑。

基于这样的认识，再来看这个交叉性极强的特殊学科对从事这一工作的群体的要求，就再清楚不过了——一个合格的对外汉语教师必须是综合性人才。

首先，他应该具备语言学、特别是汉语言学的理论知识，但这一知识不能仅仅停留在对理论的研究上，而应该立足于应用，也就是说，他应该具备有关汉语言的各种技能，具备分析、纠正学生们在学习过程中所产生的各种讹误的能力等等。他要掌握的知识系统是“语言规律和语言学习规律共同决定的”教学语言系统，只有这样，他才能把汉语知识真正地教授给学生们，他的教学才会是有效的、受欢迎的。

其次，正因为对外汉语教学是一个研究将汉语作为外语进行教学的理论与实践的学科，所以，教学法以及一系列有关教与学的理论都应该成为教师必备的知识。一个合格的对外汉语教师必须懂得第二语言教学法和第二语言习得规律，具备一定的教育学、心理学方面的知识，只有这样，他才能真正胜任这一工作。

对外汉语教学的教学对象是母语为非汉语的外国人，而学习外语的困难和错误大部分来自母语，因此，教外语的老师必须先了解学生母语的结构，把学生母语与目的语的结构进行详细的比较，然后根据这个对比分析来选择教材，安排教学内容和次序，确定课程设置与教学方法，对外汉语教学也不例外。因此，一名合格的对外汉语教师还应该具备一定的外语能力，这不仅可以使其通过汉外对比更科学地进行汉语教学，可以培养其在国外任教的能力，同时也还可以使其获得习得外语的第一手经验，并把这种经验运用到实际教学中去，使教学更生动、更有针对性。

我们这里特别要提到的是，对外汉语教学是一个与人、更确切地说是与外国人打交道的工作，伴随着这一教学活动，我们会接触到许许多多不仅与我们的文化背景、风俗习惯等等很不相同，而且他们彼此之间也很不相同的人群，我们除了每天教授他们汉语之外，还会有各方面的接触，这就不可避免地会有不同文化之间的碰撞。因此，我们的教师除了要具备相应的语言学、汉语本体理论、教育学、心理学、第二语言教学法等等各方面的知识之外，还必须具备中国文化知识以及中外文化背景知识，具备待人接物的礼仪风范和一定的社交能力……这些虽然不一定是我们要直接讲授的内容，但它们会随时随地地表现出来：在课堂内外，在与学生们的接触中，每一位对外汉语教师都在自觉不自觉地表现着自己的学养。所以，较高的文化素质是一个对外汉语教师必须具备的。

以上是一个合格的对外汉语教师应该具备的起码的条件。另外，要想成为一个高质量的教学人才，还应该具备相当的研究能力，特别是把语言学、教育学、心理学、文化学、社会学等理论综合起来进行研究的能力。科研带动教学，教师，尤其是高校教师，必须搞理论研究，用理论研究的成果指导自己的教学实践，这样的教师就不仅仅是一名能上好课的老师，同时也是一名对外汉语教学的专家。我们认为，硕士研究生应该朝着这个方向培养。

三

目前，对外汉语教学专业的硕士生大多是从中文系、外语系毕业的本科生，也有少量教育系、心理系的毕业生。从对外汉语教学工作的要求来看，他们都有所“欠缺”：就其掌握的理论知识而言，他们或缺汉语、或缺外语、或缺教育心理，不少人还不只在一个方面有“欠缺”；就他们的社会经验而言，其中大多数人是从学校到学校，没有接触过社会，不懂得与人相处的基本法则；就他们的整体素质而言，有相当一部分人是在娇生惯养的环境中长大的，即使来自贫困地区，也是家里和学校里的“明珠”，一直生活在赞扬声和特殊照顾之中，没有养成为他人服务的习惯。面对这样一个年轻的、在各方面都很不成熟的群体，作为研究生教学的组织者和管理者，作为“导师”，我们面临的任务是什么？我们应该做些什么？

我们认为，应该认真考虑研究生的课程设置问题，把应该进行的方方面面的教育尽可能地融进我们的课程之中。

如前所述，目前的对外汉语教学专业是设在“语言学及应用语言学”这一学科之下的三级学科，属于应用语言学范畴。为这一专业的硕士研究生开设课程，势必要有语言理论类的课程，但这些课程又应该与“汉语言文字学”学科的课程有明显的区别。以语法课为例，我们应该讲授的是教学语法，是针对教学需要而专门归纳的一套应用语法体系。比如在归纳某一种语言法则时，应该把留学生容易在这一方面产生的偏误及其产生的原因、学生母语与汉语之间的主要差异、在具体的教学活动中应该如何运用与讲解这些语法理论等等纳入到我们的教学内容中去，使学生们不仅能学到理论知识，还能学到应用这些理论知识解决具体问题的方法。目前，虽然我们努力这样做了，但还很不够。这不是一两个学校的问题，而是整个对外汉语教学界的问题。开设语言理论课的教师们大多毕业于“汉语言文字学”专业，讲述汉语本体理论对我们来说是轻车熟路，而要改变研究的方向和课程内容，是不容易的，但是，这又是必须做的。

教育学和心理学的理论知识是任何一个从事教育工作的人都应该有所掌握的，在第二语言教学领域，学生如何学、教师如何教更是一个值得特别关注的问题。在我们为对外汉语教学专业的硕士生们开设的课程中，这不仅是不可或缺的，而且是需要着力建设的。我们之所以这样讲，是因为长时间以来我们在这方面的研究尚存在着种种不甚理想的倾向：或是注意了对教学理论的研究，却不够重视对学习理论的研究；或是注意到了对学习理论的研究，但大多都是搬用西方的学习理论，对于将汉语作为外语的学习规律则研究得很少；或是注意到了对有关理论的研究，但很少将这些研究及其成果引进课堂，指导研究生们作进一步的探讨。凡此种种，都影响了我们在这方面的教学，当然也就影响了研究生们的学习，影响了他们对这一领域的理论的掌握和知识结构的整体搭建。

同时，在我们的硕士生中，虽然有一部分是从师范院校毕业的学生，他们曾在本科期间学过一些有关教学法的课程，但就大多数来自非师范专业的学生而言，几乎从来没有接触过这方面的知识。而他们选择了这一专业，这意味着他们将要从事教学这一工作，教学法的理论与实践是他们必须掌握的。正如前文所言，近些年来，我们虽然引进了不少国外的第二语言教学理论与学习理论，但是，对于以汉语为第二语言的教学理论与学习理论研究得还远远不够。这一理论的建设需要有各种相关理论的研究作基础。也正因为我们所需要的具有对外汉语教学特色的、新的教学法理论目前尚不成熟，而这又是这一专业的硕士研究生必须掌握的，所以，我们更应该在教学过程中，乃至在研究生的整个培养过程中，将对这一理论的探讨和研究放在首要地位。教学相长，在不断提高研究生的培养水平，使研究生们的知识结构更加合理的过程中，我们自己也会学到很多东西。还应该提出的是，研究生在学期间的实习也非常重要，只有真正站在讲台上，他们才能体会到一个对外汉语教师的职责究竟是什么。

有关文化方面的教学已经呼吁并论述了多年，大家已经逐渐明了文化问题在对外汉语教学中的地位和分量。然而，在我们与年轻教师（其中不乏对外汉语教学专业的硕士毕业生）的接触中，我们却惊讶地发现，相当一部分人的文化历史常识少得可怜（注意，我们只用了“常识”二字）：有人不知道颐和园是谁修建的，更不用说为什么修建的了；有人不知道香港的“回归”，更不用说它的历史了；有人说不清中国两千多年历朝历代的演变；有人说不清中国的省市自治区；至于重要的历史事件、伟大的历史人物等等，这些作为一个高中毕业生都应该掌握的“常识”，却往往让我们参加出国选拔的教师们张口结舌。这时，我们才发现，常常挂在嘴边的“整体素质”“文化底蕴”是多么地不堪一击。至于一般的礼仪风范、待人接物，闹出的笑话就更多了，话语的失礼、穿着的不得体、举止动作的轻率……这里就不一一列举了。而在目前的研究生培养计划中，这方面的课程很少或几乎没有。

针对各种实际情况，我们建议，为研究生开设这样五大类课程：

1. 基础理论类。包括语言学（特别是汉语语言学）、教育学、心理学等学科的基础理论。这种理论课是以“应用”为原则和目的的。

2. 教学法理论及实践类。应该重点研究以汉语为第二语言的教学法理论与实践，同时，对于教材编写问题的探讨与课堂实习等也应包含在课程内容之中。

3. 外语类。一定要开设第二外语，特别是小语种。

4. 文化知识类。包括中国文化特质、风俗特征以及外国文化常识等。

5. 社会学、伦理学类。包括这些学科的基础理论与内容，以及一名教师所应有的礼仪风范、与人交往的基本规范等等。

这些课程并不是每个学生都必须学的，也不必全篇一律地设定必修课和选修课。我们建议，在总体培养目标的指导下，根据学生们本科期间的不同专业，由导师分别为他们设定必修课和选修课，缺什么补什么，这样就能在有限的时间里学到他们最需要的东西，这对于完善他们每个人的知识结构是非常有利的。

总之，培养对外汉语教学专业的高级人才是摆在我们面前的迫切而重要的任务，也是建设好这个新兴学科的关键之一。我们必须用比争设这个学科还要大得多的气力来建设这个学科，只有这样，才能培养出合格的“成品”，才能使我们对外汉语教学专业自立于各学科“之林”，也才能使我们这个“国家和民族的事业”兴旺发达。

第四章

海外汉语教师培训

第一节　菲律宾华文师资培训与教材编写①

菲律宾的华文教育有着悠久的历史。早在 19 世纪末，就已有进行华文教育的“小吕宋大清中西学堂”。一个多世纪以来，随着菲律宾国家政治经济的变革，华文教育也经历了兴衰起伏的诸多变化。20 世纪 90 年代初，菲律宾华人社会再次关注华文教育。在华人社区展开“挽救华文教育”大讨论的同时，华人社区的领导机构——“菲华商联总会”率先并带动诸多社会团体为华文教育捐款，以振兴华文教育。近年来，尽管菲律宾政府在促进经贸发展方面尽了很大的努力，但由于社会治安问题，商业及投资环境很不理想，货币贬值，华校的发展也因此受到了严重影响。在这样困难的条件下，菲律宾的华人华侨仍在支持并坚持从事华文教育。② 笔者应菲律宾华文教育研究中心的邀请，由国家汉办委派，于 2002 年 4 月到马尼拉进行了为期二周的华文教师培训工作。期间，接触了菲华人社会热心于华文教育的各界人士和广大华文教师，就菲律宾的华文教育问题进行了研

---

① 本节选自徐子亮《略议菲律宾华教的师资培训——兼谈华文教材的编写》，《海外华文教育》2002 年第 4 期。

② 参见颜长城《华文教育与经济发展》，《海外华文教育》2002 年第 1 期。

讨。本文针对菲律宾华文教育的特点、师资培训及相关的教材编写等问题提出一些浅见。

一　师资现状

菲律宾华校目前华文师资的构成是多层次的。总体来看主要有三类：第一类是华校的主要师资力量，他们基本上是菲律宾华裔，祖籍大都是中国的闽南。他们中有受过大学本科或专科教育的，也有受过中等学历教育或中等职业教育的。但是中文专业或中文教育类专业毕业的很少。第二类是近年从中国大陆到菲律宾定居的，这是一小部分人。他们大多受过高等教育，有中文专业本科学历甚至硕士学位。第三类是具有一定的临时性质的师资，大多也是菲律宾的华人华侨。他们并不希望长期从事华文教育工作，只是未找到理想的职业之前把担任华文教师作为一种过渡性的临时职业。

这三类教师在担任华校教师以前的经历和职业，有大、中、小学的教师，幼儿教师；非教师职业的如职员、空姐、秘书等等，也有个别家庭主妇。此外，近年来各华校招收了一部分刚从学校各专业毕业的应届学生。

基于华校教师的多种来源，在培训中，他们根据自身的条件特点，提出了各种要求。归纳起来，目前华文教师最希望帮助他们提高的是汉语的专业知识，以及传授给他们切实可行的教学方法和技巧，以解决教学中遇到的问题。具体而言，他们需要掌握汉语的语音、词汇及语法的基本知识。有个别教师甚至告诉我们，他不知道“汉语也有语法，也有主谓宾这一套东西”。他们希望了解一堂课从开始备课，诸如怎样写教案，抓难点、重点，一直到用哪些方法教课文，布置什么作业等等。他们希望得到写作教学的方法，以提高学生的写作兴趣和水平；他们想知道怎样让学生开口说中文，能够改变他们在课堂上沉默的状况，提高口头表达的能力；对在课堂上能不能用学生的母语或第一语文讲课、解释词语和句子的意思，母语或媒介语用多少、用到什么程度等等一系列问题，他们都希望通过培训找到答案或得以解决。

二　华文教师应具备的基本条件

进行师资培训，首先应当考虑培训目标。华文教师应当具备的基本条件从理论上来说，应该是培训的总目标。华文教师首先是一名语言教师，更准确地说菲律宾的华文教师应该是一名进行第二语言教学的教师。

我国学者在论述一名合格的外语教师所应具备的基本素质时归纳出下列六个方面的要求：(1)较为扎实的专业知识和专业技能；(2)教学组织能力和教育实施能力；(3)较高的人品修养和令人愉快的个人性格；(4)较为系统的现代语言知识；(5)相当的外语习得理论知识；(6)一定的外语教学法知识。[①]这六条要求包含了两部分内容，这就是对教师的人品、道德上的要求和教师本身所应具备的知识上的要求。“较高的人品修养和令人愉快的个人性格”，这是对教师品格和师德的要求，其余五条则是对教师应具备的知识上的要求。即教师应

① 参见束定芳、庄智象《现代外语教学——理论、实践与方法》，上海外语教育出版社 1996 年版。

当具有所教的目的语的知识和教目的语知识、训练目的语技能的知识。当然对从事第二语言教学的教师而言，所教的语种不同，各语言所体现的民族传统、人文环境、国情习俗都有很大的差异。而且教第二语言的教师本身所处不同的国别，社会环境、工作生活环境也大相径庭，因而会有很多相异之处，但应该说，对一个从事第二语言教学的教师的基本要求，即教师品格和知识储备则应该是一致的。所不同的只是表现在目的语的专业知识、教学能力、交叉学科知识的深度和广度上会有一定层次的差异。

菲律宾的华文教师来源甚多，他们本身所接受教育的层次不同、专业各异，进行华文教育工作的目的、动机也不一样。再者菲律宾社会经济状况对华校的存在和发展，对华文教师个人的事业前景和生活状况影响很大。诸如"社会教育制度不健全，缺少培养华语教师的专门机构"。[①] 经济疲软，华校学生迫于学习经费而转学公校，华文教师因待遇低而改行，这些都对华校产生了负面影响，制约着华语教学质量。面对这样的现实，有必要根据菲律宾华文教育的特点来确定华文教师应具备的基本条件。这就是除了应有的个人品格和师德之外，在知识储备上则可以有一个最低限定和高标准要求的过程性范围：就目前的华文教育状况而言，迫切需要华文教师具备的是汉语的基本语言知识和技能，以及一定的教学组织和实施能力。上文所谈的对外语教师的要求中"较为系统的现代语言知识、

---

① 参见萧北婴《积极务实探索——"第三届东南亚华文教学研讨会"综述》，《海外华文教育》2000年第1期。

相当的外语习得理论知识”等等，则可以认定为进一步努力的目标。

菲律宾华校学生一般是在对汉语知之甚少的情况下学习汉语的。尽管他们大多是华人华侨的后代，但他们的日常用语是菲语或英语，华人家庭中则大多讲闽南方言，汉语学习缺少真实的语言环境，汉语输入主要通过教学。因此，华文教师的作用就显得格外重要。他不仅要在课堂上提供目的语，教目的语，还要监控目的语的学习。例如，学生说“大伯来马尼拉以后，我去看望过一次他”。教师纠正为“……看望过他一次”，学生就提出“为什么可以说看望过他一次，而不能说看望过一次他。同样，‘我去过中国一次’和‘我去过一次中国’则都能说”。这种情况下，教师除了纠正错误，还必须向学生说明原因，“动词后面有宾语和动量词时，宾语如果由代词充当，则代词必须放在动量词前”。因此，华文教师在牢固掌握汉语技能的同时，更应具备汉语的语言知识。

华文教师具备教学的组织能力和实施能力，也是目前菲律宾华文教育所迫切需要的。华文教育主要通过课堂教学实施。组织好课堂教学是教学任务得以贯彻落实、教学计划得以实现的基本保证。课堂教学的质量将直接影响到教学效果。课堂教学包含教学原则、教学方法、教学气氛等诸多因素。以教学方法而言，同样的教学内容，贯彻同样的教学原则，如果教学方法不同，教学效果就会产生很大的差异。再者，以教学组织而言，教师如果能在课堂中营造轻松自然的学习气氛，自如控制教学节奏，集中学生的注意力，稳定课堂教学秩序，则学生学习的主动性和积极性就能得以充分发挥，课堂教学也能得到理想的效果。[①]因此，一定的教学组织和实施能力，也是华文教师应具备的基本条件之一。

三 培训的内容和形式

菲律宾华文教师培训的内容与形式要根据华文教师应具备的基本条件和菲律宾华文教育的实际状况来制定。对参加培训的华文教师应依其知识水平、教学能力及在教师岗位的稳定性划分层次组团、分班。因此，进行一定的培训前调研就显得十分必要。调研可以是两方面的：一方面是对教师情况的调研，例如教师的知识水平、教学能力、已受过何种培训以及培训的内容和形式等等；另一方面则是对培训所需要解决的问题的调查，如华文教师需要学什么课程、需要进行哪方面的训练和提高、华校对教师在业务方面的要求等等。近年来，菲律宾的华文教师已到北京、上海、厦门等几所高校接受各种培训。国家汉办也派出高校教师前往菲律宾进行师资培训。这些培训都是非常必要和十分有效的。在此基础上，参与师资培训的各高校之间可以进一步加强联系。可由有关领导单位协调，也可委托一所高校制定出全面系统的培训计划而由其他高校参照执行，进一步发挥各高校的特长和优势，减少培训内容的重复，实现资源共享。

要提高师资培训的质量和效率，在培训的内容和形式方面有必要贯彻一些基本原则。

1. 长远计划和近期目标相结合。

---

① 参见刘珣《对外汉语教育学引论》，北京语言文化大学出版社 2000 年版。

根据菲律宾华文教师的状况，在制定培训计划时拟作长远规划与近期目标相结合的考虑。所谓长远规划是指华文教师在几年内要实现的培训要求，比如在知识方面应掌握语言和语言教学的基本理论；在能力方面应能贯彻一定的教学原则，运用一定的教学方法实施有效的课堂教学。近期目标有两类：一类是长远规划的有机组成部分，是长远目标的具体落实；另一类是为解决当前急需的问题而设置的，对教师而言是“急用现学”。长远规划与近期目标相结合，可以把师资培训纳入整体规划的轨道，加强计划性，减少盲目性，这也是一种提高华文师资水平的有效措施。因而两者的结合既可相互促进，也能相互补充。

2. 系统性课程与专题讲座相结合。

系统性课程是为可以长期从事华文教育的教师所设置的、全方位提高师资的知识水平和教学能力的课程。诸如汉语语言本体的理论知识、教育学、心理学、语言认知理论以及国外语言教学法流派的理论、实践和动态等等。专题讲座的教学目的有两方面：一是针对部分短期参与华文教育的教师进行提高性的培训进修；另一是对所有华文教师所关心的当前教学中急于解决的难题进行有的放矢的辅导。专题讲座是系统性课程中某一部分的深化或具体化。例如，在培训中教师提出的比较集中的问题：“华文教师在课堂教学中运用媒介语的问题。”在系统性课程中，作国外语言教学法流派介绍时也会涉及这个问题，但只能大致地介绍一些观点和做法，不可能展开。而如果作为一个专题，则可以深入讨论，全面分析，还可以结合教学中的实例作具体的阐述，给教师以较为明确的启示和指导。

3. 理论知识的掌握和实践运用相结合。

师资培训不仅仅是理论知识的掌握,更为重要的是要能将所学的理论知识运用于教学实际。因为师资培训的目的是要在获得一定的理论知识的基础上提高教学能力。而能力的培养绝不是坐在教室里听课所能奏效的。这就要求我们丰富师资培训的形式。因为形式与内容,二者是相辅相成的。上文所述的有关内容如果通过理想的培训形式来落实,就更为有效。所以在培训过程中,除了专业教师的讲授之外,还可以让接受培训的华文教师参与教学活动。比如集体观摩较有经验的华文教师上课,观看优秀教学录像;进行集体备课,由几位华文教师到班级中执教,然后一起讨论,由专业主讲教师进行评议和小结;也可以就某一个主题,让参与培训的华文教师介绍自己的教学经验,发表个人的看法,讲座切磋,等等。这样,不仅学用可以有机结合,而且培训方式也因此而显得活泼、生动和多样,培训的效率可得以提高。

四 教材和教辅材料的编写

发展菲律宾的华文教育,师资是主要因素,同时教材也起着重要作用。师资与教材是密切相关、相辅相成的。有了高质量的师资还必须有好的教材,"工欲善其事必先利其器",好的教材是教学得以成功的一半。不少专家、教师根据理论研究和教学实践的结果,总结出理想教材的一些特点。这就是:(1)科学性,以学术理论为指导,吸收最新的理论成果,用量化标准选择安排语言内容;(2)实用性,教材内容的针对性强,语料和情景设计力求真实,练习的形式和内容、数量的编排合理;(3)趣味性,内容生动、形式多样、图文并茂，尽量利用高科技的声像新技术。[1]有学者对华语教材提出了一些特别要求，如“按第二语言教学的理论和方法编写；全面体现汉语本身的科学性、系统性；要针对学生的实际知识水平、年龄、兴趣、目的等等；紧扣学习、家庭、社交、社会活动等，具有一定的实用性；注意中华文化与本地文化并重；注意趣味性及教材的配套，等等”。[2] 马来西亚学者提出了华文教材编写应贯彻几个统一：“工具性与人文性统一；传统性与时代性统一；科学性与实用性统一；基础性与应用性统一；‘教本’与‘学本’的统一。”[3]

目前，华文教材在编写中应该说是在努力遵循着以上所提到的一些原则和特点的。但是，有相当一部分教材主要着力于课本的编写，可以说在课本的编写中是花了大力气、下了大功夫的，这固然很重要，也是最基本的。然而，根据菲律宾华文教育的现状，或者说东南亚以及其他一些国家和地区华文教育的现状，光编课本还远远满足不了华文教育的实际需求，因为现有教材基本上立足于受过一定中文或师范教育的教师使用。这些教师一般拿到这些课本后会较为熟练地对教材进行教学处理。菲律宾的华文教育由一部分非中文及非师范专业的教师担当，要他们对这些教材作教学的再处理要花费大量的时间和精力，也有一定的难度。因而，我们认为，要适应菲律宾华文教育，教材必须配上教学辅助材料，如教师手册(可包含讲义大纲、教学目

---

① 参见陈珣、万莹《华文教材编写的四原则》，《海外华文教育》2000 年第 1 期。

② 参见杨石泉《编写华语教材的几个问题》，《海外华文教育》2000 年第 1 期。

③ 参见林国安《独立华文课程教材改革的素质教育导向》，《海外华文教育》2000 年第 1 期。

标、新版本特点、练习参考意见、课堂活动建议等）、习题解答、课堂演示文稿、学习指南、教学录像等等。这些配套的教学辅助材料，不仅能为教师的教学提供一定的依据和参考，大大方便于他们，也能使教学，主要是课堂教学纳入规范化、标准化的轨道，从而使华文教学有章可循，避免盲目性和随意性。

第二节　东南亚华文教师培训经验点滴①

据统计，我国现有海外华人华侨 3 500 万，其中将近 90%集中在东南亚地区。亚太地区是世界经济格局中最具活力的地区，而东南亚地区的经济发展在整个亚太地区的经济发展中占有重要地位。东南亚华人及其传统文化对于这一地区的经济建设和文化发展功不可没。东南亚地区的华文教育已经复苏并走出了低谷，开始了蓬勃发展的阶段。而华文教师，由于历史和政治的原因，在许多国家出现了断层，年龄老化，青黄不接，素质不高，已不能满足迅速发展的华文教育的需要。进行业务培训，提高教学水平是华文教师们的普遍呼声。

暨南大学华文学院近年来举办过多批印尼、泰国、菲律宾华文教师培训班，为柬埔寨编写了华文教材，与东南亚各国的华文教师进行了广泛的学术和业务交流。东南亚诸国的政治、经济、历史文化虽然有不少共同之处，但各国的国情有明显的差异，华

① 本节选自周健《浅议东南亚华文教师的培训》，《暨南大学华文学院学报》1998 年第 4 期。

文教育的发展也不平衡。为了做好华文教师的培训工作，我们认为必须深入研究华文教师所在国的国情，了解华文教师的现状与要求，才能制定出实用有效的教学大纲。

一 东南亚诸国华文教育发展历程与现状

东南亚各国的华文教育都经历了曲折的发展历程，上世纪五六十年代以来，绝大多数华侨加入住在国国籍成为外籍华人，华侨教育也演变为华文教育。华文教育的发展在东南亚各国极不平衡。

马来西亚自 1957 年独立后，马来文被定为国语，英文成为政府学校的必修课。华文教育一度出现低潮，但在华人社团、华商和华文工作者的不懈努力下，马来西亚现在拥有千余所华文小学，60 所独立中学，还有三所华人大专学校并争取筹办“独立大学”。在这些学校，汉语是主要的教学语言，汉语教学水平也较高，学生普遍能讲纯正的“国语”，对中国的传统文化也有所了解，到中国大陆来留学的学生都能马上入系学习专业。在东南亚乃至全世界的华文教育中，马来西亚堪称一枝独秀。

新加坡华人占总人口的 75%，是华人比例最高的东南亚国家。新加坡 1965 年独立后，大力推行英语为第一语言的政策。从 1984 年起，推行全国统一源流学校，英文为第一语文，民族语文为第二语文。全国只保留 9 所英文与华文并列为第一语言的特选中学和 15 所特选小学。新加坡有两所华人创办的大学——南洋大学和义安技术学院，前者已在 1980 年合并于新加坡国立大学。近年来，新加坡领导人又频频发表讲话，要国民重视华文教育，保持儒家文化的伦理观，并大力推广汉语普通话和使用中国简化字的运动，十余年来取得了很大成绩。政府开始关注华文教育问题，采取了一些措施，包括在小学、初中开设三种程度的华语课，规定华人学生必修华语等。

菲律宾华人占总人口的1.4%，1976年遵照宪法全面菲化后，菲律宾华校正式纳入菲校教育系统，华文课程除华文选修课外全被取消，学校的授课语言为英语和菲语。华人社会所通用的语言为闽南话，因此，学习华语(指汉语普通话)的学生往往同时要学习英语、菲语和闽南话，学习负担重。菲律宾这个曾被西班牙统治三百余年、美国统治近百年的国家，其生活环境已相当西化，年青一代从小吃西餐，看外国卡通，过圣诞节，信天主教，向往西方社会。菲律宾现有华语教师两千多人，老中青都有，大部分都不是专职教师，教师待遇较低，素质不太高，教材与教法都比较陈旧。

泰国华人占总人口的8.5%。泰国政府对华侨学校的限制和禁止，在20世纪二三十年代即已开始，远比东南亚诸国为早。华文中学早被取缔。1980年，泰教育部只准民办华校从一年级至四年级，每周授华文5小时。至1987年，华文小学只剩下125所，学生不足3万人，华文教师不足500人。近年来，泰国政府从发展经济考虑，对华文教育的管制有所松动，华校华文课可由小学一年级教到六年级，中学华文与英、法、日等外语同等待遇，高校陆续增设华文课程，华侨崇圣大学已经政府批准开办。泰国旅游业发达，在这个充满佛教色彩的国家，既融合了中国的传统文化，也大量引进了西方的生活方式(包括腐朽的色情业)和价值观。英语日益受到国民的重视，有钱的华人家庭以把子女送到欧美留学为荣。

印度尼西亚是除中国以外拥有华人最多的国家。印尼的华文教育在东南亚地区是被政府限制最严的。所有的华校封闭以后，为了薪火相传，家庭教育成为学习华文的最普遍的方式。印尼教师对于汉语发展的现状以及拼音和简化字都相当隔膜，华文教师的年龄明显老化。现有能说汉语的人多在40岁以上，能阅读中文的人多在50岁以上。1995年中国印尼复交后，严峻的形势有所缓和，华文教育开始复苏。但由于政局动荡，印尼华文教育的前景尚不明朗。

柬埔寨华人占总人口的7%，二战以后华侨教育曾有较大发展，70年代的政变使华文教育进入断层阶段。全柬华文教育完全是空白，不仅没有华文学校存在，华人甚至不能或不敢公开以华语交谈。部分华人子弟在家庭补习班中学习华文。90年代以后，政府放宽限制，华文学校如雨后春笋般恢复。由于多年战乱，很多华裔青年没有受到正规教育，生活作风比较自由散漫。

越南华人占总人口的6%，越南在19世纪末沦为法国保护国以前一直使用汉字。1975年，越南南北方统一后，华文学校全部由越南教育当局接管，有的停办了，再加上大量华侨移居欧美，华文教育陷入低谷。近年来越南当局反省过去，肯定华侨华人对越南建设的作用和贡献，允许恢复华校。华文教育有了较大发展。

缅甸华人占总人口的1.6%，老挝华人占总人口的2.1%，这两国的华文教育所经历的曲折历程，与东南亚诸国大体相同：华文教育在上世纪六七十年代被取缔，出现断层，近年来开始恢复和发展。

东南亚地区的华文教师具有如下一些显著的特点：他们多为第二、三代华侨，母语多为汉语粤闽方言。他们热爱中华传统文化，能长期在逆境中坚持开展华文教育，与华裔学生有着天然的密切的联系。但他们普遍没有受过汉语教学理论和方法的训练，也不大熟悉汉语发展的现状，文化素质偏低，年龄偏大。

二 华文教育培训的方式和目标

东南亚各国的华文教育都经历过一个"V"字形的发展历程，教育经费匮乏、缺少适用教材和师资严重不足是东南亚华文学校普遍面临的难题。其中师资不足、教师素质不高的问题尤为突出。培养受过专业训练的汉语教师需要很长时间，目前当务之急是对在职教师进行培训，但许多国家尚不具备培训汉语教师的条件。中国作为汉语的故乡和世界汉语教学中心，为各国华文教师的培训工作提供帮助义不容辞。

华文教师的培训方式主要有两种，即"请进来"和"派出去"，目前以前者即采用举办国别华文教师来华短期进修班的方式为主。相比之下，前者的效率也高于后者，因为学员可以与更多的教师进行交流，可以观摩教学，可以亲身体验中国的社会文化和汉语的现状。此外还有函授进修的方式，但收效较慢。东南亚的华文教师一般都工作忙，负担重，往往只能挤出很短一段时间来进修。根据我们的经验，教师进修班一般为期两三周，长的也不过一个月左右。

关于教师培训的目标，可概括为以下六点：

1. 具有较系统的汉语语言学的理论知识和规范的汉语口语和书面语的熟练的运用能力。

2.熟悉汉语作为第二语言教学的基本理论与原则，并具有将这些原则根据需要创造性地运用到汉语课堂教学中的能力。

3.能尊重并理解中华文化，具有一定的中华文化、中国文学和中国社会的背景知识。

4.具有一定的普通语言学、社会语言学、心理语言学、语言学习理论和教育学等理论知识，了解语言学习和习得的过程和规律，能结合教学进行一定的科学研究。

5.具有学习并获得某种第二语言及其相关文化的经历。

6.热爱汉语教学工作并具有一定的组织工作能力。

我们认为，不可能通过短期培训使学员完全达到如此全面的目标，根据东南亚教师队伍的基本状况，可以认为他们基本具备了上述3、5、6项要求。对于他们来说，短期进修的目标主要有两个：一是提高自身的汉语水平；二是学习汉语教学的具体方法和技巧。

三　华文教师培训的若干经验

在总结历届华文教师培训班的成功经验与失败教训的基础上，我们对于如何办好教师培训班有了以下一些认识：

第一，全面了解学员所在国的华文教学现状。

包括华文教育的沿革，华文教育的层次，华文教育的方针、内容和方式，政府的华文教育政策，学生的成分，教材，师资来源，教师待遇，教学大纲的制定，课程设置，汉语水平测试，学习汉语的动机，汉语在社会生活中的地位、作用与价值，汉语注音方式，繁简字的使用，中文电脑输入方式，与中国大陆或台湾同行的联系与交流等等。这些资料可以通过座谈会的形式获得。

因此，我们在开班之前，先举行授课教师与进修学员的见面座谈会，了解双方的基本情况。

第二，深入了解学员的语言文化素质。

我们的做法是在开课之前举行汉语水平摸底测试。测试的项目包括汉语拼音、简化字、词汇、语法、阅读、文化知识和写作，其难度大体与高等 HSK 试题相当。根据摸底测试的结果，我们往往要对课程安排、授课重点作一些调整，有针对性地提高学员的素质，更好地满足学员的要求。

第三，精心设置教师培训班课程。

根据东南亚华文教学的共性，从高效、实用的原则出发，我们为短期培训班提供了以下十几门课程供选用：汉语语音、词汇、语法、汉字教学法，第二语言教学理论和方法、教学技巧，国内对外汉语教材分析，教案编制，速成教学，听力教学，口语教学，阅读教学，写作教学，汉语测试，教材编写，中文电脑与多媒体教学，文学作品选读，中国书画入门，中国流行歌曲，武术入门，中华文化讲座等。

我们的原则是“以学员为中心”，为了充分满足其特殊需要，我们通过与学员或学员代表协商确定具体课程的设置与课时的增减。比如印尼的汉语教学基本上采用家庭上课而非课堂教学的形式，我们就在“速成教学”中增加了“个别教学与小组教学”的内容。又如新加坡、马来西亚的汉语教学性质介于母语教学与第二语言教学之间，更多地带有母语教学的特点，我们就带他们到中小学听课，补充我国中小学语言教学方法等等。

第四，严格挑选任课教师。

培训班的任课教师以本校教师为主，也适当聘请外单位学有专长的专家。主要任课教师不仅要有较高的业务知识水平，还必须有丰富的汉语教学实践经验和教学理论水平。教师的授课质量是决定性的因素，一个完美的实用的课程设置，并不能保证培训班教学的成功，关键在于任课教师的教学水平和与学员的沟通能力。一门课程受学员欢迎的程度往往不取决于该课程的重要性而取决于教师的讲授是否精彩，因此在安排课程时，我们充分考虑到了指导教师的特长与讲课能力。

第五，贯彻理论与实践相结合的原则，尽可能组织学员参加教学实践活动。

我们安排了学员们在华文学院汉语系、培训部听课，也安排了到华南师大附中和长征小学去观摩教学。在讲完“第二语言教学法”“词汇和语法”“教案编制”几部分内容后，我们各安排了一次开卷测验，检验学员实际运用所学知识备课讲课的能力。在进修班的最后阶段，还为每位学员安排了 15 到 20 分钟的“模拟教学”，并由指导教师与其他学员共同进行总结评估。为帮助学员了解中国文化和社会，还组织他们去广州市和珠江三角洲参观访问、交流座谈。

第六，不断总结经验，完善华文教师培训工作。

在每一届培训班结束时，我们都进行问卷调查，以了解学员对课程设置、时量安排、教师授课质量以及食宿、接待、参观安排方面的意见和建议，并要求学员用百分制的形式为教师授课质量作出评估。根据最近几届培训班的问卷调查，学员对课程设置、时量安排、授课质量和教学活动的满意率均在 90％以上，对“教学法”“教学技巧”“文化讲座”等八门课程的评估都在 90 分以上，对其余课程的评估也多在 80 分以上。对于个别不太受学员欢迎的课程，我们进行了调查研究，找出了原因，提出了今后调整或改进的意见。实践证明，学员们的反馈意见，对于提高培训工作的水平，至为重要。

东南亚地区的华文教学已走出低谷，正方兴未艾。中国持续高速发展的经济不仅在近期的亚洲金融危机中起了中流砥柱的作用，更昭示了华文教育的灿烂前景。东南亚地区的华文教育必将进入蓬勃发展的新时期，而培训大批高素质的教师是华文教育事业的根本保证。培养华文教师的工作有多种途径，在职教师短期培训收效较快，是一种广受欢迎的方式，我们应当不断总结经验，做好这项意义深远的工作。同时，我们要强调，国内的对外汉语教学经验未必适合东南亚华文教育的情况，国内的成功经验只有与海外华文教育的具体实践相结合才能起作用。

第三节　东南亚华文师资培训工作的现状与问题①

东南亚地区长期以来一直是华人族群相对集中的聚居地，华文教育的历史较长，具有一批长期从事华语文教学的教师。但是目前的教学对象、教学环境与上世纪五六十年代相比都发生了较大变化。对于大部分海外华裔学生而言，学习华语已失

① 本节选自杨子菁《关于东南亚华文师资培训工作的思考》，《海外华文教育》2003年第1期。

去自然习得的环境，华语已不再是他们的第一语言，学习华语的人群中非华裔的比例大幅度增长，新一代华人的华语水平(除新移民之外)也与其父辈相去甚远，原有华语文的教学内容和方法已难以适应新的教学对象，华语教学逐步从母语教学转化为第二语言教学已成为必然的趋势。华语教师因之急需补充相应的现代汉语及第二语言教学的理论和方法，并调整教学内容。目前，国内参与东南亚华文教师培训的院校都在积极探索，不断调整培训的内容与方式，并取得了一定的成绩。但在如何加强华语师资培训工作的科学性、针对性及提高培训工作的质量和效率等方面仍需要作更深入的思考和研究。如何使今后华语师资培训工作更加科学、规范，更有成效，总结过去的经验教训是十分必要的。本文拟在分析东南亚华语师资培训现状的基础上，就国内参与海外华语师资培训工作过程中存在的一些问题提出几点看法。

一　东南亚地区华语师资培训的现状

(一)主要培训形式

近年来，随着中国国际地位的提高以及经济的迅速发展，各国学习汉语的人数也在逐年递增。但由于60年代初至70年代末近二十年来各种因素的影响，海外华文教育一度十分低迷，华文师资也因而出现断层的状况，师资的数量远不能满足华语教学的需求。一些国家由于师资不足，对任职教师的要求不得不下降，高素质师资的匮乏已成为东南亚各国华语教学所面临的最严重的问题之一。东南亚一些国家在政府或华人及华人社团的支持下，多方组织华语教师进行培训，常见的培训形式主要有下列几种:一是直接开办华语教师师范学校,如新加坡、马来西亚选取汉语成绩优秀的学生到师范院校学习。这两个国家使用汉语的民众较多,汉语习用环境相对较好,汉语的普遍水平较高。特别是新加坡,华语教学已成为当地国民教育的一个部分,华语教师参加培训的课程时数已列入考核及擢升的一个条件。这就促使教师在课余及假期积极参加培训,学习并掌握新的教学理论和方法,从而保持华语教师队伍整体素质的稳定。二是教师通过函授的方式自修,如厦门大学海外教育学院自1956年就开始以函授教学的方式为新加坡、印尼、泰国、菲律宾、马来西亚等国培养了一批华文教师,此种方式适合在职教师自学,但由于大部分教师工作繁忙,学习时间难以保证,从而使学制延长,有的最后则放弃了学业。目前厦门大学等院校采取函面授相结合的方式,在函授的基础上组织集中面授,对学员学习中的疑难问题予以辅导,如果学员通过课程考试并达到一定的学分,则相应承认其大专或本科学历,这种教学形式缩短了学制,同时也给教师们的学习提供了方便,得到了教师们的欢迎。三是利用假期组织教师前往中国大陆及台湾地区或聘请国内汉语教学方面的专家学者进行短期强化培训。此类培训主要从汉语作为第二语言教学这一角度切入,传授现代汉语的基础知识及语言教学的理论和方法,参加短训班的教师大部分都有一定的教学经验和体会,在此基础上带着问题进行观摩学习,与同行交流切磋,能有效地促进教师反思并改进教学方法。四是聘请中国大陆或台湾地区有汉语教学经验的教师深入华校,从制定教学计划、拟定教学重点、设计课堂教学环节、选取课堂教学方法到测试等方面对华语教师进行指导,帮助教师解决教学中遇到的一些实际问题，海外称之为督导。这种培训方式以课堂教学为中心，具有较强的针对性、实践性。以上四种方式中前两种多为学历教育，学制一般为二至五年，课程设置比较全面、规范，要求也比较严格，目标是培养具有一定汉语语言文化知识与语言教学理论和方法的教师，从根本上提高教师的素质；后两种是非学历教育，时间上比较灵活，也比较短，着重在于以汉语作为第二语言教学的基本理论和方法的学习，以促进教师在短期内迅速改进课堂教学。特别是第三种是目前国内院校参与的海外师资培训活动的主要形式，由于其时间上的优势加上短期强化的特色，深受教师们的欢迎，现在每年都有数百名教师到中国参加学习，而第二种由于可以得到学历上的认可，预计将来会有更多的年轻教师参加。

（二）培训的目标及课程设置

对于以汉语为第二语言进行教学的教师应该具有的素质，国内不少专家学者都进行了论述，如吕必松先生认为一位能够胜任华语教学工作的教师，应该具有一定的华语、心理学、语言学和语言教学法以及文化方面的知识，应具有一定的组织工作能力，具有一定的教学经验。[①] 赵贤州、陆有仪先生在《对外汉语教学通论》一书中则从对外汉语教师的知识结构、能力结构及职业道德水平三个方面探讨了对外汉语教师的素质问题，指出对外汉语教师的知识结构应包括一定的语言学理论知识、必要的语言学习理论知识、一定的语言教学理论知识以及其他相关

---

① 参见吕必松《华语教学讲习》，北京语言学院出版社 1992 年版，第 166—170 页。

学科（心理学、中国文化等）的理论知识，同时，与其相应的能力结构应包含四个方面的内容：良好的汉语交际能力、较强的理论联系实际的能力、良好的教学组织能力和育人能力。[①] 刘珣先生《关于汉语教师培训的几个问题》一文中也提出能够胜任课堂教学的国内或海外的汉语教师应具备的六个方面的业务素质。综合各家之说，下列这三项基本素质是必不可少的：首先是能够正确、熟练地使用规范的现代汉语口语和书面语，掌握较系统的汉语理论知识；其次是掌握一定的语言教学的理论和方法，并能在教学实践中灵活运用；最后是具有一定的中国文化、中国文学的知识，了解中国国情。近年来，国内对海外的华文教师培训也是从这三个方面着手，开设一系列相应的课程与讲座，主要有现代汉语语音、汉字、词汇、语法及其教学方法；听、说、读、写四项语言技能的课堂教学方法和技巧；中国历史、文化与当代中国概况等。在课程设置方面，全国参与教师培训工作的各所院校大同小异，对师资培训的目标认识是一致的。这些课程基本满足了师资培训的需要，得到海外华语教学界的广泛认同，但东南亚华语教学的环境、对象都与国内的对外汉语教学有所不同，各国之间的具体情况也有所不同。由于华语在所在国语言格局中的地位及使用人数的多少都影响着华语教学的规模和层次，其教学内容和方法也必然有所不同，因此我们有必要从下列几个方面就如何进一步完善东南亚华语教师培训体系作一些更深入的思考。

---

① 参见赵贤州、陆有仪《对外汉语教学通论》，上海外语教育出版社 1996 年版，第 310—316 页。

二　培训中存在的问题与思考

(一)应针对不同国家或不同办学形式的教学特点开设相应的课程

目前东南亚华文教学主要的办学形式有下列三种：一是华文学校，其对象主要是少年儿童，其中华人子弟往往占有相当的比例，教授华语的时间一般较长，有的从小学到中学毕业可持续十年左右，学生学习华语不少是由于学校的要求或家长的意愿，主动性不够。二是分布在大学中作为可选修的语言课，或是作为中文系以及研究中国政治、经济、文化等专业所必修的课程，其教学模式与国内的对外汉语教学基本相同，学习者大多是年轻人。三是业余的华语补习班或为个别人开讲的教学，学习对象的年龄、身份、经历各异，可根据学习者的汉语水平或需要开课，所开设的课程灵活多样。后两类学习者大多学习动机比较明确，教学方法相近。从华校的角度而言，如何从学习者的实际情况出发，充分考虑青少年的心理和生理特点，寻求更能唤起其汉语学习热忱的教学方法是至关重要的。师资培训课程中增加相关的教育学、青少年教育心理学等理论学习及为青少年所乐于接受的课堂教学活动的设计等是十分必要的。如华语在新加坡是作为双语课程之一，作为学生的必修课其整体的教学比较系统，也比较规范，不少学习者具有较高的华语水平。类似新加坡情况的还有马来西亚，由于董教总及华文独中长期采用“双轨”的教学体制，允许以汉语作为媒介语教学与考试，学生的汉语水平普遍较高，因此，新加坡和马来西亚的汉语教学介于母语与第二语言教学之间，有其独特性，完全以第二语言的教学理论和方法去指导或进行汉语教学则难以收到最好的效果。菲律宾和印度尼西亚由于政策的限制，华人子女的华语水平普遍不及新加坡和马来西亚，学习华语近似学习外语，其华语教学当属于第二语言教学。华校中的华语教学，一般从幼儿园开始，一直延续到高中毕业，学校参与整个教学管理的过程（包括每一层次课程设置、教材的选择等），教师掌握系统的现代汉语理论及儿童教育学、教育心理学方面的知识是十分必需的。而各种补习班或个别教学形式，就可能面对不同年龄、不同职业背景的学习者。学习者对课程内容及教学形式的需求也更加多样，教学时间一般较短，教学上更注意强化及实用性，如果教师具有较宽厚的知识面，则其教学将具有更广泛的适应面。因此，我们在师资培训方面应注意各国华语教学的特点，与当地华语教学界开展合作研究，探讨适应当地情况的培训内容及方式，使培训工作更有成效。

（二）从教师的实际情况出发调整教学内容

目前，东南亚的汉语师资队伍的成分比较复杂，总体上可将其分为三种类型①：一是以汉语为第一语言进行学习并长期从事华语教学的华人，汉语水平较高，且有一定的教学经验。二是在海外出生成长的华人，汉语已不是他们的第一语言，汉语水平偏低是不容忽视的问题。这两类教师在东南亚以汉语为第二语言教学的第三世界国家中较为常见。三是近几年从国内出去的人员，他们具有较高的汉语水平，但个人的受教育程度及其文化

---

①　参见金宁《海外华文师资培训工作研究》，载《第三届东南亚华文教学研讨会论文集》，菲律宾华文教育研究中心出版。

修养则有不同。其中有的是中文或相关的师范院校毕业的，较系统地掌握了现代汉语的理论知识；有的虽具有较高的学历，但不是中文专业的，对现代汉语的认识还未上升到理论的高度。虽然这些教师各自的情况不同，但普遍欠缺以汉语为第二语言教学的理论知识。因此，传授汉语作为第二语言教学的理论和方法成为了各种华文师资培训的重点。但是，一个汉语教师教学方法是否灵活、得体、有效，能否针对学生的弱点、难点来组织课堂教学，这不仅与教学理论或方法有关，其本身是否具备扎实的语言理论基础及文化、教育等多方面的知识也是至关重要的，全面提高教师的汉语水平及文化修养的工作不能忽视。因此，我们在提供培训课程时还应综合考虑各个教师群体的特点及其问题，围绕着作为一个汉语教师的素质要求，开设更多、更全面的课程，并在开课前提供课程菜单，允许教师根据其具体情况进行选择。在此基础上，亦可分阶段开课，不断拓宽教师的知识面，形成一套可持续进行的汉语师资培训体系。

（三）注重更新教师的教育理念，改进其教学方法

中国传统的教学模式是以教师为中心，师生之间的交流形式比较单一，老师说，学生记，或老师问，学生答。而语言的学习或者说一种言语交际能力的形成需要一种相对宽松、便于交流的学习氛围，需要创造一个交际环境。教师是学习者进入新语言系统的链接者，教师和学生之间的关系影响着学生对新语言的感情和态度，也影响着学生对新语言系统的认识和学习。这就要求教师淡漠"师道尊严"的观念，为教师在课堂教学中的角色重新定位。第二语言课堂教学的最高目标就是学生能够正确地运用目的语进行交际。在课堂教学中，教学方法是极为重要的。学习者要掌握一门语言，要获得听、说、读、写四项语言技能，就不能仅停留在语言理解的层面上。语言点的操练、语言技能的训练及引导学习者运用所学的语言进行交际都是课堂教学的重点，教师们迫切需要掌握汉语作为第二语言的教学方法或以此调整改进原有的教学法，在培训过程中他们一般要求在课堂教学法方面能得到比较具体的指导。从理论学习到观摩实习再到讨论分析以加深认识应成为培训的主要内容，特别是观摩实习，可以帮助教师从观察分析他人的教学入手，在开放式的讨论点评中，反思自己的教学，总结经验教训，并提出改进的方法和设想，然后在实际的课堂教学中再进行实践。我们认为"理论学习──→观摩教学──→讨论分析──→对照反思"这种互动式的教学不仅可以解决教师在具体教学实践中的问题和困难，还可提高教师对语言教学理论的认知水平。

(四)应大力开展远程培训的模式

近年来，国内参与东南亚汉语师资培训的院校在不断增加，在形式上逐步形成了长期和短期、学历与非学历、面授与函授相结合的立体化的培训框架，但对于不少在职教师来说，长期完全离岗培训有一定难度，而短期培训因时间的限制，培训的内容难以得到深化和扩展。在这种情况下，远程函授教学具有很大的发展空间，特别是现代网络技术的发展，为远程函授培训提供了更快捷的通讯手段。海外师资培训若能采用网上在职教育的模式，为在职教师接受培训创造便利的条件，将吸引更多的华语教师参加学习，扩大培训的规模。

第四节　网络时代的华文教师培训①

华文教育是以海外华侨华人及其子女为教育对象，以传授中华民族语言文化为主要内容的教育。网络教育的出现，为遍布世界各地的华文学习者提供了十分便利的条件，也为我们扩大华文教育规模、促进华文在全世界的传播提供了更加广阔的空间。然而，从我国华文教育的现实情况看，目前通过因特网开展华文教育尚处于起步、尝试阶段，发展步伐还比较慢。而制约我国华文网络教育发展的关键，就在于我们缺乏一支能够适应华文网络教育工作发展需要的教师队伍。如何根据时代要求培养一支合格的从事华文网络教育的教师队伍、推动我国华文网络教育事业的发展，是我们教育工作者必须认真思考的问题。

一　*培育华文网络教育教师队伍的必要性与紧迫性*

今天，因特网的发展带来了全球教育市场的竞争。在华文教育领域，目前从事华文教育的不仅有内地的高校、台湾的高校和有关机构，还有海外华人、华侨社团或个人出资办的当地华文学校，以及外国公立或私立学校，当地的文化新闻单位，教会，企业或其他组织。随着世界范围内“汉语热”的悄然兴起，目前，世界上学习汉语和中华文化的华人、华侨和外国人逐年增多，巨大

---

① 本节选自连志丹《加快培育华文网络教育教师队伍的思考》，《海外华文教育》2002年第2期。

的教育市场吸引着越来越多的机构的进入,加剧了当今华文教育市场的竞争。

为适应网络教育的发展趋势,赢得华文网络教育领域的优势地位,国内外从事华文教育的机构纷纷开始大力发展华文网络教育。例如,台湾建立起“全球华文网络教育中心”,开辟了教学网站,已将《五百字说华语》《初级华语会话》《侨教双周刊》等教材上网,同时制作了大量的华文电脑教学软件向海外推出;泰国泰华文教中心设立了“泰国华文网络教育中心”,并于1999年6月7日正式开设第一期华文网络研习班,为泰国华文网络教育揭开序幕;美国、欧洲的一些高校也从第二语言教学角度设计制作了一些华文教学软件,并开始网上教学。

在国外兴起华文网络教育的形势下,我国从事华文教育的高校中,目前只有上海华东师范大学、厦门大学海外教育学院、北京语言文化大学等少数高校开辟了华文教育网站,开始尝试华文网络教学。但从实施的情况看,这些教育网站大都处于起步阶段,还存在着一些急需改进的问题,如无法实现网上交互式教学;在线课堂、题库实用性差,页面空链接很多,虚多实少;主页设计呆板,不具亲和力,没能充分体现多媒体计算机网络教学“寓教于乐”的特点;网络教学软件实用性、兼容性差,缺乏对学生学习情况的跟踪、记录与反馈,不能很好地体现教师与学生之间的指导、协作关系,而且教学软件数量严重不足。在全球网络教育迅猛发展的今天,我国的华文网络教育急需跟上甚至要领先于时代发展的潮流,否则在世界现代华文教育领域新的竞争中就有可能失去原有的优势。

我国华文网络教育发展比较缓慢的最主要因素就在于我国

既懂华文教育又精通计算机网络技术的人才极为短缺。华文教育属于特殊的学科，它既有别于我国境内以汉语为媒介语对汉族及非汉族成员进行的中文教学，也不等同于我国一些高校从事的对世界其他国家非汉族成员进行的“对外汉语教学”。这主要是由其特定的主要教育对象——海外华人、华侨及其子女自身所具有的特点所决定的。华文教育是一门专业性非常强的学科。尽管中文教学、对外汉语教学和华文教育的教学内容基本相同，都属汉语言文化范畴，但侧重点不同，中文教学是作为第一语言的母语教学，对学生掌握汉语言文化知识的要求较高；对外汉语教学强调的是第二语言教育，侧重于培养外国人的第二语言能力；华文教育既有作为第一语言的教育方式，如新加坡、马来西亚均用华语作教学媒介语，也有作为第二语言的教育方式，如泰、菲、印尼等国多数华人子女的第一语言是当地语，华语已成为其第二语言。但即使是作为第二语言的教育，由于华人华侨子女生活、成长于华人家庭这一特殊背景，他们在华人社会里多少会一些华语或方言，有华人的生活习俗、思维方式，懂得一些中华文化，因而对他们的教育也有别于对外汉语教学，是介于第一语言与第二语言之间的一种特有的教育形式。华文教育的特点及其专业性决定了好的教学课件仅靠计算机专业人员是不行的，靠计算机人员与华文教育工作者的机械搭配也是不够理想的。好的教学课件必须是由既精通华文教育又精通计算机网络技术的人员来主持、参与设计及编制。

开展华文网上教学，教师的角色与以往相比有很大的不同。我国目前从事华文教育的高校中，教师大都集编写教材、准备教案、讲课、组织讨论、辅导或通信答疑、设置作业、批改作业等多项工作于一身，教学辅助人员较少，教学质量的高低主要取决于教师的个人水平。在网络教育中，一名优秀教师的学生可能有成千上万，而且分散在世界各地，完成上述工作单靠一人显然不可能。另外，实施网络教学涉及计算机硬件设备的维护，软件的编制、维护和升级，系统的操作与管理等，必须有计算机专业人员来协助。因此，网络教育下的教师将从原来的"单干户"过渡到"项目组"，即由多名教师按照各自的分工共同完成教学任务。① 在传统教室里，教师主要是靠讲解和在黑板上书写进行讲课；在网络教育里，教师主要靠键盘输入、扫描输入、语音输入等多媒体的写作方式传递自己的语言信息、图文信息等，同时必须懂得如何利用因特网中丰富的信息资源并将其恰当、适时地传递到学生的手中。在传统的教育模式里，教师的任务是"传道、授业、解惑"，教育往往是以教师为中心，多为灌输式地传授知识；而网络教育将以学生为中心，以学生的自学为主，教师将从知识的传播者变为学习的指导者、导航者。在网络信息时代，面对大量的信息，如果没有教师的引导，学生寻找有用信息的难度必然加大，花费的时间要长，而效果却不一定好。而且，海外华人、华侨遍布世界各地，各自的情况不一样，学习和掌握华文的程度有深有浅，也需要华文教师通过网络给予个别引导和帮助。这些情况表明，推行华文网络教育，对华文教师计算机的应用技能提出了较高的要求。

再从我国从事华文教学的教师队伍的知识结构看，绝大多数教师都是中文专业毕业的，有些则是教育、历史、外语等专业

---

① 参见雷庆《网络时代怎样当教师》，《光明日报》1999年6月9日。

毕业的。由于我国高校早年计算机教育的缺乏，这些教师大多对计算机的功能和运用知道不多或不深，有不少教师没有受过计算机知识的系统性培训。在日常工作中，华文教师工作量普遍比较大，平时难以抽出时间学习计算机知识，因而难以深刻认识到计算机网络教学的巨大优越性，以及它给华文教育传统方式带来的挑战。

因此，要不失时机地推行华文网络教学，必须从加强华文师资队伍建设入手，对他们进行多媒体、计算机网络教学及其相关知识的强化培训。

二　培育华文网络教育教师队伍的途径

如何建设一支合格的从事华文网络教育的教师队伍是一项重要的新课题，需要有关专家、学者和华文教育工作者共同参与研究和探索。从我国华文教师的现实情况和发展华文网络教育对华文教师的素质要求看，笔者认为当前应重点抓好以下几个方面的工作：

1.尽快促进华文教师观念的更新。

开展华文网络教育，当前应立足于对现有华文教师队伍的培训。按照"思想领先"的原则，要搞好培训工作，必须促使华文教师观念的更新，克服畏惧心理，打消对传统教育方式的依赖，使他们能够充分认识到实施华文网络教育的必要性和紧迫性，认识到华文网络教育所具有的优越性。和传统的华文面授与函授教学形式相比，华文网络教学具有巨大的优越性：(1)利用因特网教学可以做到迅速和快捷，可以不受空间地域的限制，能够更好地满足世界各地华文学习者的要求，能够更好地扩大生源，扩大教育规模，降低教育成本，形成面向海外的华文教育产业；(2)既可以进行在线实时教学，也可以让学生随时进行非实时地学习，体现了学习时间安排的自主性，对那些既工作又学习华文的世界各地的学生来说，这是最好的学习方式；(3)可以实现异地交互式教学，一名优秀教师可以同时向成千上万名学生授课，打破了班级教学的限制；(4)能够使师生共享更丰富的信息资源，教师既可以"一对一"的方式对学生提出的问题进行讲解、辅导，还可以引导学生在网上寻找世界各地有价值的信息对其学习中遇到的问题提供支持和帮助；(5)能够提供文字、语音、图像等多媒体教学的手段，可以将知识性、趣味性、娱乐性融于一体，教学的手段更加灵活，并从多方面提高学生的学习兴趣，教学的效果更好。

2. 制定长远规划，有计划、有步骤地对在岗华文教师进行培训。

有效而又持续的教师培训计划是实施网络教育的核心。为实施网络教育，发达国家和地区十分重视对教师进行系统培训，如新加坡 1997 年至 2002 年的 MIT 总体教育信息化规划，要求到 1999 年全国教师都要接受 MIT 应用能力培训，并把它作为师资资格聘用的重要标准之一；英国 1998 年 10 月实施全国上网学习计划，为在 4 年内训练所有教师使用互联网，英国首相布莱尔宣布拨款 1.2 亿至 1.5 亿英镑；美国、日本等国家也纷纷采取了类似计划以强化对在岗教师的网络教育应用性培训。由于培训工作是一项系统性工程，且对华文教师的培训涉及其原有的授课不便中断、对在岗教师的培训难以一步到位等问题，所以，有必要制定一套较为长远的培训计划。培训的基本目标应是使他们具备从事网络教学的素质和能力，重点是多媒体、计算机和网络技术的实际应用与操作。包括如何通过网络实施语音教学、汉字教学、词汇教学、语法教学、听说读写的训练等。

网络教育是一种新的教学思想、教学方法、教学手段的运用。在对华文教师进行计算机、网络知识培训的同时，还必须对他们进行现代教育理论、教学法等相关知识的培训。实施网络教育是以现代教育理论为指导的，而具体的实施运用则又离不开现代的教学方法。如果实施网络教育，只是把原有的教材、教案和讲授通过网络向学生传送的话，那么多媒体多样化的教学形式与互联网中丰富的信息资源就无法利用，也就在相当大的程度上失去了网络教育的意义。现代教育更为注重的是方法教育，网络教育强调的是以学生为中心，以学生的自学为主，教师的传授、引导为辅。因而，如果教师没能很好地掌握现代教育理论和教育方法的话，就难以用先进的教育思想、教育方法武装自己，也就难以实施真正意义上的网络教学。在网络教育中，教师尤其要学习和掌握网络教学法，虽然我们目前还没有这门学科，但随着网络教学的推行，网络教学法必然会成为网络教育工作者必须掌握的工具之一。因此，有必要将网络教学法与计算机、网络知识的培训有机结合起来。此外，由于华文学习者遍布世界各地，各国对华文的态度、政策有所不同，学生的情况也有很大的差异，这就需要华文教师对海外学生所在国华文教育的现状、特点、文化背景、当地的教育政策等情况作基本的了解。因此，也有必要对教师进行这方面内容的培训。

对在岗华文教师的培训，可以采取边工作边培训的半脱产形式，也可分批抽调人员实行全脱产培训，还可以采取半脱产培训与全脱产培训相结合的形式。待受训者有一定技能后，则可以采取网上培训的方式。在对华文教师的网络施教基本技能培训的基础上，可以从中选拔一批人才接受华文多媒体教学课件的设计开发、网络教学软件的应用开发等高层次的培训。

3. 建立专项培训基金，确保培训工作的可持续性。

现代科技的进步带来了教育手段的更新，也带来了教育形式的不断变革与改进。尽管网络教育刚刚起步，但其迅速发展的趋势则对实施网络教育的教师不断提出新的要求。华文网络教育竞争的是全球的华文教育市场，竞争的对象是世界各国从事华文教育的教育机构。尽管我们在华文教育上具有其他国家和地区所不具有的天然优势，但这并不意味着我们在华文教育思想、教育形式、教育手段现代化等方面也具有优势，并能保持住自己的优势。因此，从培养合格的华文网络教育的教师队伍的需要上看，对华文教师的培训应走可持续发展的路子。这样才能促使受训者跟上世界华文网络教育的发展步伐，并在某些领域、某些方面引导世界华文网络教育的发展方向。

要保证培训的可持续性，有必要建立一个专项的华文网络教师培训基金。建立基金的资金来源，可以采取由国家拨付，每年从对外招生学费中按一定比例提取，并适当吸收海内外捐赠作为补充的办法；也可以考虑在国家教育政策的支持引导下，由国家组织，采取由有关教育机构、其他基金管理机构和有志于投资华文教育产业的大企业共同参与发起，并按市场机制去运作的办法。

4. 建立严格的培训考核标准和相应的资格认定制度。

要保证培训的质量，必须有一套完整而且严格的考核标准和制度。由于华文网络教育有其自身的特殊性，有必要专门制订一套旨在逐步提高华文教师网络教育能力的考核标准。可以参考我国计算机水平考试的办法进行分级考试，对达到不同标准的发放不同级别的证书，并以此作为其从事华文网络教学任职的首要条件。

要保证培训质量，对承担网络教育培训任务的机构的工作情况进行评估是不可缺少的重要措施。因而，有必要建立一套资格认定制度，对各培训机构的培训工作进行定期测评，测评结果作为保留、提升其培训资格的重要依据，对施教能力差、培训效果不好的则采取取消其培训资格的办法。

综上所述，我们必须充分认识建设一支合格的教师队伍对推动我国华文网络教育的重要意义，要采取强有力的统筹措施，切切实实地支持华文教师提高教育信息化和教育手段现代化水平，尽快培养出一支合格的从事华文网络教育的教师队伍。

后　记

本书收集了有关对外汉语教师素质和师资培训方面的文章39篇，是从47部相关专著和140余篇相关论文中选编而成的，其中还包括两份政府文件。严格地说，海外汉语教师从事的是“把汉语作为第二语言的教学”，面向他们的师资培训本不属于“对外汉语教学”范畴。但由于中外汉语教师所从事的教学工作共性大于个性，学界在习惯上并未对二者做严格区分，且面向海外汉语教师的培训正有待于加强，所以本书也收录了一些相关文章。

相对于面向对外汉语教学的语言本体研究或教学法研究，师资队伍建设研究的成果明显较少，因而可供我们选择的范围就有限。好在对外汉语教学界的一些知名学术前辈非常关注教师素质和师资培训问题，不断为建设一支高素质的对外汉语教师队伍大声疾呼，因此，入选文章还是大体可以代表对外汉语教学界在这一领域的研究成果，反映这一领域的研究水平。根据这套丛书的编写要求，我们集中在最近十年的研究成果中进行选择，但为了展示研究发展的脉络，早期开创性的研究成果不受此限。

在编辑方面我们有几点说明：一是受体例限制，我们对有些入选文章章节的编号做了重新编排，对由此影响到的正文内容也做了相应调整；二是受本书内容和篇幅的限制，对于同一话题的不同文章，我们尽可能回避近似的内容，因而我们对有些入选文章进行了适当的删节；三是凡被删节的文字，与其相应的注释、参考文献也一并删去；四是为了书系整体体例的统一，入选文章的参考文献、脚注、尾注等均已改为脚注；五是因为我们找不到个别文章中的原始图稿，只好删除图片并在不影响理解的前提下对原文做了变通处理。敬请本书文章的原作者和读者谅解。

编　者

2006 年春于北京